D0653187

Bill Bryson · Mein Amerika

4,00 € ch
W 22

BILL BRYSON

Mein Amerika

Erinnerungen an eine
ganz normale Kindheit

Deutsch von
Sigrid Ruschmeier

Goldmann Verlag

Die englische Originalausgabe erschien 2006 unter dem Titel
»The Life and Times of the Thunderbolt Kid«
bei Doubleday, London

FSC

Mix

Produktgruppe aus vorbildlich
bewirtschafteten Wäldern und
anderen kontrollierten Herkünften

Zert.-Nr. SGS-COC-1940
www.fsc.org
© 1996 Forest Stewardship Council

Verlagsgruppe Random House FSC-DEU-0100
Das für dieses Buch verwendete FSC-zertifizierte Papier *EOS*
liefert Salzer, St. Pölten.

1. Auflage
Copyright © der Originalausgabe 2006 by Bill Bryson
Copyright © der deutschsprachigen Ausgabe 2007
by Wilhelm Goldmann Verlag, München,
in der Verlagsgruppe Random House GmbH
Satz: Uhl + Massopust, Aalen
Druck und Einband: GGP Media GmbH, Pößneck
Printed in Germany
ISBN 978-3-442-30116-4

www.goldmann-verlag.de

Inhalt

Vorwort und Dank

Alles in allem hatte ich eine richtig schöne Kindheit. Meine Eltern waren geduldig und nett und beinahe normal. Sie haben mich nicht im Keller angekettet. Sie haben mich nicht »es« genannt. Ich wurde als Junge geboren und durfte ein Junge bleiben. Einmal schickte mich meine Mutter zwar in Caprihosen zur Schule, doch ansonsten habe ich als Kind wenig Traumatisches erlebt.

Groß werden war leicht. Denken oder anstrengen musste man sich dabei nicht. Es passierte ohnehin. Was nun folgt, ist also leider nicht besonders ereignisreich. Und dennoch war es die bei weitem angsterregendste, spannendste, interessanteste, lehrreichste, erstaunlichste, lustvollste, intensivste, sorgenvollste, sorgenfreieste, konfuseste, idyllischste und nervenaufreibendste Zeit meines Lebens. Zufällig war es das auch alles für die Vereinigten Staaten von Amerika.

Alles, was ich hier erzähle, ist mehr oder weniger wahr und wirklich passiert, doch fast alle Namen und wenige Einzelheiten habe ich in der Hoffnung, Peinlichkeiten zu vermeiden, geändert. Ein kleiner Teil der Geschichte ist in anderer Form auch schon im *New Yorker* erschienen.

Wie immer haben mir viele Menschen großzügig geholfen, und ich möchte an dieser Stelle (in alphabetischer Reihenfolge) aufrichtig danken: Deborah Adams, Aosaf Afzal, Matthew Angerer, Charles Elliott, Larry Finlay, Will Francis, Carol

7

Heaton, Jay Horning, Patrick Janson-Smith, Tom und Nancy Jones, Sheila Lee, Fred Morris, Steve Rubin, Marianne Velmans, Daniel Wiles und den Angestellten der Drake University Library und der Des Moines Public Library in Iowa sowie der Durham University Library in England.

Besonders dankbar bin ich Gerry Howard, meinem cleveren, stets umsichtigen amerikanischen Verleger, für einen Stapel *Boys' Life*-Hefte, eines der besten und nützlichsten Geschenke, das ich seit Jahren bekommen habe, und Jack Peverill aus Sarasota, Florida, weil er mir Unmengen hilfreichen Materials zur Verfügung gestellt hat. Und natürlich bin ich meiner Familie zu ewigem Dank verpflichtet, insbesondere meinem lieben Weibe Cynthia für so viel Unterstützung, wie ich sie nie schildern kann, meinem Bruder Michael und meiner unvergleichlich wunderbaren, unendlich patenten Mutter Mary McGuire Bryson, ohne die, das versteht sich von selbst, alles, was folgt, nicht möglich gewesen wäre.

I
Meine Heimatstadt

Springfield, Ill. (AP) – Der Senat von Illinois löste gestern seinen Rationalisierungs- und Einsparungsaus-
schuss auf – »aus Gründen der Rationalisierung und
Einsparung«. *Des Moines Tribune*, 6. Februar 1955

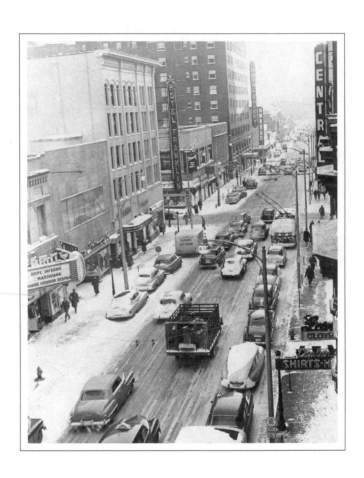

Ende der 1950er Jahre gab die Königlich Kanadische Luftwaffe eine Broschüre über Isometrik heraus, eine Sparte der Leibesertüchtigung, die sich bei meinem Vater kurzer, aber äußerster Beliebtheit erfreute. Bei isometrischen Übungen benutzte man ein beliebiges hartes Hilfsmittel wie einen Baum oder eine Wand und stemmte sich in verschiedenen Stellungen dagegen, um die einzelnen Muskelgruppen zu stärken und fit zu halten. Da jedermann Zugang zu Bäumen und Wänden hat, musste man nicht viel in eine kostspielige Ausrüstung investieren, was für meinen Vater wahrscheinlich den Reiz an der Sache ausmachte.

Weniger glücklich war allerdings, dass er sein isometrisches Muskeltraining normalerweise in Flugzeugen absolvierte. Irgendwann während eines Fluges schlenderte er nach hinten in Richtung Bordküche oder in den Bereich vor dem Notausgang, stellte sich in Positur, als wolle er schweres Gerät bewegen, und drückte sich mit dem Rücken oder der Schulter gegen die Wand des Flugzeugs. Ab und zu gönnte er sich eine Pause, atmete tief durch und machte sich dann mit leisem, entschlossenem Grunzen wieder ans Werk.

Da es beängstigend so aussah, als wolle er ein Loch in die Flugzeugwand drücken, erregte es natürlich Aufmerksamkeit. Geschäftsleute auf den Plätzen in der Nähe lugten über den Rand ihrer Brillen. Eine Stewardess streckte den Kopf aus der Bordküche und lugte ebenfalls, doch mit einer gewissen erhöhten Wachsamkeit, als erinnere sie sich an einen Teil ihrer Ausbildung, den sie bisher noch nicht in der Praxis hatte anwenden müssen.

Wenn mein Vater sah, dass er Zuschauer hatte, warf er sich in die Brust, lächelte verbindlich und begann in kurzen Zügen die faszinierenden Grundsätze der Isometrik darzulegen. Anschließend gab er einem sich freilich rasch abwendenden Publikum eine Vorführung. Er war merkwürdig unfähig, solche Situationen peinlich zu finden, doch das machte nichts, denn mir waren sie für uns beide peinlich – ja, peinlich für uns beide nebst allen Fluggästen, der Fluggesellschaft und ihren Angestellten sowie dem gesamten Bundesstaat, über den wir gerade flogen.

Aus zweierlei Gründen fand ich mich mit derlei Aktivitäten aber ab. Erstens war mein Vater, wenn er wieder festen Boden unter den Füßen hatte, meist nicht halb so närrisch, zweitens war Ziel der Flüge immer eine große Stadt wie Detroit oder St. Louis, wo wir in einem großen Hotel übernachten und Baseballspiele besuchen würden. Und dafür nahm ich vieles in Kauf – na, eigentlich alles. Mein Vater war Sportreporter für den *Des Moines Register*, damals eine der besten Zeitungen des Landes, und oft durfte ich ihn auf Reisen im Mittleren Westen begleiten. Manchmal fuhren wir nur mit dem Auto in kleinere Orte wie Sioux City oder Burlington, doch mindestens einmal im Sommer bestiegen wir ein silberglänzendes Flugzeug – damals eine Riesensache – und rumpelten durch die Schäfchenwolken hoch oben an einem sommerlichen Firmament zu einer richtigen Metropole, um Major-League-Baseballspielen beizuwohnen, Topereignissen in dem Sport.

Wie alles damals war Baseball Teil einer simpleren Welt und vor den Spielen durfte ich mit ihm in die Umkleidekabinen, zu den überdachten Spielerbänken und aufs Spielfeld. Stan Musial hat mir durchs Haar gewuschelt. Ich habe Willie Mays einen Ball zurückgegeben, den er nicht gefangen hatte. Ich habe Harvey Kuenn (vielleicht war es auch Billy Hoeft) mein Fernglas geliehen, damit er eine vollbusige Blondine auf den oberen Rängen ins Visier nehmen konnte. Und einmal saß ich an einem heißen Julinachmittag in den fast luftlosen Clubräumen unterhalb der Tribüne am linken Spielfeld von Wrigley Field in Chicago neben Ernie Banks, dem großartigen Shortstop der Cubs, als er kistenweise neue weiße Basebälle signierte (die übrigens den köstlichsten Duft der Erde verströmen und in deren Nähe Zeit zu verbringen sich immer lohnt). Unaufgefordert übernahm ich es, neben Ernie Banks Platz zu nehmen und ihm die Bälle zuzureichen. Was den Ablauf erheblich entschleunigte. Doch er schenkte mir jedes Mal ein kleines Lächeln und sagte Danke schön, als täte ich ihm einen Riesengefallen. Er war das netteste menschliche Wesen, das mir je begegnet ist. Es war, als wäre man mit Gott befreundet.

Ich kann mir keine erfreulichere Zeit und keinen glücklicheren Ort zum Leben vorstellen als die Vereinigten Staaten von Amerika in den 1950er Jahren. Noch nie hatte in einem Land ein solcher Wohlstand geherrscht. Als der Krieg zu Ende war, gab es in den USA Fabriken im Wert von 26 Milliarden Dollar, die vor dem Krieg noch nicht existiert hatten, 140 Milliarden Dollar in Ersparnissen und Kriegsanleihen, die nur darauf warteten, ausgegeben zu werden, keine Bombenschäden und praktisch keine Konkurrenz. Die amerikanischen Unternehmen mussten nur aufhören, Panzer und Schlachtschiffe zu bauen, und stattdessen Buicks und Frigidaires produzieren. Und Mann, oh Mann, das taten sie! 1951, als ich auf die Welt gesegelt kam, besaßen fast 90 Prozent der US-amerikanischen Familien einen Kühlschrank und fast 75 Prozent Waschmaschine, Telefon, Staubsauger und Gas- oder Elektroküchenherd – Dinge, von denen der Rest der Welt immer noch nur träumen konnte. Die US-Bürger nannten 80 Prozent der Elektrogeräte auf Erden ihr Eigen, verfügten über zwei Drittel der

Produktionskapazitäten, erzeugten 40 Prozent des elektrischen Stroms, 60 Prozent des Öls und 66 Prozent des Stahls. Die fünf Prozent der Menschheit, die US-Amerikaner waren, waren reicher als die restlichen 95 Prozent zusammen.

Ich wüsste nicht, was Hülle und Fülle dieser Jahre besser illustriert als das Foto (auf den vorderen und hinteren Vorsatzblättern dieses Buches), das zwei Monate vor meiner Geburt in der *Life* abgedruckt war. Es zeigt die Familie Czekalinski aus Cleveland, Ohio – Steve, Stephanie und die beiden Söhne Stephen und Henry –, inmitten der zweieinhalb Tonnen Nahrung, die eine typische Arbeiterfamilie damals in einem Jahr vertilgte. Zu den Dingen, mit denen sie fotografiert wurden, gehörten 400 Pfund Mehl, 65 Pfund Backfett, 50 Pfund Butter, 31 Hähnchen, 270 Pfund Rindfleisch, fast 25 Pfund Karpfen, 130 Pfund gekochter Schinken, 35 Pfund Kaffee, 620 Pfund Kartoffeln, 663 Liter Milch, 131 Dutzend Eier, 180 Brotlaibe und 32 Liter Speiseeis, alles mit einem wöchentlichen Budget von 25 Dollar erstanden. (Mr. Czekalinski arbeitete im Versand einer Fabrik von Du Pont und verdiente 1,96 Dollar die Stunde.) 1951 aß der durchschnittliche US-Bürger 50 Prozent mehr als der Europäer.

Kein Wunder, dass die Leute zufrieden waren. Plötzlich bekamen sie Dinge, von denen sie nicht einmal geträumt hatten, und konnten ihr Glück kaum fassen. Wunderbar auch, wie bescheiden die Wünsche waren. Zum letzten Mal sollten Menschen schier aus dem Häuschen geraten, wenn sie in den Besitz eines Toasters oder Waffeleisens kamen. Schafften sie ein größeres Gerät an, luden sie die Nachbarn zum Anschauen ein. Als ich ungefähr vier war, kauften meine Eltern einen Amana-Stor-Mor-Kühlschrank und mindestens sechs Monate lang war der wie ein Ehrengast in unserer Küche. Wenn er nicht so schwer gewesen wäre, hätten sie ihn beim Essen bestimmt an den Tisch gezogen. Kam unerwartet Besuch, sagte mein Vater zu meiner Mutter: »Ach, Mary, haben wir wohl Eistee im Amana?« und bedeutungsvoll zu den Gästen: »Haben wir eigentlich jetzt immer. Es ist ein Stor-Mor.«

»Ah, ein Stor-Mor«, sagte dann der männliche Gast und hob die Brauen wie jemand, der was von Qualitätskühlung versteht. »Wir haben auch überlegt, ob wir uns einen Stor-Mor anschaffen, uns am Ende aber für einen Philco Shur-Kool entschieden. Alice fand, dass das Easy-Glide-Gemüsefach wirklich leicht herauszuziehen ist, und man kriegt eine Familienpackung Eiskrem ins Gefrierfach. Und wie Sie sich sicher vorstellen können, war das für Wendell Junior *das* Verkaufsargument!«

Worauf alle herzlich lachten, sich hinsetzten, Eistee tranken und eine Stunde oder so über Haushaltsgeräte parlierten. Nie waren Menschen glücklicher gewesen.

Auch auf die Zukunft freuten sich die Leute in einer Weise, wie es nie wieder der Fall sein sollte. Bald, so stand es ja in jeder Illustrierten, würden wir Unterwasserstädte vor allen Küsten haben, Weltraumkolonien in riesigen Glasballons, atomgetriebene Züge und Verkehrsflugzeuge, jeder seinen eigenen Raketenrucksack, Gyrokopter in allen Hauseinfahrten, Autos, die sich in Boote oder sogar U-Boote verwandelten, bewegliche Bürgersteige, die uns – witsch! – in Schulen und Büros beförderten, Automobile mit Kuppeldächern, die sich selbst über glatte Superautobahnen fuhren, so dass Mom, Dad und die beiden Jungs (Chip und Bud oder Skip und Scooter) sich Brettspielen widmen, einem Nachbarn in einem vorbeifliegenden Gyrokopter zuwinken oder sich einfach zurücklehnen und darin schwelgen konnten, einige der wunderhübschen Worte aus den Fünfzigern zu sagen, die man jetzt nicht mehr hört: Vervielfältigungsapparat, Grillrestaurant, Stenograf, Eisschrank, Rübstielchen, Strumpfbandgürtel, Nylonstrümpfe, Sputnik, Beatnik, Cinerama, Moose Lodge, Pinökel, Daddy-o.

Wer nicht auf die Unterwasserstädte und die selbsttätig fahrenden Autos warten wollte, konnte sich schon jetzt Tausende kleiner Dinge besorgen, die das Leben bereicherten. Wenn man zum Beispiel von all dem Gebrauch gemacht hätte, was in den Annoncen einer einzigen Ausgabe der Illustrierten *Popular Science* vom Dezember 1956 feilgeboten wurde, hätte man unter anderem Folgendes tun können: sich Bauchreden oder Tranchieren beibringen (Letzteres mittels eines Fernstudiums an der National School of Meat Cutting in Toledo, Ohio), eine lukrative Karriere einschlagen (indem man von Tür zu Tür ging und anbot, Schlittschuhe zu schleifen), von zu Hause aus Feuerlöscher verkaufen, ein für alle Mal Leistenbrüchen vorbeugen, Radios bauen, Radios reparieren, im Radio auftreten, im Radio zu Menschen in verschiedenen Ländern und möglicherweise sogar auf verschiedenen Planeten sprechen, seine Persönlichkeit vervollkommnen, eine Persönlichkeit erlangen, eine männliche Figur erwerben, tanzen lernen, individuelles Geschäftspapier entwerfen oder in seiner Freizeit »Hunderte von Dollars verdienen« (indem man zu Hause Gartenfiguren oder andere hochmoderne Nippesfiguren bastelte).

Mein Bruder, normalerweise ein recht intelligenter Mensch, investierte einmal in eine Broschüre, die ihm bauchrednerische Künste beizubringen versprach. Er presste die Lippen zusammen und äußerte etwas Unverständliches, trat dann schnell zur Seite und sagte: »Das klang, als käme es von dort drüben, stimmt's?« Auf eine Anzeige in der *Mechanics Illustrated* hin, die ihm für 65 Cent plus Porto Farbfernsehen zu Hause verhieß, bestellte und bekam er binnen vier Wochen per Post ein buntes, durchsichtiges Blatt aus Plastik, das er laut beiliegender Anleitung über den Bildschirm seines Fernsehgeräts kleben und dann das Bild dadurch betrachten sollte.

Da mein Bruder das Geld ausgegeben hatte, weigerte er sich zuzugeben, dass das Ganze ein wenig enttäuschend war. Wenn sich ein menschliches Gesicht in den rötlichen Teil des Bildschirms schob und ein Stück Rasen zufällig kurz mit dem grünen übereinstimmte, sprang er triumphierend auf und rief: »Seht ihr! Seht ihr! So sieht es im Farbfernsehen mal aus. Vorläufig ist das ja noch alles im Experimentierstadium.«

In unser Viertel kam das Farbfernsehen übrigens erst am Ende des Jahrzehnts, als Mr. Kiessler auf der St John's Road für viel Geld einen enormen RCA Victor Consolette kaufte, das Prunkstück der RCA-Produktpalette. Mindestens zwei Jahre lang war Mr. Kiesslers Farbfernseher, soweit bekannt, der einzige, der sich in Privatbesitz befand, und eine fantastische Neuheit. Samstagsabends stahlen sich die Kinder aus der weiteren und näheren Umgebung auf seinen Hof und stellten sich in seine Blumenbeete, um durch das Doppelfenster hinter seinem Sofa eine Sendung zu sehen, die *My Living Doll* hieß. Ich bin mir ziemlich sicher, dass Mr. Kiessler nicht ahnte, dass zwei Dutzend Kinder aller Altersstufen und Größen zusammen mit ihm fernsahen. Sonst hätte er nämlich nicht jedes Mal, wenn Julie Newmar auf der Bildfläche erschien, derart begeistert an sich herumgerubbelt. Ich hielt es für isometrisches Muskeltraining.

Bald vierzig Jahre lang, von 1945 bis zu seiner Pensionierung, ging mein Vater jedes Jahr für den *Register* zu den Spielen der Baseball World Series. Mit unermesslich weitem Abstand war das der Höhepunkt seines Arbeitsjahres. Er durfte sich nicht nur zwei Wochen lang in den kosmopolitischsten, aufregendsten Städten auf Spesen einen tollen Lenz machen – und von Des Moines aus betrachtet, waren alle Städte kosmopolitisch und aufregend –, sondern er sah auch mit eigenen Augen viele der denkwürdigsten Augenblicke in der Geschichte des Baseballs. Al Gionfriddos einhändigen Wundercatch eines Linedrives von Joe DiMaggio, Don Larsens Glanzleistungen im

Jahre 1956, Bill Mazeroskis Homerun, der 1960 zum Sieg in der Series führte. Ich weiß, Ihnen bedeutet das gar nichts – wahrscheinlich bedeutet es heute den meisten Menschen nichts –, doch es waren geradezu ekstatische Momente, und eine ganze Nation erlebte sie gemeinsam.

Damals wurden die World-Series-Spiele tagsüber ausgetragen. Wenn man also eins sehen wollte, musste man die Schule schwänzen oder sich eine praktische Bronchitis zulegen. (»Oje, Mum, der Lehrer hat gesagt, die TB ist wieder auf dem Vormarsch.«) Überall, wo ein Radio an war oder ein Fernseher lief, sammelten sich Menschentrauben. Irgendwas von einem World-Series-Spiel zu sehen oder zu hören, und sei es nur ein halbes Inning in der Mittagspause, wurde zum verbotenen Nervenkitzel. Und war man dabei, wenn etwas historisch Bedeutsames passierte, vergaß man das seiner Lebtage nicht. Mein Vater hatte ein unheimliches Talent, in solchen Momenten dabei zu sein – und ganz besonders in dem (in so mancher Hinsicht) epochemachenden Jahr 1951, als unsere Geschichte beginnt.

In der National League (einer der beiden Hauptligen im Profibaseball; die andere war die American League) steuerten die Brooklyn Dodgers auf den mühelosen Gewinn der Meisterschaft zu, da regten sich Mitte August ihre Rivalen von der anderen Seite der Stadt, die New York Giants, und setzten zu einer höchst unwahrscheinlichen Aufholjagd an. Plötzlich gelang ihnen alles. Sie gewannen 37 der 44 noch ausstehenden Spiele, und der einst unanfechtbare Vorsprung der Dodgers schmolz scheinbar schicksalhaft dahin. Mitte September redeten die Leute über nichts anderes mehr als über die Frage, ob die Dodgers sich oben halten würden. Manch einer fiel vor Hitze und Aufregung tot um. Die beiden Teams beendeten die Saison in absolutem Gleichstand. In aller Eile wurde eine Play-off-Serie von drei Spielen angesetzt, um denjenigen zu ermitteln, der gegen den Meister der American League in der World

Series spielen sollte. Der *Register*, wie fast alle vom Geschehen weit entfernten Zeitungen, schickte keinen Reporter zu den kurzfristig angesetzten Playoff-Spielen, sondern verließ sich für seine Berichterstattung bis zum Beginn der World Series auf die Nachrichtendienste.

Die Playoffs bescherten der Nation zusätzliche drei Tage exquisiter Folter. Beide Mannschaften gewannen jeweils ein Spiel, also war das dritte entscheidend. Und die Dodgers schienen endlich ihre vorherige Form und Unbesiegbarkeit wiederzugewinnen. Beim letzten Inning führten sie komfortabel 4:1 und brauchten nur drei Outs, um zu gewinnen. Doch die Giants schlugen zurück, machten einen Punkt und stellten noch zwei Runner auf die Base, als Bobby Thomson aufs Homeplate trat (meine Leser in Schottland erfüllt es vielleicht mit Stolz, dass er in Glasgow geboren wurde). Und was Thomson in der dichter werdenden Dämmerung dieses Herbstnachmittags schaffte, wurde schon viele Male zum größten Moment in der Geschichte des Baseballs erkoren.

»Ralph Branca, dem Auswechselspieler der Dodgers, gelang gestern ein Wurf, der Geschichte machte«, schrieb einer, der dabei war. »Das heißt, Geschichte machte jemand anderer. Bobby Thomson, der ›Flying Scotsman‹, schlug Brancas zweiten Ball über die Begrenzung des linken Feldes und erzielte einen spielentscheidenden Homerun, der so folgenschwer, so spektakulär war, dass einen Augenblick verblüffte Stille herrschte. Doch als man begriff, was da für ein Wunder geschehen war, wackelten die weiten Ränge der Polo Grounds in ihren vierzig Jahre alten Grundfesten. Die Giants hatten den Siegeswimpel errungen und damit eine der unglaublichsten Aufholjagden beendet, die es je im Baseball gegeben hat.«

Verfasser dieser Sätze war mein Vater – der ganz plötzlich, vollkommen überraschend bei Thomsons größtem Moment

19

anwesend war. Weiß der Himmel, wie er die für ihre Knause-rigkeit berüchtigten Chefs des *Register* dazu überredet hatte, ihn die 1132 Meilen von Des Moines nach New York zu dem alles entscheidenden Spiel zu schicken – ein Akt spontaner Spendabilität, so gar nicht in Einklang mit der sparsamen Spe-senpolitik, die sie jahrzehntelang betrieben hatten –, oder wie es ihm gelungen war, so spät noch die Akkreditierung und einen Platz auf der Pressetribüne zu ergattern.

Aber er musste einfach dabei sein. Es war vom Schicksal bestimmt. Und wenn ich auch nicht behaupte, dass Bobby Thomson den Homerun erzielt hat, weil mein Vater da war, oder dass er ihn nicht erzielt hätte, wenn mein Vater nicht da gewesen wäre, so muss man eines einfach festhalten: Mein Va-ter war da, und Bobby Thomson war da, und der Homerun wurde erzielt, und alles fügte sich damals auf das Trefflichste.

Mein Vater blieb für die World Series da, in denen die Yan-kees die Giants in sechs Spielen relativ mühelos schlugen – wahrscheinlich konnte die Welt in einem Herbst nur ein ge-wisses Maß an Aufregung verkraften –, und kehrte dann zu seinem normalerweise ruhigen Leben in Des Moines zurück. Nur einen Monat später, an einem kalten, verschneiten Tag Anfang Dezember ging seine Frau ins Mercy Hospital und brachte ohne viel Aufhebens einen kleinen Jungen zur Welt, ihr drittes Kind, den zweiten Sohn, den ersten Superhelden. Sie nannten ihn William, nach seinem Vater, und riefen ihn Billy, bis er alt genug war, es sich zu verbitten.

Außer dem großartigsten Homerun in der Geschichte des Baseballs und der Geburt des Thunderbolt Kid ereignete sich im Jahre 1951 nichts Weltbewegendes in den Vereinigten Staa-ten. Harry Truman war Präsident, sollte aber bald Dwight D. Eisenhower Platz machen. Der Krieg in Korea war voll im Gange und lief nicht gut. Julius und Ethel Rosenberg waren

unrühmlicherweise gerade wegen Spionage für die Sowjetunion verurteilt worden, saßen aber noch zwei Jahre im Gefängnis, bevor sie auf den elektrischen Stuhl kamen. In Topeka,
Kansas, strengte Oliver Brown einen Prozess gegen die städ-
tische Schulbehörde an, weil die von seiner Tochter verlangte,
21 Straßen weit zu einer Schule nur für Schwarze zu fahren,
obwohl die nächste, nur für Weiße, lediglich sieben Straßen
weiter lag. Der Fall, als »Brown gegen die Schulbehörde« un-
sterblich geworden, sollte einer der folgenreichsten in der modernen US-amerikanischen Geschichte, aber außerhalb Juris-
tenkreisen erst drei Jahre später bekannt werden, als er vor dem
Obersten Gerichtshof verhandelt wurde.

1951 besaßen die Vereinigten Staaten von Amerika eine Ein-
wohnerzahl von 150 Millionen, ein wenig mehr als halb so viel
wie heute und nur etwa ein Viertel der Autos. Männer trugen
fast überall, wo sie hingingen, Hüte und Schlipse. Frauen be-
reiteten jede Mahlzeit mehr oder weniger selbst zu. Die Milch
kam in Flaschen. Der Briefträger zu Fuß. Die gesamten Staats-
ausgaben beliefen sich auf 50 Milliarden Dollar pro Jahr, heute
sind es 2500 Milliarden.

Im Fernsehen gab es die erste Folge von *Typisch Lucy* am
15. Oktober; Roy Rogers, der singende Cowboy, trat im Dezember zum ersten Mal auf. Im Herbst nahm die Polizei in
Oak Ridge, Tennessee, einen Jugendlichen unter dem Verdacht
des Drogenbesitzes fest, weil er ein merkwürdiges braunes Pulver bei sich trug. Er wurde freigelassen, als sich herausstellte,
dass es ein neues Produkt war, das Pulverkaffee hieß. Auch neu
oder noch nicht ganz erfunden waren Kugelschreiber, Fastfood, Fertiggerichte (vorzugsweise vor dem Fernseher zu verzehren), elektrische Dosenöffner, überdachte Einkaufszentren,
Freeways, Supermärkte, vorstädtische Zersiedelung, Klima-
anlagen in Privathäusern, Servolenkung, Automatikgetriebe,
Kontaktlinsen, Kreditkarten, Tonbandgeräte, Müllschlucker,

Geschirrspüler, Langspielplatten, tragbare Plattenspieler, Major-League-Baseballteams westlich von St. Louis und die Wasserstoffbombe. Mikrowellenherde gab es schon; sie wogen aber über 300 Kilo, und bis es Flugreisen in Düsenflugzeugen, Klettverschlüsse, Transistorradios und Computer gab, die kleiner als ein kleines Haus waren, sollten noch ein paar Jahre ins Land gehen.

Was den Leuten ständig im Kopf herumspukte, war der Atomkrieg. Am Mittwoch, dem 5. Dezember, waren die Straßen in New York sieben Minuten lang gespenstisch leer, denn da führte die Stadt, wie die Illustrierte *Life* berichtete, »die größte Luftschutzübung des Atomzeitalters« durch. Tausende Sirenen heulten, und die Leute hasteten (na ja, eigentlich schlenderten sie gutgelaunt daher und blieben auf Anfrage sogar stehen, um für Fotos zu posieren) in ausgewiesene Luftschutzräume, mit anderen Worten: ins Innere jedes einigermaßen massiven Gebäudes. Auf *Life*-Fotos sah man auch, wie Sankt Nikolaus fröhlich eine Kinderschar aus Macy's hinausgeleitete, halb eingeseifte Männer und ihre Barbiere im Gänsemarsch aus den Friseursalons marschierten, kurvenreiche Mannequins von einem Bademoden-Fotoshooting zitternd und gutmütig Bestürzung heuchelnd aus Studios auftauchten, wohlwissend, dass ein Bild in der *Life* ihrer Karriere keineswegs schaden würde. Nur Restaurantgäste brauchten nicht an der Übung teilzunehmen, denn New Yorker, die ohne einen Dollar zu bezahlen aus einem Restaurant geschickt wurden, sah man dort wahrscheinlich nie wieder.

Bei uns zu Hause verhaftete die Polizei bei der größten Razzia, die je in Des Moines stattgefunden hatte, im alten Cargill Hotel an der Ecke Seventh/Grand im Stadtzentrum neun Frauen wegen Prostitution. Eine wahrhaft großangelegte Operation! Achtzig Beamte stürmten kurz nach Mitternacht das Gebäude, doch die Damen mit Wohnsitz im Hotel waren nirgendwo zu finden. Erst nach sechs Stunden Suche und anstrengenden Messungen entdeckten die Polizisten eine Höhlung hinter einer Wand in einem oberen Stockwerk. Dort fanden sie neun meist nackte Frauen mit viel Gänsehaut. Alle wurden wegen Prostitution festgenommen und zu einer Geldstrafe von 1000 Dollar verurteilt. Ich frage mich allerdings, ob die Beamten genauso gewissenhaft gesucht hätten, wenn sie nackten Männern auf der Spur gewesen wären.

Der 8. Dezember 1951 war der zehnte Jahrestag des Eintritts der Vereinigten Staaten in den Zweiten Weltkrieg und ein Tag nach dem zehnten Jahrestag des japanischen Angriffs auf Pearl Harbour. In der Mitte Iowas herrschten leichter Schneefall und vergleichsweise milde Temperaturen von $-2\,°C$, doch von Westen her näherten sich die dicken Wolken eines Blizzards. Des Moines, eine Stadt mit 200 000 Einwohnern, bekam an dem Tag zehn neue Bürger – sieben Jungen und drei Mädchen –, zwei Einwohner starben.

Weihnachten lag in der Luft, und der Wohlstand zeigte sich nun auch überall in der Weihnachtsreklame. Zigarettenstangen mit Stechpalmenzweiglein und sonstiger weihnachtlicher Deko waren sehr beliebt, ebenso Elektrowaren aller Art. Technischer Firlefanz war sehr in Mode. Mein Vater kaufte meiner Mutter einen von Hand zu bedienenden Eiszerstoßer, mit dem man Eis für Cocktails bereiten konnte; er verwandelte einwandfreie Eiswürfel nach zwanzig Minuten beherzten Kurbelns in eine kleine Menge kühlen Wassers. Nach Silvester 1951 wurde er nie wieder benutzt, doch bis weit in die siebziger Jahre zierte er eine Ecke der Arbeitsplatte in der Küche.

Verborgen in den freundlichen Anzeigen und fröhlichen Artikeln waren allerdings tiefsitzende Ängste. Im Herbst hatte *Reader's Digest* nämlich gefragt:»Wem gehört der Kopf Ihres Kindes?« (Offenbar Lehrern mit Sympathien für die Kommunisten.) Kinderlähmung war so verbreitet, dass selbst die Zeitschrift *House Beautiful* in einem Artikel beschrieb, wie man die Risiken für seine Kinder klein halten konnte. Ihre (durch die Bank nutzlosen) Ratschläge lauteten dahingehend, dass man kein Essen offen herumstehen lassen, nicht in kaltem Wasser oder nasser Badekleidung sitzen, viel ausruhen und vor allem, mit aller gebotenen Vorsicht »neue Menschen in den Kreis der Familie aufnehmen« sollte.

Was das Ökonomische betraf, schlug *Harper's* im Dezember mit einem Artikel von Nancy B. Mavity einen düsteren Ton an. Es ging um ein beunruhigendes neues Phänomen, die Familie mit zwei Einkommen, in der beide, Mann und Frau, arbeiten gingen, um einen anspruchsvolleren Lebensstil finanzieren zu können. Mavitys Sorge galt nicht der Frage, wie Frauen mit den Anforderungen der Berufstätigkeit zusätzlich zu Kindererziehung und Hausarbeit fertig wurden, sondern was das alles für die traditionelle Rolle des Mannes als Ernährer bedeutete. »Ich würde mich schämen, meine Frau arbeiten zu lassen«, erzählte ein Mann Mavity pikiert und dem Tonfall ihres Artikels war zu entnehmen, dass sie davon ausging, dass ihr die meisten Leser zustimmen würden. Bis zum Krieg, sollte man an dieser Stelle vielleicht bemerken, konnten viele Frauen in den Vereinigten Staaten – ob sie wollten oder nicht – gar nicht arbeiten gehen. Bis Pearl Harbor hatte die Hälfte der 48 Staaten Gesetze, nach denen es verboten war, eine verheiratete Frau zu beschäftigen.

In dieser Hinsicht war mein Vater jedoch vorbildlich – ja, mit Begeisterung – liberal, denn dass meine Mutter Geld verdiente, war ganz in seinem Sinne, ja ließ ihm das Herz im Leibe hüpfen. Auch sie arbeitete beim *Des Moines Register*, als Redakteurin in der Frau-und-Familie-Redaktion, und in dieser Eigenschaft redete sie zwei Generationen Hausfrauen beruhigend zu, die verzweifelt wissen wollten, ob die Zeit für Paisleymuster im Schlafzimmer gekommen sei, ob sie rechteckige oder runde Sofakissen nehmen sollten, ja, ob das Haus selbst modischen Standards entsprach. »Den Bungalow wird es immer geben«, versicherte meine Mutter ihren Leserinnen und Lesern, bevor sie verschwand, um mich zu kriegen, und in den westlichen Vororten schrie man vermutlich vor Erleichterung auf.

Weil meine Eltern beide berufstätig waren, ging es uns besser als den meisten Leuten unserer sozioökonomischen Herkunft (was hieß: den meisten Leuten überhaupt in den Fünfzigern in Des Moines). Wir, das heißt, meine Eltern, mein Bruder Michael, meine Schwester Mary Elizabeth (Betty) und ich, hatten ein größeres Haus auf einem größeren Grundstück als die meisten Kollegen meiner Eltern. Es war ein weißes Schindelhaus mit schwarzen Fensterläden und einer großen überdachten Veranda auf einem schattigen Hügel im besten Viertel der Stadt.

Meine Schwester und mein Bruder waren beträchtlich älter als ich – meine Schwester sechs Jahre, mein Bruder neun –, aus meiner Sicht also praktisch Erwachsene. Ja, sie waren so alt, dass sie den Großteil meiner Kindheit kaum noch zu Hause waren. In meinen ersten Lebensjahren teilte ich mir mit meinem Bruder ein Schlafzimmer. Wir verstanden uns gut. Mein Bruder war dauernd erkältet und hatte Allergien und besaß wenigstens 400 Stofftaschentücher, die er hingebungsvoll mit lautem Tröten vollschnaufte und dann in alle erreichbaren Lagerstätten schob – unter die Matratze, zwischen Sofakissen, hinter die Gardinen. Als ich neun war, ging er fort aufs College und lebte danach als Journalist in New York City, kam also nur noch zu Besuch zurück, und ich hatte das Zimmer für mich. Aber selbst als ich schon in der Highschool war, fand ich immer noch Taschentücher von ihm.

Nachteilig an der Tatsache, dass meine Mutter arbeiten ging, war einzig und allein, dass sie, was Haushaltsführung und be-

25

sonders die abendliche Verköstigung betraf, ständig unter Druck stand. Ehrlich gesagt, war das Ganze ohnehin nicht ihre starke Seite. Meine Mutter kam immer zu spät und war obendrein noch sehr vergesslich. Man lernte früh, sich ab zehn vor sechs abends im Hintergrund zu halten, denn dann kam sie durch die Gartentür gerannt, warf etwas in den Ofen, verschwand dann in einem anderen Teil des Hauses und beschäftigte sich mit tausend anderen Dingen, die jeden Abend im Haushalt auf sie warteten. Dadurch vergaß sie natürlich fast immer das Abendessen, bis es einen Tick zu spät war. In der Regel wusste man, dass Essenszeit war, wenn man Kartoffeln im Ofen explodieren hörte.

Wir nannten die Küche in unserem Haus auch nicht Küche, sondern Brandopfer-Station.

»Es ist ein bisschen angebrannt«, sagte meine Mutter nämlich entschuldigend bei jedem Mahl und bot uns ein Stück Fleisch an, das wie etwas – vielleicht ein heißgeliebtes Haustier – aussah, das aus einem tragischen Hausbrand geborgen worden war. »Aber ich glaube, ich habe das meiste Verbrannte abgekratzt«, fügte sie immer hinzu und übersah dabei, dass das alles einschloss, was einmal Fleisch gewesen war.

Zum Glück war das meinem Vater gerade recht. Da sein Gaumen ohnehin nur auf zwei Geschmäcker reagierte – angebrannt und Eiskrem –, fand er alles wunderbar, solange es ausreichend dunkel und nicht zu verblüffend wohlschmeckend war. Die Ehe meiner Eltern war wirklich im Himmel geschlossen worden, denn niemand konnte Essen anbrennen lassen wie meine Mutter und niemand es verspeisen wie mein Vater.

Aus beruflichen Gründen musste meine Mutter stapelweise Schöner-Wohnen-Magazine kaufen. *House Beautiful, House and Garden, Better Homes and Gardens, Good Housekeeping* las ich also mit einer gewissen Gier, teils, weil sie immer herumlagen und in unserem Haus alle freien Momente mit Lesen verbracht wurden, teils, weil darin Lebensstile beschrieben wurden, die sich faszinierend von unserem unterschieden. Die Hausfrauen in den Zeitschriften meiner Mutter waren stets die Ruhe selbst, hervorragend organisiert, hatten die Dinge lässig im Griff, und ihr Essen war perfekt – ihr *Leben* war perfekt. Sie machten sich fein, um das Essen aus dem Ofen zu nehmen! An der Decke über ihren Herden waren keine schwarzen Kreise, über die Ränder ihrer vergessenen Töpfe kroch keine mutierende klebrige Masse. Sie mussten ihre Kinder nicht jedes Mal, wenn sie den Ofen öffneten, anweisen zurückzutreten. Und das Essen – Omelette surprise, Hummer Newburg, Hähnchen cacciatore – na, von solchen Gerichten träumten wir in Iowa nicht einmal, geschweige denn, begegneten wir ihnen.

Wie die meisten Menschen in Iowa in den 1950ern waren wir in unserem Haus eher vorsichtige Esser.* Bei den seltenen Gelegenheiten, bei denen man uns Speisen vorsetzte, die uns nicht ganz geheuer oder vertraut waren – in Flugzeugen oder Zügen oder wenn wir zu einem Essen eingeladen waren, das jemand gekocht hatte, der nicht aus Iowa kam –, hoben wir das Angebotene mit dem Messer behutsam an und untersuchten es von allen Seiten, als gelte es herauszufinden, ob es nicht doch entschärft werden müsse. Als mein Vater einmal zu Besuch in San Francisco war, gingen Freunde mit ihm in ein Chinarestaurant, und er schilderte es uns später in den ernstes-

---

* Wie die meisten Menschen in den Vereinigten Staaten. Auch der führende Gourmetkritiker der damaligen Zeit, Duncan Hines, Verfasser der enorm erfolgreichen Kolumnen *Adventures in Eating*, war ein vorsichtiger Esser und erklärte voller Stolz, dass er, wenn er es nur irgend vermeiden könne, keine Speisen mit französischen Namen zu sich nehme. Des Weiteren brüstete er sich damit, dass er mit siebzig zum ersten Mal die Vereinigten Staaten verlassen und eine Europareise gemacht habe. Vieles in Europa mochte er nicht, insbesondere das Essen.

ten Tönen wie jemand, der von einer Nahtoderfahrung berichtet.

»Und wisst ihr, sie essen mit Stäbchen«, fügte er sachkundig hinzu.

»Ach, du liebe Güte!«, sagte meine Mutter.

»Ich hätte lieber Gasbrand, als das noch einmal durchmachen zu müssen«, fügte mein Vater bitter hinzu.

In unserem Hause aßen wir nicht:

* Pasta, Reis, Doppelrahmfrischkäse, saure Sahne, Knoblauch, Majonäse, Zwiebeln, Corned Beef, Pastrami, Salami, überhaupt ausländische Nahrungsmittel, egal, welche – außer armen Rittern, obwohl sie französischer Toast heißen;
* Brot, das nicht weiß war und zumindest zu 65 Prozent aus Luft bestand;
* Gewürze, außer Salz, Pfeffer und Ahornsirup;
* Fisch, der eine andere als rechteckige Form besaß und nicht leuchtend orangerot paniert war (und wenn nicht Freitag war oder meine Mutter daran gedacht hatte, dass Freitag war, was selten geschah);
* Suppen, die nicht den heiligen Namen Campbell's trugen (und auch von denen viele nicht);
* Dinge mit dubiosen regionalen Namen wie »pone« (das war Maisbrot) oder »gumbo« (Okra) oder etwas, das irgendwann einmal durchaus geschätztes Grundnahrungsmittel von Sklaven oder Bauern gewesen war.

Alle anderen Arten Essen – Currygerichte, Enchiladas, Tofu, Bagels, Sushi, Couscous, Jogurt, Grünkohl, Ruccula, Parmaschinken, jedwede Käsesorte, die nicht kräftig leuchtend gelb war und so glänzte, dass man sich darin spiegeln konnte – waren entweder noch nicht erfunden oder uns noch nicht bekannt. Wir waren wirklich Essenskulturbanausen. Ich weiß noch, wie überrascht ich war, als ich in schon fortgeschrittenem Alter erfuhr, dass ein Krabbencocktail nicht, wie ich immer gedacht hatte, ein vor dem Essen zu konsumierendes alkoholisches Getränk mit einer Krabbe darin war.

Unsere Mahlzeiten bestanden immer aus Resten. Meine Mutter besaß einen schier unerschöpflichen Vorrat an Nahrungsmitteln, die schon einmal, manchmal sogar mehrmals, auf dem Tisch gewesen waren. Außer ein paar wenigen leicht verderblichen Milchprodukten war alles im Kühlschrank älter als ich, bisweilen um viele Jahre. (Ihr allerältester Essensbesitz war, das versteht sich fast von selbst, ein Früchtebrot aus der Kolonialzeit, das in einer Blechdose aufbewahrt wurde.) Ich vermute allerdings, dass meine Mutter die gesamte Kocherei in den vierziger Jahren erledigte, damit sie sich den Rest ihres Lebens mit dem überraschen konnte, was sie gut verpackt in den hinteren Regionen des Kühlschranks fand. Ich habe nie erlebt, dass sie Essen weggeworfen hat. Als Daumenregel galt offenbar, dass alles, bei dem man nicht zusammenzuckte und mindestens einen Schritt zurücktaumelte, wenn man den Deckel hob, für den Verzehr geeignet war.

Meine beiden Eltern waren in der Weltwirtschaftskrise aufgewachsen und warfen nichts weg, wenn sie es nur irgend vermeiden konnten. Meine Mutter spülte auch stets die Pappteller, trocknete sie ab und strich benutzte Aluminiumfolie zur nochmaligen Verwendung glatt. Ließ man eine Erbse auf dem Teller, wurde die Bestandteil eines zukünftigen Mahls. Unser gesamter Vorrat an Zucker befand sich in kleinen Tütchen, die wir in tiefen Manteltaschen aus Restaurants schmuggelten, ebenso übrigens wie Marmelade, Kräcker (Oyster *und* Saltine), Remouladensoße, einiges von unserem Ketchup und unserer Butter, alle unsere Servietten und ganz gelegentlich einmal einen Aschenbecher; im Prinzip alles, was einen Restauranttisch zierte. Einer der glücklichsten Momente im Leben mei-

ner Eltern war, als man auch Ahornsirup in kleinen Wegwerf-
päckchen zu servieren begann und sie diese unseren Haus-
haltsvorräten hinzufügen konnten.

Unter dem Spülbecken bewahrte meine Mutter eine enorme
Kollektion von Gläsern auf, einschließlich einem, das unter
dem Namen Pieselglas lief. »Pieseln« nannten wir in unserem
Haus Pipi machen, und während meiner gesamten ersten Le-
bensjahre wurde das Pieselglas immer dann in Dienst genommen, wenn die Notwendigkeit, das Haus zu verlassen, mit
der Notwendigkeit kollidierte, dass jemand noch schnell mal
musste – und wenn ich »jemand« sage, dann meine ich natürlich das jüngste Kind, mich.

»Ja, dann musst du aber ins Pieselglas machen«, sagte meine
Mutter in diesen Fällen immer ein wenig gereizt und mit be-
sorgtem Blick zur Küchenuhr. Es dauerte geraume Zeit, bis ich
merkte, dass das Pieselglas nicht immer dasselbe Glas war. Insofern ich überhaupt darüber nachdachte, nahm ich wahrscheinlich an, dass das Pieselglas regelmäßig weggeworfen und
durch ein frisches ersetzt wurde – schließlich hatten wir Hunderte von Gläsern.

Sie können sich also meine Bestürzung, gefolgt von verschiedenen Stadien puren Entsetzens, vorstellen, als ich eines
Abends zum Kühlschrank ging, um mir noch eine Portion
Pfirsichhälften zu holen, und sah, dass wir alle aus einem Glas
aßen, in dem noch vor ein paar Tagen mein Urin gewesen war.
Ich erkannte das Glas sofort, denn an ihm klebte ein Z-för-
miges Etikett, das mich unheimlich an das Zeichen von Zorro
erinnerte – wozu ich ja auch noch eine fröhliche Bemerkung
gemacht hatte, als ich das Glas mit meinem kostbaren Kör-
persaft füllte. Nicht, dass jemand zugehört hatte – natürlich
nicht. Doch da war es nun und enthielt unsere Nachtischpfir-
siche. Ich hätte nicht überraschter sein können, wenn man
mir gerade ein Paket mit Fotos gegeben hätte, auf dem meine

Mutter in flagranti mit, sagen wir, den Jungs von der Tankstelle zu sehen gewesen wäre.

»Mom«, sagte ich, ging zur Esszimmertür und hielt meinen Fund hoch. »Das ist das Pieselglas.«

»Nein, mein Schatz«, erwiderte sie, ohne zu zögern oder aufzuschauen. »Das Pieselglas ist ein ganz bestimmtes Glas.«

»Was ist das Pieselglas?«, fragte mein Vater belustigt und löffelte sich einen Pfirsich in den Mund.

»Es ist das Glas, in das ich piesele«, erklärte ich. »Und zwar das hier.«

»Billy pieselt in ein Glas?«, fragte mein Vater schon mit einer gewissen Mühe, da er die Pfirsichhälfte, die er sich gerade in den Mund gesteckt hatte, bis zum Erhalt weiterer Informationen betreffs ihres jüngsten Aufenthaltsorts nicht zerkaute und hinunterschluckte, sondern auf der Zunge liegen ließ.

»Nur ganz selten mal«, sagte meine Mutter.

Mein Vater war nun komplett verwirrt, doch sein Mund war so voll mit Pfirsich, dass er sich gar nicht verständlich hätte ausdrücken können. Ich glaube, er fragte, warum ich nicht einfach nach oben zur Toilette ging wie ein normaler Mensch. Unter den Umständen eine berechtigte Frage.

»Manchmal haben wir es sehr eilig«, fuhr meine Mutter fort, aber eine Spur unsicher. »Deshalb bewahre ich immer ein Glas unter dem Spülbecken auf – ein bestimmtes Glas.«

Ich allerdings kam schon mit weiteren Gläsern im Arm vom Kühlschrank zurück – so vielen, wie ich tragen konnte. »Die hier habe ich ganz bestimmt auch alle mal benutzt«, verkündete ich.

»Das kann nicht sein«, sagte meine Mutter, doch am Ende des Satzes hing ein Fragezeichen. Dann fügte sie, ein wenig selbstzerstörerisch vielleicht, hinzu: »Aber auch egal, ich spüle alle Gläser sowieso immer aus, bevor ich sie noch einmal benutze.«

Mein Vater erhob sich, ging in die Küche, bückte sich über den Mülleimer und ließ die Pfirsichhälfte mit ungefähr einem halben Liter Glibber hineinfallen. »Vielleicht ist ein Pieselglas doch keine so gute Einrichtung«, meinte er.

Damit war es also aus mit dem Pieselglas, obwohl noch etwas Gutes dabei herauskam, wie oft bei solchen Sachen. Meine Mutter brauchte nämlich von da an nur zu erwähnen, sie habe etwas Leckeres in einem Glas im Kühlschrank, da verspürte mein Vater schon das dringende Bedürfnis, mit uns zu Bishop's zu gehen, einer Cafeteria in der Stadtmitte, und etwas Schöneres hätte gar nicht passieren können, denn Bishop's war das feinste Restaurant, das es je gegeben hat.

Alles daran war himmlisch – das Essen, die dezente Einrichtung, die mütterlichen Kellnerinnen in ihren grauen Uniformen, die einem das Tablett zum Tisch trugen und freudig eine neue Gabel holten, wenn einem der Anblick derjenigen, die dabeilag, nicht gefiel. Jeder Tisch hatte eine kleine Lampe, die man anknipsen konnte, wenn man etwas brauchte; man musste sich also nie den Hals verrenken und vorbeigehende Kellnerinnen anhalten. Man entzündete einfach nur sein privates kleines Fanal, und einen Moment später kam eine Kellnerin und fragte, womit sie einem dienen könne. Ist das nicht wundervoll?

In den stillen Örtchen bei Bishop's gab es die einzigen atombetriebenen Toiletten der Welt – jedenfalls die einzigen, die ich je gesehen habe. Wenn man die Spülung betätigte, hob sich der Sitz automatisch, schob sich in eine wie ein Sitz geformte Höhlung in der Wand und wurde dort in violettes Licht getaucht, das auf eine warme, hygienische, wissenschaftlich fortgeschrittene Art brummte. Tadellos keimfrei gemacht, hübsch angewärmt und vor atomarer Thermoluminiszenz geradezu pulsierend, kam der Sitz wieder herunter. Weiß der Himmel, wie viele

Menschen in Iowa während der fünfziger und sechziger Jahre an unerklärlichem Gesäßkrebs starben, doch es war jede verschmurgelte Pobacke wert. Wir führten Besucher von außerhalb der Stadt in die Toilettenräume bei Bishop's, um ihnen die atombetriebenen Klos zu zeigen, und alle waren der Meinung, bessere hätten sie nie gesehen.

Doch damals waren die meisten Dinge in Des Moines einfach unschlagbar. Im Toddle House hatten wir die zartesten, wohlmundendsten Banana Cream Pies und das Gleiche, habe ich gehört, konnte man auch von dem Käsekuchen bei Johnny and Kay's sagen. Aber meinem Vater war viel zu wenig an Qualität gelegen, und er war viel zu vorsichtig mit seinem Geld, als dass er je mit uns in diese Hochburg gepflegten Speisens auf dem Fleur Drive gefahren wäre. Wir hatten die köstlichsten, leuchtend neonfarbenen Eiskrems bei Reed's, einer Eisdiele von kühler Opulenz in der Nähe des Ashworth Swimming Pools (auch der das schönste, eleganteste öffentliche Schwimmbad der Welt, mit den schlanksten, braungebranntesten Bademeisterinnen) im Greenwood Park (mit den besten Tennisplätzen, dem schmucksten See und den gepflegtesten Fahrwegen). Vom Ashworth Swimming Pool, hübsch nach Chlor duftend, unter einem lebendigen grünen Blätterdach durch den Greenwood Park zu fahren und zu wissen, dass man sich gleich bei Reed's drei schlürfige Eiskugeln auf der Zunge zergehen lassen würde, ist der Gipfel menschlichen Wohlbehagens.

Wir hatten die leckersten Backwaren in Barbara's Bake Shoppe, die fleischigsten Rippchen, mit denen man sich am besten das Gesicht beschmieren konnte, und die knusprigsten Brathähnchen in einem Restaurant namens Country Gentleman sowie das beste Junkfood in einem Drive-in-Imbiss namens George the Chilli King. (Und danach die besten Fürze; einen Chilli-Burger von George hatte man in Minuten gefuttert, doch mit dem Furzen, hieß es, hörte man danach nie mehr

auf.) Wir hatten unsere Kaufhäuser, Restaurants, Kleiderge-
schäfte, Supermärkte, Drugstores, Blumenläden, Eisenwaren-
handlungen, Kinos, Hamburger-Buden, alles was das Herz be-
gehrte – und alles war unschlagbar gut.

Hm, na ja, woran konnte man das eigentlich erkennen? Um
sich Gewissheit zu verschaffen, hätte man Tausende anderer
Klein- und Großstädte landauf, landab besuchen und überall
das Eis und die Schokoladentorte und so weiter kosten müssen, denn damals waren alle Städte verschieden. Es lebte sich
herrlich in einer noch weitgehend von weltumspannenden La-
denketten freien Welt. Jede Gemeinde war etwas Besonderes,
und nirgendwo war es wie irgendwo anders. Wenn die Läden
in Des Moines also nicht die besten waren, so waren sie zumindest unsere. Zuallermindest hatten sie immer irgendwas, das
sie interessant und anders machte. (Und sie waren unschlagbar gut!)

Dahl's, der Supermarkt in unserem Viertel, hatte zum Beispiel eine hochintelligente, geniale Einrichtung namens Kiddie
Corral. Es war ein kuscheliger, im Stil eines Cowboy-Korrals
gebauter, eingezäunter Bereich voll mit Comics, in dem die
Mütter ihre Kinder parken konnten, während sie einkauften.
In den fünfziger Jahren wurden in den Vereinigten Staaten
massenhaft Comics produziert – allein 1953 eine Milliarde –,
und die meisten landeten irgendwann im Kiddie Corral. Der
war *voll* davon. Wenn man hineinwollte, kletterte man auf die
oberste Geländerstange, hechtete hinein und schwamm in die
Mitte. Wie lange die Mutter einkaufte, war einem vollkommen
egal, denn man hatte einen unerschöpflichen Vorrat an Comics
und langweilte sich nicht. Ich glaube, es gab Kinder, die
wohnten im Kiddie Corral. Suchte man die letzte Ausgabe von
Rubber Man, fand man manchmal ein Kind, das fast einen halben Meter tief unter den Comics begraben lag und entweder
schlief oder nur den köstlichen Papiergeruch genoss. Kein Ge-

schäft hat je etwas so Sinnvolles für Kinder getan. Wer sich den Kiddie Corral ausgedacht hat, ist jetzt fraglos im Himmel, doch er hätte vorher den Nobelpreis bekommen müssen. Dahl's hatte noch etwas Vielbewundertes. Wenn die Einkäufe in Tüten (in Iowa in »Säcke«) gepackt und bezahlt waren, trug man sie nicht etwa zu seinem Auto wie in profaneren Supermärkten, sondern übergab sie einem freundlichen Mann mit einer weißen Schürze, der einem eine Plastikkarte mit einer Nummer aushändigte und die Einkäufe auf ein schräg nach unten verlaufendes Fließband legte, das sie durch eine Lasche in einen mysteriösen dunklen Tunnel und weiter ins Erdinnere beförderte. In der Zwischenzeit holte man sein Auto und fuhr zu einem kleinen Backsteingebäude am Rand des Parkplatzes, etwa dreißig Meter entfernt, wo die Einkäufe, hübsch durchgeschüttelt und von ihrem unterirdischen Abenteuer durchaus erfrischt, ein, zwei Minuten später wieder auftauchten und von einem anderen hilfreichen Mann mit weißer Schürze, der einem die Plastikkarte abnahm und einen schönen Tag wünschte, ins Auto gestellt wurden. Das System war, ehrlich gesagt, nicht sonderlich effizient – oft bildete sich eine Autoschlange vor dem kleinen Backsteingebäude, und die ruckelige Fahrt durch den Tunnel war auch eigentlich zu nichts anderem gut, als dass alle kohlensäurehaltigen Getränke wenigstens die nächsten zwei Stunden gefährlich übererregt waren –, aber alle liebten es und fanden es trotzdem toll.

So war es damals allenthalben, wo man in Des Moines hinging. Jedes Unternehmen hatte etwas Besonderes, womit es sich empfahl. Im Kaufhaus New Utica in der Innenstadt ragten aus allen Kassen pneumatische Röhren. Das Bargeld, das man zu entrichten hatte, wurde in ein zylindrisches Gefäß gesteckt, das in die Röhren gelegt und – wie ein Torpedo – geräuschvoll zu einer zentralen Sammelstelle katapultiert wurde. So eilig hatte man es, das Geld zu zählen und wieder in den Wirtschaftskreislauf einzufüttern. Ein Besuch im New Utica war wie ein Trip in ein zukünftiges Jahrhundert.

Bei Frankel's, einem Herrenbekleidungsgeschäft auf der Locust Street im Stadtzentrum, gab es einen hochherrschaftlichen Treppenaufgang, der zu einem Zwischengeschoss führte. Ein Spaziergang durch dieses Zwischengeschoss war ein eigenartig befriedigendes Unterfangen. Es war, als flaniere man über das Deck eines Schiffes, aber insofern interessanter, als man statt leerem Wasser die wuselige Welt des Männereinzelhandels betrachten, Gespräche belauschen und den Leuten auf die Köpfe schauen konnte. Ohne irgendein Risiko genoss man alle Freuden des Spionierens. Da focht es einen nicht an, wenn der Vater ewig brauchte, um sich ein Jackett anpassen zu lassen oder den Verkaufskräften eifrig isometrische Muskelübungen zeigte. »Kein Problem«, rief man großzügig von seiner erhabenen Position hinab. »Ich dreh noch eine Runde.«

In puncto gehobener Unterhaltung sogar noch besser war das Shops Building in der Walnut Street. In dem hübschen, etwa sieben, acht Etagen hohen, alten, in maurisch angehauchtem Stil erbauten Bürogebäude gab es im Foyer im Erdgeschoss ein beliebtes Café mit einem zentralen Innenhof, der sich bis weit oben zu einer entfernten Decke erhob und um den der Treppenaufgang und die gallerieartigen Korridore des Gebäudes verliefen. Jeder kleine Junge träumte davon, über diesen Treppenaufgang ins oberste Stockwerk zu gelangen.

Doch schon um ihn zu erreichen, bedurfte es eines geschickten, gut getimten Sprints, denn man musste an der Caféchefin vorbei, einer bösartigen, scharfäugigen Tucke mit Namen Mrs. Musgrove, die kleine Jungs hasste (mit gutem Grund, wie wir sehen werden). Wenn man allerdings den rechten Moment abpasste und sie abgelenkt war, konnte man zur Treppe und dann hinauf zu den dunklen unheimlichen Höhen des obersten Stockwerks flitzen, wo man auf die Speisegäste weit unten einen Blick wie durch einen Kanonenlauf hatte. Wenn man darüber hinaus noch irgendein hartes Bonbon bei sich trug – Erdnuss-M&Ms waren wegen ihrer glatten, aerodynamisch günstigen Form besonders beliebt –, konnte man es sieben, acht Stockwerke hinunterfallen lassen. Und eins kann ich Ihnen sagen, ein Erdnuss-M&M, das fast dreißig Meter tief in einen Teller Tomatensuppe fällt, verursacht einen gigantischen Spritzer.

Man hatte nie mehr als einen Versuch, denn auch eine Bombe, die ihr Ziel verfehlte, auf dem Tisch aufprallte – was beinahe immer der Fall war – und zur wunderbaren Verblüffung der am Tisch Sitzenden spektakulär in Tausende zuckerglasierte Scherben zerbarst, rief Mrs. Musgrove zu den Waffen. Sie flog die Treppe nicht minder schnell hinauf, als das M&M hinuntergeflogen war, und ließ uns weniger als fünf Sekunden, aus einem Fenster auf die Feuerleiter zu klettern – und von da in die Freiheit.

Des Moines' großartigstes Handelsunternehmen war Younker Brothers, das größte Kaufhaus im Stadtzentrum. Younkers war riesig. Es befand sich in zwei Gebäuden, die im Erdgeschoss durch einen öffentlichen Durchgang getrennt waren, und war damit das einzige Kaufhaus, das ich kenne, möglicherweise das einzige, das es je gab, in dem man überfahren werden konnte, wenn man von der Herrenbekleidung zur Kosmetikabteilung ging. Zusätzlich hatte es einen Außenposten auf der anderen Straßenseite, der Store for Homes hieß und in dem sich die Möbelabteilung befand, die man durch einen unterirdischen Gang unter der Eighth Street über die Bettwäscheabteilung erreichte. Ich habe keine Ahnung, warum, aber es war unendlich befriedigend, von der Ostseite der Eighth zu Younkers hineinzugehen und eine kurze Weile später auf der Westseite wieder aufzutauchen – und die Einkäufe hatte man auch erledigt. Es kamen Leute selbst aus anderen Bundesstaaten angereist, nur um durch diesen Gang zu gehen, auf der anderen Straßenseite wieder herauszukommen und zu sagen: »Alle Wetter! Das is'n Ding!«

Younkers war der eleganteste, allermodernste, bestorganisierte, großstädtischste Ort in Iowa. Wunderbar. 1200 Menschen waren dort angestellt. Es gab die ersten Rolltreppen im Bundesstaat – in den Anfangsjahren hießen sie noch »elektrische Treppen« – und die erste Klimaanlage. Alles an Younkers – seine seidenweich flott rotierenden Drehtüren, seine gleitenden Treppen, seine leise surrenden Aufzüge, jeder mit einem Aufzugführer mit weißen Handschuhen – schien erdacht, einen hineinzulocken, auf dass man glücklich und zufrieden bis an sein Lebensende konsumierte. Younkers war so groß und herrlich weitläufig, dass man selten jemanden traf, der es ganz kannte. Die Buchabteilung befand sich auf einer dämmrigen, im Verborgenen liegenden Galerie, zu der man über eine winzige Treppe gelangte. Sie war so gemütlich, dass man sich wie in einem Club fühlte, und nur Liebhabern bekannt. Es war eine Buchhandlung der Sonderklasse, doch es gab Menschen, die in den Fünfzigern in Des Moines aufwuchsen und nie erfuhren, dass Younkers überhaupt eine besaß.

Das Allerheiligste indes war der Tea Room; dort gingen liebende Mütter mit ihren Töchtern hin, um ihrer Einkauferei einen Hauch Eleganz zu verleihen. Mich interessierte der Tea Room nicht im Geringsten, doch dann erzählte meine Schwester einmal beiläufig von einem Ritual dort. Offenbar durften junge Besucher in eine Holzkiste mit kleinen, sämtlich wunderschön in weißes Seidenpapier gewickelten und mit einem Geschenkband versehenen Geschenken langen und sich zum ewigen Andenken an die feierliche Gelegenheit eines aussuchen. Einmal gab mir meine Schwester sogar ein Präsent, das sie bekommen hatte, aus dem sie sich aber nichts machte –

eine Pferdekutsche aus Spritzguss. Sie war kaum länger als sechs Zentimeter, aber bis ins kleinste Detail hervorragend ausgeführt. Man konnte die Türen aufmachen, die Räder drehten sich und ein winziger Kutscher hatte dünne Metallzügel in der Hand. Das ganze Ding war offensichtlich von einem emsigen, unterbezahlten Menschen von der besiegten Seite des Pazifischen Ozeans mit der Hand bemalt worden. Etwas so Feines hatte ich noch nie gesehen, geschweige denn, besessen.

Noch Jahre danach flehte ich meine Mutter und meine Schwester immer wieder an, mich mitzunehmen, wenn sie in den Tea Room gingen, aber sie behaupteten immer vage, sie gingen nicht mehr so gern in den Tea Room oder müssten so viel einkaufen, dass sie keine Mittagspause einlegen könnten. (Erst Jahre später entdeckte ich, dass sie natürlich jede Woche hingingen; es gehörte zu den geheimen Frauensachen, die Mütter und Töchter miteinander verband – wie die Periode haben oder BHs anprobieren.) Endlich aber kam ein Tag – ich war vielleicht acht oder neun –, an dem meine Schwester nicht da war und meine Mutter mich mit zum Einkaufen in die Stadt nahm. »Sollen wir in den Tea Room gehen?«, fragte sie mich.

Derart begeistert habe ich wahrscheinlich noch nie eine Einladung angenommen. Wir fuhren mit dem Lift zu einem Stockwerk hinunter, von dem ich nicht einmal wusste, dass es das bei Younkers gab. Der Tea Room war der eleganteste Ort, den ich je gesehen hatte – als sei ein Staatsgemach aus dem Buckingham-Palast auf wundersame Weise in den Mittleren Westen der Vereinigten Staaten verlegt worden. Alles war steifleinern und stilvoll und ruhig. Man hörte gedämpft gehobene Unterhaltungsmusik sowie leises Klirren von Besteck auf Porzellan und behutsam ausgeschenktem Eiswasser. Das Essen war mir natürlich vollkommen egal. Ich wartete nur auf den Moment, in dem ich zu der Spielzeugkiste gehen und mir was aussuchen durfte.

Als es dann so weit war, konnte ich mich ewig lange nicht entscheiden. Jedes kleine weiße Päckchen sah so perfekt und verheißungsvoll aus. Schließlich ergriff ich ein mittelgroßes, mittelschweres und wagte es ganz leicht zu schütteln. Etwas darin rasselte und klang, als könnte es wieder eine Figur aus Eisenguss sein. Ich nahm es mit zu meinem Platz und wickelte es sorgsam aus. Es war eine winzige Puppe – ein Indianerbaby in einem Tragegestell, wunderschön gearbeitet, aber offensichtlich für ein Mädchen. Mit dem Püppchen und dem ramponierten Einwickelpapier ging ich zu dem leicht zurückgeblieben wirkenden Burschen, der die Spielzeugkiste unter seiner Obhut hatte.

»Anscheinend habe ich eine *Puppe* gekriegt«, sagte ich mit beinahe ironischem Kichern.

Er schaute sie genau an.»Das is aber 'ne Schande, weil du nämlich nur einmal an die Geschenkekiste darfst.«

»Ja, aber es ist eine *Puppe*«, sagte ich.»Für ein Mädchen.«

»Dann musst du dir eine kleine Freundin anschaffen und sie ihr schenken. Na, wie wär's?«, erwiderte er und schenkte mir seinerseits ein breites Grinsen und ein unseliges Augenzwinkern.

Es waren leider die letzten Worte, die der arme Mann sprach. Einen Moment später war er nur noch ein kleiner erstickter Schrei und ein schwelender Fleck auf dem Teppich.

Er hatte eine wichtige Lektion zu spät gelernt. Man sollte sich nie mit dem Thunderbolt Kid anlegen.

II
Willkommen in der Welt des Kindes

Detroit, Mich. (AP) – Großartige Neuigkeiten für Jungs! Ein bekannter Arzt hat das Recht von Jungen verteidigt, sich schmutzig zu machen. Dr. Harvey Flack, Chefredakteur der Zeitschrift *Family Doctor*, sagt in der Septemberausgabe: »Jungen scheinen instinktiv eine grundlegende dermatologische Wahrheit zu kennen – dass nämlich Schmutz einen wesentlichen Beitrag zur Erhaltung der Hautgesundheit leistet. Diese natürliche Schutzschicht sollte durch Waschen nicht zu häufig zerstört werden.«

Des Moines Register, 28. August 1958

W ie gesagt, handelt dieses Buch eigentlich nicht von sehr viel: Es handelt davon, klein zu sein und langsam größer zu werden. Einer der großen Mythen des Lebens ist, dass die Kindheit schnell vergeht. In Wirklichkeit vergeht die Zeit in der Welt des Kindes langsamer – fünfmal langsamer in einem Klassenzimmer an einem heißen Nachmittag, achtmal langsamer auf einer über sieben Kilometer langen Autofahrt (bis zu 86-mal langsamer, wenn man einmal quer durch Nebraska oder Pennsylvania fährt), und während der letzten Woche vor Geburtstagen, Weihnachten und den Sommerferien vergeht die Zeit sogar so langsam, dass sie praktisch gar nicht mehr messbar ist. Die Kindheit dauert Jahrzehnte. Das Erwachsenenleben dagegen, das ist im Handumdrehen vorbei!

Am allerlangsamsten verging für mich die Zeit, wenn ich auf dem großen, rissigen Zahnarztlederstuhl von Dr. D. K. Brewster saß und darauf wartete, dass unser schauriger, totenbleicher Zahnarzt seine Instrumente zusammensuchte und mit der Arbeit begann. Da verging die Zeit überhaupt nicht. Sie hing nur da.

Dr. Brewster war der grauenerregendste Zahnarzt der Vereinigten Staaten. Zum einen war er bestimmt 108 Jahre alt, und seine zittrigen Hände verrieten mehr als eine beginnende Parkinsonerkrankung. Nichts an ihm war vertrauenerweckend. Stets überrascht, wie machtvoll seine eigenen Gerätschaften waren, sagte er immer »Alle Achtung!«, wenn er kurz das eine oder andere kreischende Instrument in Schwung brachte. »Ich wette, mit dem Ding kann man ganz schönen Schaden anrichten!«

Schlimmer war, dass er nicht an Novokain glaubte. Er hielt es für gefährlich und seine Wirkung für nicht erwiesen. Und wenn Dr. Brewster, gedankenversunken vor sich hin summend, durch steinharten Backenzahn bohrte und die breiige Masse zarten Nervs darin fand, dann krachten einem die Zehen vorn durch die Schuhe.

Wir waren offenbar seine einzigen Patienten. Ich fragte mich stets, warum uns mein Vater durch diesen regelmäßigen Alptraum jagte, doch dann hörte ich, wie Dr. Brewster ihm eines Tages zu seinem Mut und seiner Sparsamkeit gratulierte, und verstand es sofort, denn mein Vater war der größte Geizhals des 20. Jahrhunderts. »Sich der Gefahr von Novokain auszusetzen und obendrein Geld dafür auszugeben ist absolut sinnlos, wenn man sich nicht ganz oder teilweise den Unterkiefer entfernen lässt«, sagte Dr. Brewster.

»Ganz meine Meinung«, erwiderte mein Vater. In Wirklichkeit sagte er eher »Gnnnmmmung«, denn er war gerade aus Dr. Brewsters Stuhl aufgestanden und würde mindestens drei Tage lang nur unverständliche Laute hervorbringen. Doch er nickte herzlich.

»Ich wünschte, mehr Menschen dächten so wie Sie, Mr. Bryson«, sagte Dr. Brewster abschließend. »Das macht dann drei Dollar, bitte.«

Samstage und Sonntage waren in der Welt des Kindes die längsten Tage. Je nach Jahreszeit konnte allein der Sonntagmorgen bis zu drei Monaten dauern. Da es in der Mitte Iowas bis weit in die fünfziger Jahre hinein sonntagmorgens kein Fernsehen gab, saß man gemeinhin mit einer Schüssel matschiger Cheerios vor der Glotze und guckte das Testbild, bis WOI-TV irgendwann zwischen fünf vor halb zwölf und zwölf sprotzend zum Leben erwachte – bei WOI nahmen sie es sonntags nicht so genau – und eine Episode von *Sky King* kam, in der Hauptrolle Kirby Grant mit adrettem Halstüchlein, »Amerikas beliebtester fliegender Cowboy« (und vermutlich der einzige fliegende Cowboy überhaupt). Sky war von Beruf Rancher, verbrachte aber einen Großteil seiner Zeit damit, in seiner geliebten Cessna *The Songbird* am Himmel Arizonas zu kreuzen und Rinderdiebe und andere Bösewichter drunten auf Erden zu erspähen. Bei diesen Bemühungen half ihm seine grübchenwangige Nichte Penny mit dem wohlgeformten Po, bei der viele von uns eine erste prickelnde Ahnung verspürten, dass wir auf dem Weg zu einer robusten Heterosexualität waren.

Selbst mit sechs Jahren und selbst in einer intellektuell so anspruchslosen Dekade wie den 1950er Jahren musste man nicht übermäßig scharfsinnig sein, um zu sehen, dass ein fliegender Cowboy für eine Actionserie nicht viel hergibt. Sky fing nur Schurken, die am Rande grasbewachsener Landebahnen herumlungerten und gar nicht auf die Idee kamen wegzulaufen, bevor Sky gelandet, sicher ausgerollt, aus dem Cockpit geklettert war, eine amtliche Haltung eingenommen und geschrien hatte: »Okay, Jungs, keine Bewegung!« Und dieser Vorgang dauerte ein, zwei Minuten, denn Kirby Grant, muss man sagen, war nicht mehr in der Blüte seiner Jahre. Die Serie wurde nach einem Jahr abgesetzt, es wurden also nur etwa zwanzig Episoden gedreht, und die waren praktisch alle gleich. Aber sie wurden in meinem ersten Dutzend Lebensjahren und vermutlich noch geraume Zeit danach von WOI unermüdlich (und vermutlich kostengünstig) wiederholt. Für sie sprach wahrscheinlich einzig und allein, dass sie unterhaltsamer als ein Testbild waren.

Die damals schier endlosen Wochenenden waren allerdings sowohl gut als auch notwendig. Denn man hatte immer sehr viel zu tun. Einen ganzen Vormittag konnte man allein schon damit zubringen, die Schnürsenkel an den Turnschuhen zu binden, denn in den Fünfzigern hatten alle Turnschuhe über

45

sieben Dutzend Ösen und drei Meter lange Schnürsenkel. Jeden Morgen, wenn man aus dem Bett sprang, entdeckte man, dass Letztere aus irgendeinem Grunde auf der einen Seite schon wieder einen Meter länger geworden waren als auf der anderen. Wie genau sie das machten, obwohl man die Turnschuhe doch nur über Nacht auf dem Flur gelassen hatte – diese Frage wurde nie beantwortet. Das Phänomen gehörte wie Nonnen und schlechtes Wetter zu den Dingen, mit denen einen das Leben in regelmäßigen Abständen konfrontierte. Man brauchte aber unerschöpfliche Reserven an Geduld und wissenschaftlichem Urteilsvermögen, die Schnürsenkel richtig zurechtzuziehen, denn einerlei, wie sorgfältig man sie in den Löchern hin und her manövrierte, sie kamen immer unterschiedlich lang heraus. Ja, je sorgfältiger man sie zog und schob, desto ungleicher wurden sie. Wenn man sie wundersamerweise doch endlich genau gleich lang hatte, riss der eine Teil, und man fing seufzend noch einmal von vorn an.

Die Produzenten von Turnschuhen versahen die Sohlen auch mit zahllosen Scharten, Kratern, Zickzacklinien, Labyrinthen, Kornkreisen und sonstigen sich durchs Gummi ziehenden geheimnisvollen Zeichen, so dass man, wenn man in einen Haufen frischer Hundescheiße trat (was, kaum war man drei Schritte aus dem Haus, mit Sicherheit passierte), einem zusätzlichen stundenlangen, spannenden Zeitvertreib frönen konnte, indem man die Sohlen, immer wieder würgend, doch eigenartig befriedigt, mit einem Stock sauber kratzte.

Außerdem konnte man an Wochenenden stundenlang Kletten von den Socken zupfen, Korken aus Flaschendeckeln pulen, an Eis am Stiel angefrorenes Einwickelpapier abzuppeln, Oreo-Kekse auseinandernehmen, ohne dass man die eine der beiden Keksscheiben oder die Füllung dazwischen beschädigte, und vollkommen sinnfrei sorgsam Etikette von Gläsern und Flaschen abkratzen.

In einer solchen Welt nahm man Verletzungen und andere körperliche Gebrechen gerne hin. Hatte man sich einen Splitter eingefangen, konnte man einen ganzen Nachmittag lang einen kleinen faszinierten Zuschauerkreis fesseln, indem man ausprobierte, wie weit man eine Nadel unter die Haut schieben konnte – eigentlich, wie man sich selbst operierte. Bei einem Sonnenbrand freute man sich schon auf den Moment, in dem man sich einen Flatschen durchsichtiger Epidermis, mehr oder weniger von der Größe des eigenen Körpers, abreißen konnte. In der Welt des Kindes züchtete man Wundschorf, wie ältere Menschen Orchideen züchteten. Ich kultivierte Krusten an den Knien bis zu vier Jahren; sie waren fünf Zentimeter dick und ich konnte Reißbrettstifte hineindrücken, ohne dass ich es spürte. Nasenbluten wurde natürlich sehr bewundert, und wer Nasenbluten hatte, wurde wie eine Berühmtheit behandelt, so lange das Blut floss.

Weil die Tage so lang waren und so wenig passierte, war man auf die geringe Chance hin, dass etwas Unterhaltsames geschah, bereit, ausgedehnte Zeitspannen aufs Sitzen und Beobachten zu verwenden. Jahrelang ließ ich alles stehen und liegen, wenn mein Vater verkündete, er fahre zum Holzhof, und ich könne mitkommen. Dort saß ich dann immer ganz still auf einem Hocker und hoffte, dass Moe, der Mann, der es mit der großen Kreissäge nach Maß zuschnitt, sich noch einen seiner wenigen verbliebenen Finger absäbelte. Da er sechs oder sieben Finger schon ganz oder teilweise verloren hatte, bestand stets Aussicht auf ein aufregendes Unglück.

Damals waren die Busse in Des Moines Oberleitungsbusse und bezogen ihren Strom aus einem komplizierten Gewirr von Drahtleitungen, mit denen sie durch einen Metallarm verbunden waren. Wenn dieser Arm an den Leitungen entlangglitt, sprühten sie besonders bei feuchtem Wetter wie ein Feuerwerk bei einer mexikanischen Fiesta und demonstrierten anschaulich die mörderische Kraft elektrischen Stroms. Ab und an löste sich der Arm von den Leitungen, und dann musste der Fahrer aussteigen und ihn mit einer langen Stange wieder an seinen Platz bugsieren. Und dieses Ereignis beobachtete ich natürlich immer höchst interessiert, nachdem meine Schwester mir versichert hatte, dass der Mann sehr wohl einen tödlichen Stromschlag dabei erleiden könne.

Lange Zeitspannen am Tage brachte man übrigens damit zu herauszufinden, was passieren *würde* – was passieren würde, wenn man den Kopf eines Streichholzes zusammendrückte, so lange er noch heiß war, wenn man einen ekeligen Trunk zubereitete und einen Schluck davon trank oder wenn man mit einem Vergrößerungsglas einen glühend heißen Sonnenstrahl auf Onkel Dicks kahle Stelle richtete, während er seinen Mittagsschlaf hielt. (In letzterem Fall passierte, dass man erstaunlich schnell ein tiefes Loch brannte, an dem Dick und ein Team von Fachärzten im Iowa Lutheran Hospital wochenlang herumrätselten.)

Dank solcher Forschungstätigkeiten und dem Übermaß an Zeit, die sie ermöglichte, lernte ich in den ersten zehn Jahren meines Lebens bestimmt mehr als irgendwann später. Zunächst einmal wusste ich alles über unser Haus, was man wissen musste. Ich wusste, was auf den Unterseiten von Tischen geschrieben stand und wie der Blick von Bücher- und Wäscheschränken nach unten war. Ich wusste, was man ganz hinten in allen Schränken fand, unter welchen Betten die meisten Wollmäuse, an welchen Decken die interessantesten Flecken waren, und wo genau das Muster der Tapete sich zu wiederholen begann. Ich wusste, wie man jedes Zimmer durchqueren konnte, ohne den Boden zu berühren, wo mein Vater sein Kleingeld aufbewahrte und wie viel man nehmen konnte, ohne das Risiko einzugehen, dass er es merkte (ein Siebtel der Vierteldollarmünzen, ein Fünftel der Fünf- und Zehncentstücke und so viele Centstücke, wie man tragen konnte). Ich wusste, wie man sich in mehr als 100 Stellungen in einem Sessel ausruhen konnte und in weiteren 75 auf dem Boden dazu. Ich wusste, wie die Welt aussah, wenn man sie durch eine Wackelpeterlinse betrachtete. Ich wusste, wie Dinge schmeckten – feuchte Waschlappen, Bleistiftkappen, Münzen und Knöpfe, fast alles, was aus Plastik und kleiner war als beispielsweise ein Radiowecker, und natürlich Popel aller Art –, habe es aber heutzutage mehr oder weniger vergessen. Ich kannte, egal wo in unserem Haus (und hätte Sie sogleich dort hinführen können), jedes Bild von nackten Frauen, sei es ein Rubens'sches Prachtweib in *Meisterwerke der Welt*, eine Karikatur von Peter Arno in der letzten Ausgabe des *New Yorker* oder meines Vaters kleine Privatbibliothek mit Zeitschriften voll nackter Mädels an einer Geheimstelle in seinem Schlafzimmer, die nur er, ich und 111 meiner engsten Freunde kannten.

Ich wusste, wie ich von jedem beliebigen Grundstück in unserer Nachbarschaft zum nächsten kam, einerlei, wie hoch die Zäune oder wie undurchdringlich die Hecken dazwischen waren. Ich wusste, wie sich Linoleum auf nackter Haut anfühlte und wie auf Bodenhöhe alles roch. Ich kannte Schmerz, so wie man ihn kennen lernt, wenn er frisch und interessant ist – zum Beispiel den Schmerz, den ein geröstetes Marshmallow im Mund verursacht, wenn das Innere annähernd Magma-Temperaturen hat. Ich wusste genau, wie Wolken an einem Julinachmittag vorbeitrieben, wie Regen schmeckte, wie sich Marienkäfer putzten und Raupen kräuselten, wie es sich anfühlte, wenn man in einem Busch saß. Ich hatte gelernt, einen echt guten Furz zu goutieren, sei es meiner oder der eines anderen.

Der andere war fast immer Buddy Doberman, der auf der gegenüberliegenden Seite des Durchgangs wohnte, einer geheimnisvollen Gasse, die ganz nachbarschaftlich hinter unseren Häusern verlief. Im ersten Teil meines Lebens war Buddy mein bester Kumpel. Wir waren extrem eng befreundet. Er war das einzige menschliche Wesen, dessen Anus ich je von nahem, ja, überhaupt betrachtet habe, nur um zu sehen, wie einer aussieht (rötlich, gespannt und ein wenig runzlig, erinnere ich mich mit eher besorgniserregender Klarheit). Buddy war gutmütig und hatte wunderschöne Spielsachen, weil seine Eltern großzügig und wohlhabend waren.

Dazu kam seine ausgesprochen liebenswürdige Dummheit. Als er und ich vier waren, schenkte uns sein Großvater ein Paar Piratenschwerter, die er in seiner Werkstatt hergestellt hatte, und wir gingen direktemang in Mrs. Van Pelts preisgekrönte Blumenrabatte, die fast dreißig Meter an besagtem Weg entlangliefen. Mit hektischen Drehbewegungen, mit denen wir das munter zerstörerische Treiben eines Rasentrimmers um mehrere Jahre vorwegnahmen, enthaupteten oder verstümmelten wir binnen Sekunden jede einzelne ihrer geliebten Zinnien. Als ich begriff, welche Ungeheuerlichkeit wir da gerade verübt hatten – Mrs. Van Pelt zeigte diese Blumen bei der landwirtschaftlichen Ausstellung des Bundesstaates Iowa, der State Fair; sie redete mit ihnen; es waren ihre Kinder! –, erzählte ich Buddy, dass ich Ärger zurzeit gar nicht gebrauchen könne, weil mein Vater an einer tödlichen Krankheit leide, von der niemand wisse. Ob es ihm was ausmachen würde, die Schuld auf sich zu nehmen? Nein, machte es nicht. Während er daraufhin um drei Uhr nachmittags in sein Zimmer geschickt wurde und den Rest des Tages als weinerliches Gesicht an einem hohen Fenster erschien, saß ich auf unserer rückwärtigen Veranda, Füße auf dem Geländer, stopfte mich mit frischer Wassermelone voll und hörte ausgewählte tolle Schallplatten auf dem tragbaren Plattenspieler meiner Schwester. Eine wichtige Lektion hatte ich gelernt: Der Versuch zu lügen lohnt sich immer. In den nächsten sechs Jahren gab ich Buddy für alles Schlimme, das ich in meinem Leben verbrach, die Schuld. Ich glaube, zum Schluss hielt er sogar noch den Kopf dafür hin, dass er meinem Onkel Dick das Loch in den Schädel gebrannt hatte. Dabei hatte er den Mann nie gesehen.

Damals wie heute war Des Moines eine ungefährliche, anständige Stadt mit 200 000 Einwohnern. Die Straßen waren lang, gerade, grün und sauber und hatten solide amerikanische Namen: Woodland Avenue, University Avenue, Pleasant Avenue, Grand Avenue. Die meisten Läden hatten ein kleines Rasenstück davor anstelle von Parkplätzen. Öffentliche Gebäude – die Postämter, Schulen, Krankenhäuser – waren immer majestätisch und imposant. Tankstellen sahen oft wie kleine Cottages aus. Diners (oder Raststätten) erinnerten einen an Hütten, wie man sie auf einem Angelausflug findet. Nichts war angelegt worden, um dem Autoverkehr besonders entgegenzukommen. Es war eine grünere, stillere, weniger aufdringliche Welt.

Die Grand Avenue war die Hauptverkehrsader durch die Innenstadt und verband das Zentrum, wo alle arbeiteten und die wichtigen Einkäufe tätigten, mit den Wohngebieten ringsum. Die besten Häuser der Stadt lagen südlich der Grand auf der Westseite Des Moines', in einem hügeligen, mit herrlichen Bäumen bestandenen Viertel, das bis zum Waterworks Park und zum Raccoon River ging. Man konnte dort stundenlang durch gewundene Straßen gehen und sah nichts als makellose Rasenflächen, alte Bäume, frisch gewaschene Autos und hübsche glückliche Eigenheime. Der amerikanische Traum – so weit man auch blickte. Das war mein Stadtviertel. Es hieß South of Grand.

Der auffallendste Unterschied zwischen damals und heute war, dass es viel mehr Kinder gab. In den fünfziger Jahren lebten in den Vereinigten Staaten 32 Millionen Kinder (bis zu zwölf Jahren) und jedes Jahr plumpsten vier Millionen neue Babys auf die Wickelunterlagen. Kinder in jetzt unvorstellbaren Massen waren allgegenwärtig, doch besonders dann, wenn etwas Interessantes oder Ungewöhnliches passierte. Zu Beginn jeden Sommers, wenn die Mosquitosaison begann, kam ein Angestellter der Stadt in einem offenen Jeep in unser Viertel und fuhr wie ein Verrückter mit einer Nebelmaschine herum, die dichte bunte Wolken Insektizide versprühte – über Grünflächen, in Wäldchen, entlang der Kanalisation, über unbebaute Grundstücke. Wenigstens 11 000 Kinder flitzten freudig fast den ganzen Tag durch die Insektizidschwaden. Widerliches Zeug, es schmeckte grauenhaft, es machte einem die Lungen kalkig, und man war hinterher von einer pulvrigen safrangelben Blässe überzogen, die man auch durch noch so viel Schrubben nicht abbekam. Noch Jahre später spuckte ich jedes Mal, wenn ich in ein weißes Taschentuch hustete, einen kleinen Ring farbiges Pulver aus.

Doch nie kam jemand auf die Idee, uns davon abzuhalten oder auch nur anzudeuten, dass es vielleicht nicht klug sei, durch Insektizidwolken zu flitzen. Womöglich dachte man, ein großzügiges Besprühen mit DDT täte uns gut. So war das damals. Vielleicht aber betrachtete man uns auch nur als ersetzbar, weil es so viele von uns gab.*

Der andere Unterschied zu heute bestand darin, dass die Kinder beinahe die ganze Zeit draußen waren – ich kannte welche, die morgens früh um acht aus der Hintertür geschoben und vor fünf Uhr nachmittags nur dann wieder reingelassen wurden, wenn sie lichterloh brannten oder in Strömen bluteten. Und stets war man damals auf der Suche nach Beschäftigung. Wenn man mit einem Fahrrad an einer Ecke

---

* Insgesamt brachten die Mütter der Vereinigten Staaten in der Nachkriegszeit von 1946 bis 1964 76,4 Millionen Kinder zur Welt. Dann machten ihre armen alten, überarbeiteten Gebärmütter offenbar alle mehr oder weniger gleichzeitig schlapp.

stand – einer x-beliebigen, egal, wo –, tauchten über 100 Kinder auf, von denen man viele noch nie gesehen hatte, und fragten, wo man hinwollte.

»Vielleicht gehe ich zur Trestle«, sagte man dann nachdenklich. Die Trestle war eine Eisenbahnbrücke über den Raccoon River, von der man in den Fluss springen und darin schwimmen konnte, wenn es einen nicht störte, zwischen toten Fischen, alten Autoreifen, Ölfässern, Algenschleim, Schwermetallabwässern und Schmiere unklarer Herkunft herumzupaddeln. Die Trestle war eine von zehn anerkannten Wahrzeichen unseres Stadtbezirks. Die anderen waren: die Woods, der Pond, der River, die Railroad Tracks (gemeinhin nur »die Tracks«), das Vacant Lot – mit anderen Worten, das Wäldchen, der Weiher, der Fluss, die Eisenbahngleise (oder Gleise), die Brachfläche – sowie der Little League Park oder »Baseballplatz«, der Park, Greenwood (unsere Schule) und das New House. Das Neue Haus war jedes im Bau befindliche Haus und deshalb regelmäßig ein anderes.

»Können wir mitkommen?«, fragten die Kinder als Nächstes.

»Ja-a, gut«, antwortete man, wenn sie so groß wie man selbst, oder »Wenn du meinst, du schaffst es«, wenn sie kleiner waren. Kam man bei der Trestle oder beim Vacant Lot oder dem Weiher an, waren schon 600 andere Kinder da. 600 Kinder waren immer und überall da, außer, wo zwei oder mehrere Stadtviertel aneinanderstießen – im Park zum Beispiel –, da ging die Zahl in die Tausende. Ich nahm einmal an einem Eishockeyspiel auf dem See im Greenwood Park teil, bei dem 4000 Kinder mitmachten. Alle droschen wild mit ihren Stöcken um sich, und das Spiel lief schon mindestens eine Dreiviertelstunde, bis jemand merkte, dass wir gar keinen Puck hatten.

Das Leben in der Welt des Kindes war, wo immer man hinging, unbeaufsichtigt, unreglementiert, heftig – manchmal gefährlich –, körperbetont und doch bemerkenswert friedlich. Wenn sich die Kinder stritten, gingen sie nie zu weit, was erstaunlich ist, wenn man bedenkt, wie schlecht Kinder ihre Gefühle unter Kontrolle haben. Als ich ungefähr sechs war, sah ich einmal, wie ein Kind aus einer ziemlichen Entfernung einen Stein nach einem anderen Kind warf, der Stein vom Kopf des Opfers abprallte (wunderschön, muss ich sagen) und es blutete. Darüber redete man noch jahrelang. Selbst Kinder, die weiter weg wohnten, erfuhren davon. Das Kind, das den Stein geworfen hatte, wurde für ungefähr 10000 Stunden zur Therapie geschickt.

Wenn wir überhaupt einmal gewalttätig wurden, dann passierte das höchstens aus Versehen. Obwohl: Einem Jungen namens Milton Milton verpassten wir manchmal (na, eigentlich regelmäßig) Kopfnüsse, weil er so einen saudoofen Namen hatte und die ganze Zeit so tat, als habe er einen Motor. Ich wusste nie, ob er eine Eisenbahn oder ein Roboter oder was sonst war, doch er bewegte die Arme beim Gehen immer wie Kolben und gab Pufflaute von sich. Da war doch klar, dass wir ihm Kopfnüsse gaben. Mussten wir. Kopfnüsse kriegen war sozusagen sein Schicksal.

Apropos versehentliches Blutvergießen – da darf ich mich in aller Bescheidenheit rühmen, eines ruhigen Septembernachmittags den im Viertel denkwürdigsten Beitrag dazu geliefert zu haben. Ich war neun Jahre alt und spielte in Leo Collingwoods Hinterhof Fußball. Wie immer nahmen etwa 150 Kinder an dem Spiel teil; wenn man also attackiert wurde und hinfiel, landete man normalerweise in einer marshmallowweichen Masse von Körpern. Hatte man richtig Glück, landete man auf Mary O'Leary und konnte sich, während man wartete, dass die anderen von einem aufstanden, einen Moment lang auf ihr ausruhen. Sie roch nach Vanille – Vanille und frischem Gras –

und war weich und sauber und schmerzlich hübsch. Es war immer eine herrliche Sache. Diesmal aber fiel ich neben der Meute hin und schlug mit dem Kopf gegen eine Steinmauer. Ich kann mich erinnern, dass mich vom Oberkopf Richtung Nacken ein scharfer Schmerz durchzuckte.

Als ich mich erhob, starrten mich alle mit einzigartig verzückten Mienen an und machten mir sogar ein bisschen Platz. Lonny Brankovich warf einen Blick auf mich und sank sofort in Ohnmacht. Sein Bruder nahm kein Blatt vor den Mund und sagte zu mir:»Du stirbst.« Ich konnte natürlich nicht sehen, was meine Zuschauer so faszinierte, doch aus späteren Schilderungen entnehme ich, dass es aussah, als hätte ich einen Rasensprenkler oben in meinen Kopf gesteckt, der in beinahe festlicher Weise in alle Richtungen Blut versprühte. Ich langte nach oben und fasste in sprudelnde Nässe. Es fühlte sich an, wie wenn es aus einem Hydranten spritzt, gegen den ein Lastwagen gekracht ist, oder wie wenn man in Oklahoma auf Öl stößt. Es fühlte sich an, als müsse hier Red Adair in Aktion treten.

»Ich glaube, das lass ich besser mal nachschauen«, stellte ich ganz sachlich fest und verließ mit Siebenmeilenstiefeln den Hof. Im Nu war ich zu Hause und spazierte, immer noch üppig spritzend, in die Küche. Dort stand mein Vater mit einer Tasse Kaffee am Fenster und betrachtete verträumt Mrs. Bukowski, unsere junge Nachbarsfrau. Mrs. Bukowski besaß als Erste in Iowa einen Bikini und trug ihn zum Wäscheaufhängen draußen im Garten. Mein Vater erblickte meinen blutüberströmten Kopf, gönnte sich einen Moment der Gewöhnung an den Anblick, ohne zu begreifen, was das sollte, und geriet dann passenderweise sofort in Panik. Er bewegte sich gleich in sechs Richtungen auf einmal und rief mit gequälter Stimme meiner Mutter zu, sie solle sofort kommen und ganz viele Handtücher mitbringen, »alte!«, denn Billy verblute gerade in der Küche.

Danach kann ich mich an nichts Genaues mehr erinnern. Ich weiß noch, dass mein Vater mir sagte, ich solle mich hinsetzen und den Kopf gegen den Küchentisch pressen, während er sich bemühte den Blutstrom zu stillen und gleichzeitig Dr. Alzheimer, unseren Hausarzt, ans Telefon zu kriegen, damit der ihm Anweisungen gab. Meine Mutter, wie stets durch nichts zu erschüttern, suchte systematisch alte Lappen und Stofffetzen zusammen, die man ruhig opfern konnte (oder die schon rot waren), und kümmerte sich um die Kinder, die eines nach dem anderen mit Knochensplittern und Stückchen grauer Masse, die sie sorgfältig von der Steinmauer abgekratzt hatten und für Teile meines Hirns hielten, an der Hintertür auftauchten.

Ich konnte natürlich nicht viel sehen, da ich den Kopf gegen den Tisch presste, doch ich erwischte ein paar Spiegelbilder im Toaster. Mein Vater schien bis zu den Ellenbogen in meiner Schädelhöhle zu stecken und redete gleichzeitig mit Dr. Alzheimer, was nicht gerade tröstlich klang. »Herr im Himmel, Doc«, sagte er. »Sie glauben nicht, wie viel Blut ... Wir schwimmen drin.«

Am anderen Ende der Leitung hörte ich Dr. Alzheimers dement gelassene Stimme. »Hm, ich könnte rüberkommen«, sagte er. »Aber ich sehe gerade so ein wahnsinnig gutes Golfturnier. Ben Hogan spielt eine wunderbare Runde. Ist es nicht fantastisch, wie gut er in seinem Alter noch spielt? Also, haben Sie die Blutung gestillt?«

»Ich tue mein Bestes.«

»Gut, gut. Ausgezeichnet – ganz ausgezeichnet. Denn er hat ja wahrscheinlich schon eine ganze Menge Blut verloren. Sagen Sie, atmet der kleine Kerl noch?«

»Ich glaube, schon«, erwiderte mein Vater.

Ich, stets gefällig, nickte heftig.

»Ja, er atmet noch, Doc.«

»Gut, sehr gut. Okay, ich sag Ihnen was. Geben Sie ihm zwei

Aspirin und ab und zu einen Schubs, damit er nicht das Bewusstsein verliert. Sie dürfen auf keinen Fall zulassen, dass er ohnmächtig wird, hören Sie, sonst verlieren Sie den kleinen Burschen noch – und dann komme ich nach dem Turnier. Jetzt schauen Sie sich das an – er hat vom Grün aufs Rough geschlagen.« Dann hörte man, wie Dr. Alzheimers Telefon auf die Gabel gelegt wurde, dann die Amtsleitung.

Glücklicherweise bin ich nicht gestorben. Vier Stunden später saß ich im Bett, einen extravaganten Turban um den Kopf und gut ausgeruht nach einem Nickerchen, in das ich während eines der Dreistundenmomente gesunken war, als meine Eltern vergaßen, zu kontrollieren, ob ich schlief. Ich futterte einen Becher Schokoladeneis nach dem anderen und empfing huldvoll Besucher aus der Nachbarschaft, wobei ich denen, die mit Geschenken kamen, Dringlichkeitsstufe eins gab. Dr. Alzheimer kam später als versprochen und roch ein wenig nach Whisky. Die meiste Zeit seiner Visite saß er auf meiner Bettkante und fragte mich, ob ich schon so alt sei, dass ich mich an Bobby Jones erinnerte. Meinen Kopf schaute er sich nicht an. Aber ich glaube, auch Dr. Alzheimers Honorare waren sehr reell.

Außer praktizierenden Ärzten bot Iowa wenig Naturgefahren, doch in einem Jahr (als ich ungefähr sechs war) hatten wir eine Plage mit einem Rieseninsekt namens Zikadenkiller. Zikadenkiller sind nicht zu verwechseln mit Zikaden, an sich schon grauslichen Biestern, kleinen fliegenden Zigarren mit stieren, roten Augen und bizarren Beißzangen, wenn ich mich recht erinnere. Zikadenkiller waren viel schlimmer. Sie kamen nur alle siebzehn Jahre aus dem Boden, deshalb wusste niemand viel über sie, nicht einmal Erwachsene. Es gab eine große Debatte darüber, ob das »Killer« in »Zikadenkiller« bedeutete, dass sie Zikaden killten, oder ob sie Zikaden waren, die killten. Die allgemeine Meinung neigte zu Letzterem.

Zikadenkiller waren ungefähr so groß wie Kolibris, hatten vorn und hinten üble Stacheln und waren einfach furchtbar. Sie lebten in Bauten in der Erde, und wenn man sie da störte, kamen sie mit schrecklichem, dem Loskreischen einer Kettensäge sehr ähnlichem Surren überraschend von unten hochgeflogen. Am meisten fürchtete man sich davor, dass sie einem im Hosenbein hochschossen, sich in den Unterhosen verfingen und dort blindlings um sich schlugen. Die übliche Notfallbehandlung bei Zikadenkillerstichen im Lendenbereich war Kastration, unter Umständen gleich am Straßenrand, und sie stachen einen selten woanders. Man sah eigentlich nie eine, denn sobald sie aus ihrem Bau surrte, sprang man wie von Furien gehetzt davon und drückte sich die kurzen Hosen ein bisschen affig, aber für alle Fälle an die Beine.

Die schlimmste permanente Bedrohung bei uns war der Giftsumach, obwohl ich nie jemanden kennen gelernt habe, keinen Erwachsenen und auch kein Kind, der wirklich wusste, um was es sich da handelte oder wie genau man daran starb. Es war eigentlich nur ein wildes Gerücht. Trotzdem konnte man an jedem bewaldeten Ort stets warnend die Hand heben und ernst verkünden:»Besser, wir gehen nicht weiter. Ich glaube, vor uns ist Giftsumach.«

»*Gift*sumach?«, fragte dann einer der jüngeren Spielkameraden mit weit aufgerissenen Augen.

»Alle Sumacharten sind giftig, Jimmy«, sagte normalerweise jemand anderer und legte ihm die Hand auf die Schulter.

»Wirklich schlimm?«, fragte Jimmy dann.

»Sagen wir mal so«, antwortete man sehr abgeklärt.»Mickey Cox, ein Freund meines Bruders, kannte einen Typen, der mal in eine Stelle mit Giftsumach gefallen ist. Er kriegte ihn überall auf den Körper und die Ärzte mussten ihm, echt, den ganzen Körper amputieren. Jetzt ist er nur noch ein Kopf auf einem Teller. Sie tragen ihn in einer Hutschachtel herum.«

»Irre!«, sagten dann alle außer Arthur Bergen, der aufreizend intelligent war und sich bei all den Dingen auf dieser Welt auskannte, die unmöglich sein konnten – zufällig immer genau das, was uns besonders faszinierte.

»Ein Kopf kann gar nicht allein in einer Schachtel überleben«, sagte er.

»Na, manchmal nehmen sie ihn ja raus. Damit er Luft schnappen und Fernsehen gucken kann und so.«

»Nein, ich meine, er könnte allein nicht überleben, ohne einen Körper.«

»Na, der hier aber doch.«

»Unmöglich. Wie willst du einen Kopf mit Sauerstoff versorgen, wenn kein Herz mehr da ist?«

»Woher soll ich das wissen? Wer bin ich denn – Dr. Kildare? Ich weiß nur, dass es stimmt.«

»Es kann nicht stimmen, Bryson. Du hast dich verhört – oder du hast es dir nur ausgedacht.«

»Nein, habe ich nicht.«

»Doch, ganz bestimmt.«

»Also, Arthur, ich schwöre bei Gott, dass es wahr ist.«

An dieser Stelle folgte stets verblüfftes Schweigen.

»Wenn es nicht stimmt, kommst du in die Hölle, weil du gelogen hast«, meldete sich Jimmy zu Wort, völlig unnötigerweise, weil man es ohnehin wusste. Alle Kinder wussten es, automatisch, von Geburt an.

Bei Gott zu schwören war das Nonplusultra. Wenn sich nämlich herausstellte, dass man Unrecht hatte, selbst wenn man gar nichts dazu konnte oder auch nur ein kleines bisschen danebenlag, kam man trotzdem in die Hölle. Das war das Gesetz und Gott drückte bei niemandem ein Auge zu. Gleich, wenn man es sagte, einerlei, in welchem Zusammenhang, kriegte man schon ein ungutes Gefühl, weil es am Ende ja doch sein konnte, dass man nicht hundertprozentig Recht hatte.

»Gut, jedenfalls hat mein Bruder es gesagt«, sagte man und versuchte, sich um die ewige Haftbarkeit herumzumogeln. »Jetzt kannst du nichts mehr daran ändern«, bemerkte Bergen – der sich, nicht zufällig, später als Anwalt auf Körperverletzung spezialisierte. »Du hast es gesagt.« Ja, das wusste man selbst nur allzu gut. Und konnte unter diesen Umständen nur mal wieder eines tun: Milton Milton eine Knopfnuss verpassen.

Kaum weniger gefährlich als Giftsumach waren fleischige rote Beeren, die in Klumpen an Sträuchern in den Gärten hinter fast allen Häusern wuchsen. Auch über die wusste keiner so recht Bescheid, da weder Strauch noch Beeren Namen zu haben schienen. Sie hießen überall nur »die roten Beeren« oder »der Strauch mit den roten Beeren«, doch man war einhellig der Meinung, dass sie giftig seien. Wenn man eine Beere auch nur kurz berührt oder in der Hand gehalten hatte und später einen Keks oder ein Butterbrot aß und einem einfiel, dass man sich die Hände nicht gewaschen hatte, dachte man eine Stunde lang ernsthaft, dass man jeden Augenblick tot umfallen werde.

Auch die Mütter machten sich Sorgen wegen der Beeren und riefen ständig aus den Küchenfenstern, man solle sie nicht essen, was vollkommen unnötig war, denn Kinder der fünfziger Jahre aßen nichts wild Wachsendes – ja, sie aßen sowieso nur das, was in Zucker glasiert und von einem berühmten Sportler oder Fernsehstar empfohlen wurde und zu dem es ein Gratisgeschenk gab. Unsere Mütter hätten uns genauso gut erzählen können, wir sollten keine toten Katzen essen, wenn wir welche fänden. Auf die Idee wären wir ja auch nie gekommen.

Interessanterweise waren die Beeren keineswegs giftig. Ich kann das mit einiger Überzeugung behaupten, weil wir Lanny Kowalskis kleinem Bruder Lumpy einmal circa vier Pfund davon zu essen gaben, um zu sehen, ob er starb. Er starb nicht.

Es war ein kontrolliertes Experiment, muss ich schnell hinzufügen. Wir fütterten ihn immmer nur mit jeweils einer Beere und warteten eine angemessene Pause, um zu sehen, ob er die Augen verdrehte oder sonst was passierte, bevor wir ihm noch eine gaben. Doch abgesehen davon, dass er die mittleren zwei Pfund wieder erbrach, zeigten sich keine bösen Folgen.

Die einzige echte Gefahr in unserem Leben waren die Butter-Jungs. Die Butters waren eine Familie von großen, inzüchtigen, zahlenmäßig nicht feststellbaren Individuen und hausten eine Hälfte des Jahres in einer Ansammlung von Nissenhütten in den Bottoms, einem Gebiet ewiger waldiger Düsternis an den sumpfigen Ufern des Raccoon River. Fast jedes Frühjahr wurden die Bottoms überschwemmt und dann gingen die Butters alle zurück nach Arkansas oder Alabama oder wo immer sie herkamen.

Wenn sie aber da waren, bedrohten sie uns. Ihre Spezialität war es, jedes Kind zu quälen, das kleiner war als sie selbst. Kurzum: alle Kinder. Die Butters waren schon von Geburt an groß, doch weil sie Jahr um Jahr sitzen blieben, waren sie immer viel, viel größer als alle ihre Klassenkameraden. In der Sechsten waren manche von ihnen schon so groß, dass sie nicht mehr durch die Tür passten. Sie waren auch hässlich und strohdoof. Sie aßen Eichhörnchen.

Am besten war es, wenn man ihnen ein kleines Kind als Opfer vorwerfen konnte. Lumpy Kowalski war dafür ideal, denn er war immun gegen Schmerzen und Furcht und verpetzte einen nie, weil er nicht sprechen konnte, vielleicht aber auch nicht wollte. (Das war nie klar.) Außerdem waren die Butters immer schnell von seinen schmutzigen Hosen angewidert, denn Lumpy schaffte es nie rechtzeitig zum Klo. Sie tatschten ein bisschen an ihm herum und zogen sich dann mit schmerzlich verwirrter Miene zurück.

Am schlimmsten war, wenn man von einem oder mehreren

der Butter Boys allein erwischt wurde. Als ich etwa zehn war, wurde ich einmal von Buddy Butters geschnappt, der in meiner Klasse, aber mindestens sieben Jahre älter war als ich. Er zerrte mich unter eine große Kiefer, drückte mich rücklings auf den Boden und sagte mir, so werde er mich nun die ganze Nacht festhalten.

Ich wartete angemessen lange und sagte dann: »Warum machst du das?«

»Weil ich es kann«, antwortete er und gab dann den schleimigen, selbstzufriedenen Rotzschnäuzlaut von sich, der im Universum der Butters als Lachen galt.

»Dann musst du aber auch die ganze Nacht hierbleiben«, bemerkte ich. »Und für dich ist es genauso langweilig.«

»Mir egal«, erwiderte er, stets auf Zack, und schwieg eine ganze Weile, bevor er hinzufügte: »Außerdem kann ich es.« Und dann verwöhnte er mich mit dem Hängende-Spucke-Trick. Derjenige, der oben ist, schiebt langsam einen Spuckeklumpen heraus und lässt ihn, leise zitternd, an einem Faden herunterhängen. Ergibt sich das Opfer, saugt er ihn wieder ein, sonst nicht. Manchmal lässt er ihn aber auch versehentlich fallen. Diesmal war es nicht mal Spucke – zumindest sah es nicht wie menschliche Spucke aus. Eher wie etwas, das ein Rieseninsekt auf seine Vorderbeinchen herauswürgt und mit dem es seine Fühler einschmiert. Es war moosgrün mit kleinen roten Blutstreifen, und wenn mich meine Erinnerung nicht trügt, stachen an den Seiten zwei sehr kleine graue Federn heraus. Es war so groß und glänzend, dass ich mein Spiegelbild darin sehen konnte, das verzerrt war wie in einer Zeichnung von M.C. Escher. Ich wusste, wenn auch nur ein Teil des Klumpens mein Gesicht berührte, würde es heiß zischen und eine entstellende Narbe hinterlassen.

Doch Buddy Butters saugte den Schnodderklumpen wieder ein und stieg von mir herunter. »Na, ich hoffe, dass dir das eine Lehre ist, du kleines Stinktier, Möse, Nutte, Waschlappen«, sagte er.

Zwei Tage später begannen die alles durchdringenden Frühjahrsregenfälle, die die Butters auf ihre Teerpappendächer trieben, von wo sie Mann für Mann in kleinen Booten gerettet wurden. 1000 Kinder standen schadenfroh an der Uferböschung und jubelten.

Was keiner wusste: Die Sturmwolken, die die erfrischenden Regengüsse mitbrachten, waren von dem mächtigen Röntgenblick des bescheidenen Superhelden der Prärie über den Himmel geführt worden, dem kleinen, aber unauffälligen Thunderbolt Kid.

III
Geburt eines Superhelden

East Hampton, Conn. (AP) – Die Suche nach einem als ertrunken gemeldeten Opfer im Pocotopaugsee am Dienstag wurde abgebrochen, als man merkte, dass einer der Freiwilligen, die bei der Suche halfen, Robert Hausman, 23, aus East Hampton, die gesuchte Person war.

Des Moines Register, 20. September 1957

Zu allen Gerichten, die meine Mutter während meiner gesamten Kindheit und Jugend (und bestimmt auch noch lange danach) zubereitete, häufte sie stets einen großen Klacks Hüttenkäse auf die Teller. Offenbar fand sie es wichtig, bei jeder Mahlzeit etwas Geronnenes, eher Dünnflüssiges aufzutischen. Ich allerdings würde untertreiben, wenn ich sagte, ich möge keinen Hüttenkäse. Ich finde, Hüttenkäse sieht aus wie etwas, das man ausspuckt, nicht wie etwas, was man zu sich nimmt. Und das war natürlich mein Problem mit diesem Nahrungsmittel.

Ich hatte einen entfernten Onkel namens Dee, der, wenn ich es jetzt recht bedenke, vielleicht gar kein Onkel war, sondern nur ein Fremder, der bei großen Familientreffen auftauchte. Jedenfalls hatte er durch eine Verletzung in seiner Jugend oder einen Operationsfehler oder aus sonst einem Grund seinen Kehlkopf verloren und ein bleibendes Loch in der Kehle. Also, eigentlich weiß ich nicht, warum er ein Loch im Hals hatte. Er hatte es eben. In den Fünfzigern hatten eine Menge Menschen auf dem Lande in Iowa interessante körperliche Besonderheiten – Holzbeine, Armstümpfe, auffallend eingedellte Köpfe, Hände ohne Finger, Münder ohne Zungen, Augenhöhlen ohne Augen, meterlange Narben, die manchmal in den einen Ärmel hineinliefen und aus dem anderen wieder herauskamen. Weiß der Himmel, was die Leute damals alles so anstellten, aber dass ihnen so manches Malheur passierte, ist sicher.

Onkel Dee jedenfalls hatte ein Loch im Hals, das er nur mit einem quadratischen Stück Baumwollgaze bedeckte. Die Gaze ging oft ab, vor allem, wenn Dee sich – wie eigentlich stets –

leidenschaftlich über etwas erregte, und dann hing sie entweder lose herunter oder fiel ganz ab. In beiden Fällen konnte man das Loch sehen, pechschwarz und faszinierend und ungefähr so groß wie ein Vierteldollar. Dee redete durch das Loch in seinem Hals – das heißt, er rülpste so etwas wie Worte hindurch. Alle waren der Meinung, dass er es sehr gut konnte – an Lautstärke und Stetigkeit des Ausstoßes war er ein wahres Wunder; viele erinnerte er an einen mit Volldampf laufenden Außenbordmotor. In Wirklichkeit aber hatte keiner die leiseste Ahnung, worüber er sprach, was bedauerlich war, da Dee fuchsteufelsmitteilsam war. Begeistert rülpste er vor sich hin, während die Leute, die neben ihm standen (fast immer Neulinge im Familienkreis, muss man sagen), sein Loch in der Kehle tapfer, aber unsicher beobachteten. Von Zeit zu Zeit sagten sie »Ach, wirklich?« und »Na, so was«, nickten ein paarmal ernst und nachdenklich und sagten dann: »Hm, ich glaube, ich hole mir noch einen Schluck Limonade.« Mit diesen Worten schlenderten sie davon und Dee rülpste wütend hinter ihnen her.

All das war nicht schlimm – oder nicht besonders schlimm –, solange Onkel Dee nicht aß. Wenn er aß, wollte man sich eigentlich nicht einmal im selben Land wie er aufhalten, denn er redete sozusagen aus voller Kehle. Alles, was er aß, kam in einem feinen Sprühregen aus dem Loch in seinem Hals. Es war, als speise man mit einem Miniaturreißwolf oder vielleicht einer sehr kleinen Schneefräse. Ich habe erlebt, wie friedliche, erwachsene Menschen, gute Christenmenschen, liebende Schwestern, Söhne und Väter und bei einer denkwürdigen Gelegenheit sogar zwei protestantische Pfarrer aus Nachbargemeinden, schweigend und ingrimmig lang anhaltende Kämpfe ausfochten, um einen Stuhl zu bekommen, der es ihnen ersparte, beim Mittagessen neben oder, schlimmer, gegenüber von Dee zu sitzen.

Eigentümlich bei Dees Gebrechen war (und es fesselte meine Aufmerksamkeit ganz besonders), dass, einerlei, was er sich oben in den Mund steckte – Schokoladensahnetorte, paniertes Schnitzel, gebackene Bohnen, Spinat, Steckrüben, Wackelpeter –, dass daraus Hüttenkäse geworden war, wenn es durch das Loch in seinem Hals spritzte. Ich weiß nicht, wie, aber es war so.

Ja, und das war natürlich genau der Grund, warum ich Hüttenkäse nicht abkonnte. Was meine Mutter nie begriffen hat. Doch sie war ja hinsichtlich der meisten Dinge ohnehin überwältigend, liebenswürdig vergesslich. Wir machten uns oft einen Spaß daraus, sie aufzufordern, unsere Geburtsdaten zu nennen, oder wenn das zu anspruchsvoll war, die Jahreszeiten. Man konnte sich auch nicht darauf verlassen, dass sie unseren zweiten Vornamen kannte. Im Supermarkt erreichte sie oft die Kasse und entdeckte, dass sie sich an einer nicht mehr zu eruierenden Stelle den Einkaufswagen von jemand anderem angeeignet hatte und nun im Besitz von Waren war – ganzen Ananas, Zäpfchen, Tütenfutter für einen sehr großen Hund –, die sie weder kaufen noch haben wollte. Sie wusste selten genau, welche Kleider zu wem gehörten. Und hatte nicht die leiseste Idee, was wir gern aßen.

»Mom«, sagte ich jeden Abend und legte eine Scheibe Brot auf den ärgerlichen Berg auf meinem Teller (eigentlich so, wie man ein Straßenverkehrsopfer mit einer Decke zudeckt), »du weißt doch, dass ich nichts so hasse wie Hüttenkäse.«

»Ach ja, Liebling?«, sagte sie verständnisvoll, aber perplex. »Warum?«

»Er sieht aus wie das Zeugs, das aus Onkel Dees Hals kommt.«

Alle Anwesenden, einschließlich meines Vaters, nickten ernst.

»Na, dann iss nur ein bisschen und lass das, was du nicht magst, auf dem Teller.«

»Ich mag *gar* nichts davon, Mom, und nicht etwa einen Teil davon ja und den anderen nicht. Und Mom, diese Unterhaltung führen wir jeden Abend.«

»Ich wette, du hast nicht einmal probiert.«

»Ich habe auch noch nie Taubendreck probiert. Ich habe noch nie Ohrenschmalz probiert. Manche Sachen muss man nicht probieren. Auch darüber reden wir jeden Abend.«

Erneut feierlich ernstes Nicken ringsum.

»Also, ich hatte ja keine Ahnung, dass du keinen Hüttenkäse magst«, sagte meine Mutter zum Schluss höchst erstaunt und am nächsten Abend lag der Hüttenkäse wieder auf dem Teller.

Ganz gelegentlich einmal machte sich ihre Vergesslichkeit auf doch eher heiklem Terrain bemerkbar, besonders wenn sie unter Zeitdruck stand. Ich erinnere mich an einen besonders hektischen, chaotischen Morgen, als ich noch ziemlich klein war – jedenfalls so klein, dass ich meist vertrauensselig und immer dumm war – und sie mich in den Caprihosen meiner Schwester zur Schule schickte. Sie waren leuchtend lindgrün, sehr eng, hatten unten kleine Schlitze und reichten mir ungefähr drei Viertel über die Waden. Verwirrt, ungläubig starrte ich mich im Spiegel hinten im Flur an. Ich sah aus wie Barbara Stanwyck in *Frau ohne Gewissen*.

»Hier stimmt was nicht, Mom«, sagte ich. »Das sind Bettys alte Caprihosen, oder nicht?«

»Nein, Süßer«, beruhigte meine Mutter mich. »Es sind *Piraten*hosen. Sie sind sehr modern. Ich glaube, Kookie Byrnes trägt sie in *77 Sunset Strip*.«

Kookie Byrnes, der stets superfrisierte Star in der beliebten wöchentlichen Fernsehserie, war einer meiner Helden, ja, der meisten Leute, die interessante Frisuren mochten, und es stimmte, dass er oft liebenswert seltsame Dinge tat. Deshalb hieß er ja Kookie: ganz schön durchgeknallt. Trotzdem hatte ich das Gefühl, dass etwas nicht stimmte.

»Das glaube ich nicht, Mom. Das sind nämlich Mädchenhosen.«

»Doch, Süßer.«

»Schwörst du das bei Gott?«

»Hmm«, sagte sie zerstreut. »Guck es dir diese Woche an. Ich bin überzeugt, er trägt solche.«

»Aber schwörst du es bei Gott?«

»Hmmm«, sagte sie noch einmal.

Ich trug also die Hosen zur Schule, und das Gelächter war meilenweit zu hören. Und zwar fast den ganzen Tag. Die Rektorin, Mrs. Unnatürlich Enormer Busen, die normalerweise den Hintern nicht mal hochkriegte, wenn der Stuhl in Flammen stand, kam extra vorbei, um mich anzuschauen, und sie lachte so laut, dass ihr ein Knopf an der Bluse abplatzte.

Kookie Byrnes hat natürlich nie etwas auch nur entfernt Ähnliches wie Caprihosen getragen. Nach der Schule fragte ich meine Schwester. »Machst du Witze?«, sagte sie. »Kookie ist doch nicht schwul.«

Man konnte meiner Mutter ihre Vergesslichkeit unmöglich lange vorwerfen, so offensichtlich und hoffnungslos pathologisch war sie, eine Laune ihrer Natur. Da hätten wir uns auch über sie ärgern können, weil sie eine Vorliebe für Tupfen und zweifarbige Schuhe hatte. So war sie eben. Außerdem machte sie es auf tausenderlei Weise wett – sie war liebevoll und freundlich, geduldig und großzügig, entschuldigte sich sofort und aufrichtig für alles, was sie falsch gemacht hatte, und wollte es sofort wiedergutmachen. Alle Welt liebte meine Mutter heiß und innig. Boshaftigkeit und Argwohn waren ihr vollkommen fremd. Sie wurde nie laut oder schlug einem eine Bitte ab, sagte nie ein böses Wort gegen jemanden. Sie mochte alle ihre Mitmenschen. Ihr Leben lang schmierte sie Butterbrote. Sie wollte, dass alle glücklich waren. Und sie ging fast jede Woche mit mir zum Essen und ins Kino. Das war das, was wir beide gemeinsam taten.

Da mein Vater wegen seiner Arbeit an fast allen Wochenenden weg war, sagte meine Mutter praktisch so sicher wie das Amen in der Kirche jeden Freitag zu mir:»Was hältst du davon, wenn wir heute Abend bei Bishop's essen und uns danach einen Film ansehen?«, als sei das ein seltenes Vergnügen. Dabei gönnten wir es uns in Wirklichkeit regelmäßig.

Wenn freitags die Schule aus war, lief ich schnell nach Hause, warf meine Bücher auf den Küchentisch, schnappte mir eine Handvoll Kekse und begab mich ins Stadtzentrum. Manchmal nahm ich einen Bus, doch häufiger sparte ich das Geld und ging zu Fuß. Es waren nur ein paar Kilometer, die von Anfang bis Ende unterhaltsam und angenehm waren, wenn ich über die Grand Avenue lief (über die die Busse nicht fuhren; sie waren auf die Ingersoll verbannt – den Lieferanteneingang in der Welt der Straßen). Ich mochte die Grand sehr. Damals war sie von der Innenstadt bis zu den westlichen Vororten von turmhohen, ineinander verschlungenen Ulmen gesäumt, den absolut schönsten Straßenbäumen und großzügigen Spendern goldener Blätter, durch die man im Herbst wunderbar schlurfen konnte. Mehr noch, die Grand hatte eine Atmosphäre, wie es sich für eine Straße gehört. Ihre Bürogebäude und Mietshäuser waren dicht an die Bürgersteige gebaut, was der Straße etwas Nachbarschaftliches verlieh, und es standen immer noch die meisten der alten Privathäuser – die prächtigsten Villen, fast alle mit Türmchen und Erkern und Veranden wie Schiffsdecks –, obwohl diese mittlerweile überwiegend als Büros, Bestattungsunternehmen und dergleichen eine neue Verwendung gefunden hatten. In wohlüberlegten Abständen waren einige noblere öffentliche und kommerzielle Gebäude an der Grand verteilt worden: Granitkirchen, ein katholisches Mädchengymnasium, das majestätische Commodore Hotel (mit markisenüberdachtem Gang zur Straße – ein willkommener Hauch von Manhattan), ein gespenstisches Waisenhaus, wo niemals Kinder spielten oder am Fenster standen, sowie die offizielle Residenz des Gouverneurs, eine bescheidene Villa mit einer weißen Fahnenstange und der Flagge von Iowa. Alle hatten schöne Proportionen, standen an der richtigen Stelle und wirkten sorgfältig gepflegt und proper. Die Straße war perfekt.

Dort, wo sie keine Wohnstraße mehr war und in die Innenstadt führte, bei dem massigen Firmengebäude von Meredith Publishing (Sitz von *Better Homes and Gardens*), machte die Grand jäh eine scharfe Kurve nach links, als erinnere sie sich plötzlich einer wichtigen Verabredung. Ursprünglich sollte sie von dieser Stelle aus durchs Stadtzentrum führen, wie eine Art Champs Elysées des Mittleren Westens auf die Treppe des Parlamentsgebäudes zu. Man sollte, wenn man über die Grand Avenue ging, vor sich, exakt in der Mitte, das mit einer goldenen Kuppel versehene, prächtige Capitol erblicken (und es ist wirklich ein tolles Gebäude, eines der schönsten im Lande).

Doch als die Straße irgendwann in der zweiten Hälfte des 19. Jahrhunderts angelegt wurde, regnete es eines Nachts ganz fürchterlich, und die Stangen der Vermesser verrutschten – jedenfalls hat man uns das immer erzählt –, und die Straße wich vom korrekten Verlauf ab, so dass das Capitol seltsam seitlich von der Mitte liegt und heute aussieht, als sei es erwischt worden, als es gerade weglaufen wollte. Eine Besonderheit, die manche Leute wunderbar finden und andere lieber nicht erwähnen. Ich jedenfalls wurde es nicht müde, vom Westen her in die Stadt zu schlendern und einen Anblick zu genießen, der so herrlich nicht ganz korrekt war, so reizend daneben. Und ich überlegte dabei stets, wie ganze Trupps von Männern eine wichtige Straße bauen konnten, ohne offensichtlich einmal aufzuschauen und sich zu vergewissern, ob sie die vorgesehene Richtung beibehielten.

Die ersten Straßen der Innenstadt von Des Moines machten einen leicht, aber nicht unangenehm schäbigen Eindruck. Hier gab es dunkle Bars, kleine Hotels mit zweifelhaftem Ruf, schmuddelige Büros und Läden, die komische Sachen verkauften wie Gummistempel und Bruchbänder. Ich mochte die Gegend sehr. Es bestand immer die Chance, dass man aus einem höher gelegenen Fenster einen bitterbösen Streit hörte und sich der Hoffnung hingeben konnte, dass es zu einer Schießerei kommen und, wie in den besseren Hollywoodfilmen, jemand aus dem Fenster auf eine Markise fallen oder zumindest, die Hand auf der blutigen Brust, aus einer Tür taumeln und auf der Straße kollabieren würde.

Danach wurde die Innenstadt aber recht schnell respektabler, das Niveau hob sich, und sie glich mehr einem echten Stadtzentrum. Das pochende Herz der Metropole war zwar eher bescheiden in der Ausdehnung – nur drei, vier Straßen breit und vier oder fünf lang –, aber die hohen Backsteingebäude standen dicht an dicht, und es wimmelte vor Menschen und Leben. Die Luft war schmuddelig und bläulich. Die Menschen liefen mit schnelleren und weiter ausholenden Schritten. Man hatte das Gefühl, in einer richtigen Großstadt zu sein.

Wenn ich die Innenstadt erreichte, befolgte ich stets das gleiche Ritual. Zuerst ging ich zu Pinky's, einem Scherzartikelladen im Banker's-Trust-Gebäude, mit einem riesigen Sortiment an staubigen Juxsachen, die nie jemand kaufte – Plastikeiswürfel mit einer Fliege drin, klappernde Zähne, Gummischeißhaufen für alle Gelegenheiten. Pinky's existierte nur zu dem Zweck, dass Seeleute, Wanderarbeiter und kleine Jungs etwas hatten, wo sie hingehen konnten, wenn sie in der Innenstadt nicht wussten, wohin mit sich. Ich habe keine Ahnung, wie sie es schafften, sich über Wasser zu halten. Ich kann nur vermuten, dass man in den 1950ern nicht viel verkaufen musste, um solvent zu bleiben.*

Wenn ich mir bei Pinky's alles angeschaut hatte, machte ich ein-, zweimal die Runde im Zwischenstock bei Frankel's und schaute dann, ob es in der Buchabteilung bei Younkers neue Hardy-Boys-Bücher gab. Normalerweise kehrte ich danach am Erfrischungsstand bei Woolworth's ein und gönnte mir einen der berühmten Green Rivers, ein erfrischendes Gebräu aus dickflüssiger grüner Brause (*der* Schuljungenaperitif der fünfziger Jahre), und zum Schluss lief ich dann zum R&T (für den *Register* und die *Tribune*) an der Ecke Eighth und Locust. Dort nahm ich mir stets eine Minute Zeit, um durch die großen, auf Straßenhöhe an dem Gebäude entlanglaufenden Fenstern einen Blick in die Druckerei zu werfen – potentiell ein hervorragender Ort, an dem man Zeuge einer Verstümmelung werden konnte, dachte ich immer –, und ging anschließend durch die schicke Drehtür ins Foyer des *Register*, wo ich mich ein paar respektvolle Minuten lang mit dem großen, langsam sich drehenden Globus beschäftigte, der in einem Nachbarraum hinter Glas stand (stets interessant warm, wenn man daranfasste).

Der *Register* war stolz auf diesen Globus. Wenn ich mich recht erinnere, war es einer der größten Globen der Welt. Offenbar sind große Globen nicht leicht herzustellen. Der hier war mindestens doppelt so groß wie ich und wunderschön gearbeitet und bemalt. Er war im wissenschaftlich korrekten Winkel auf die Achse gestellt und bewegte sich im Tempo der Erde, vollendete also alle 24 Stunden eine Umdrehung. Kurzum, er

---

* Mittlerweile weiß ich von meinem viel welterfahreneren Informanten Stephen Katz, dass der Inhaber von Pinky's seinen Lebensunterhalt damit bestritt, von unter dem Ladentisch Pornohefte zu verkaufen. Ja, woher sollte ich das wissen?

war großartig, phänomenal, das feinste technische Wunderwerk in Des Moines außer den radioaktiven Toilettensitzen in Bishop's Cafeteria, die natürlich eine Klasse für sich waren. Weil der Globus so groß und stattlich und real war, hatte man sehr das Gefühl, als schaue man die echte Erde an, und ich wanderte darum herum und stellte mir vor, ich sei Gott. Selbst wenn ich heute an die Staaten der Erde denke, sehe ich sie mit den Namen vor mir, die sie auf der großen Kugel trugen – Tanganjika, Rhodesien, Ost- und Westdeutschland, die Freundschaftsinseln. Der Globus hatte sicher auch noch andere Fans außer mir, doch ich habe nie jemanden daran vorübergehen gesehen, der ihn auch nur eines Blickes gewürdigt hätte.

Exakt um 17.30 Uhr fuhr ich mit einem Lift hinauf in die Nachrichtenredaktion im dritten Stock – einer derart prototypischen Nachrichtenredaktion, dass sie sogar eine Schwingtür hatte, durch die man mit keckem Schwung hereinstürmen konnte wie Rosalind Russell in *Sein Mädchen für besondere Fälle*. Danach lief ich durch die Sportredaktion (mit einem jovialen »Hallo« für die Jungs dort – schließlich waren sie die Kollegen meines Vaters), an den ratternden Nachrichtentickern vorbei und meldete mich dann bei meiner Mutter an ihrem Schreibtisch in der direkt daran anschließenden Frauenredaktion. Ich sehe meine Mutter immer noch genau vor mir, wie sie, mit ein wenig verrutschter Frisur, an einem grauen Metallschreibtisch sitzt und auf ihre Schreibmaschine einhämmert, eine altehrwürdige Smith Corona. Ich gäbe alles – wirklich fast alles! –, wenn ich noch einmal durch die Schwingtür gehen, die Jungs in der Sportredaktion und dahinter meine liebe alte Mom an ihrem Schreibtisch dahertippen sehen könnte.

Von meiner Ankunft war sie immer gleichermaßen erfreut und überrascht. »Nanu, Billy, hallo! Meine Güte, ist Freitag?«, sagte sie, als hätten wir uns seit Wochen nicht gesehen.

»Ja, Mom.«

»Na, was hältst du davon, wenn wir erst zu Bishop's und dann ins Kino gehen?«

»Das wär toll.«

Wir speisten also ruhig und zufrieden bei Bishop's und schlenderten danach zu einem der drei großen, altehrwürdigen Filmpaläste in der Innenstadt – dem Paramount, dem Des Moines oder dem RKO-Orpheum –, riesigen, gespenstisch beleuchteten Krypten, aufwändig in einem Stil dekoriert, der an die Blütezeit des alten Ägypten erinnerte. Im Paramount und im Des Moines fanden jeweils 1600 Menschen Platz, im Orpheum kaum weniger, doch Ende der 1950er waren selten mehr als 30 oder 40 bei einer Vorstellung. Es gab nie (und wird es auch nie wieder geben) einen schöneren Ort, um einen Freitagabend zu verbringen. Mit einem Bottich Butterpopcorn saß man in Tausenden Kubikmetern Dunkelheit vor einer Leinwand, die so riesig war, dass man die Titel von Büchern in Bücherschränken, die Daten auf Kalendern und die Nummernschilder vorbeifahrender Autos lesen konnte. Es war magisch.

Die Filme der Fünfziger waren von unerreichter Qualität. *The Brain That Wouldn't Die; Blob, Schrecken ohne Namen; The Man from Planet X; Fliegende Untertassen greifen an; Zombies of the Stratosphere; Der Koloss; Die Dämonischen* oder *Die Unglaubliche Geschichte des Mr. C* – womit nur ein paar der genialen Schöpfungen dieses grenzenlos einfallsreichen Jahrzehnts genannt wären. Aber ach, meine Mutter und ich gingen in diese Filme natürlich nie. Wir sahen stattdessen Melodramen, in denen im Allgemeinen Mimen aus den unteren bis mittleren Chargen des Staraufgebots die Hauptrollen spielten – Richard Conte, Lizabeth Scott, Lana Turner, Dan Duryea, Jeff Chandler. Ich selbst verstand den Reiz dieser Filme nicht. Es war alles nur endloses Geschwafel in dieser düster ernsten, vorwurfsvollen Art, die die Leute in den Filmen der Fünfziger an sich hatten. Sie drehten sich zum Beispiel beim Sprechen fast immer weg, so dass sie aus unerfindlichen Gründen mit einem Bücherschrank oder einer Bodenlampe zu kommunizieren schienen, nicht aber mit der Person, die hinter ihnen stand. Irgendwann dann schwoll die Musik an, und eine der Figuren erzählte der anderen (mittels der Gardinen), dass sie das alles nicht mehr aushalte und gehen werde.

»Ich auch!«, witzelte ich freundlich in Richtung meiner Mutter und schlenderte zwecks Szenenwechsels in die Männertoilette. Die Männertoiletten in den Kinos im Stadtzentrum waren riesig, beruhigend hell und hatten einfach Klasse. Gute Spiegel von der Decke bis zum Boden, vor denen man üben konnte, wie ein Pistolenheld zu ziehen, und etliche Automaten – Kammautomaten, Kondomautomaten –, in die man fast mit dem Arm reinkam. Die lange Reihe Klozellen war durch Wände voneinander getrennt, bei denen man die Füße von Leuten in den Nachbarzellen sehen konnte, deren Zweck ich aber nie begriffen habe, ja, auch heute noch nicht begreife. Mir fällt ums Verrecken keine Situation ein, in der es für irgendjemanden von Vorteil ist, die Füße des Nachbarn zu sehen. Zum Zeichen, dass ich da gewesen war, ging ich stets in die Zelle am linken äußeren Ende und versperrte die Tür, kroch dann unter den Trennwänden in die nächste Zelle, verschloss die und so weiter, bis ich alle verriegelt hatte. Es vermittelte mir immer das seltsame Gefühl, etwas geleistet zu haben.

Weiß der Henker, durch was ich alles gekrochen bin, um dieses kleine Kunststück zu vollbringen, aber damals war ich enorm dumm. Ich meine wirklich ganz enorm. Als ich ungefähr sechs war, das weiß ich noch, beschäftigte ich mich fast einen ganzen Film lang damit, irgendwelches interessant süß riechende Zeugs von der Unterseite meines Sitzes zu zupfen, und dachte, es sei Teil des zur Herstellung des Sitzes verwendeten Materials, bis ich plötzlich kapierte, dass es Kaugummi war, das vorher dort Sitzende hingeklebt hatten.

Mir war ungefähr zwei Jahre übel, wenn ich daran dachte, welch grotesker, unhygienischer Aktivität ich mich hingegeben und danach mit den Fingern, mit denen ich von anderen Leuten Ausgekautes berührt hatte, buttertriefendes Popcorn und eine große Tüte Chuckles gegessen hatte. Ich hatte diese Finger sogar – igittigitt! – abgeleckt und emsig eimerweise syphilitische Tröpfchen und wer weiß was enthaltende Spucke von ihren ausgespienen Wrigley's und Juicy Fruits in meinen gesunden Mund und meinen rosig-glatten Verdauungstrakt befördert. Es war nur eine Frage der Zeit – höchstens Stunden –, und dann würde ich nuschelnd ins Delirium fallen und langsam unter fiebrigen Todesqualen dahinscheiden.

Nach dem Film gingen wir immer noch ein Stück Kuchen essen im Toddle House, einem urgemütlichen, winzigen, verqualmten Diner in der Grand Avenue mit schlechtgelauntem Personal und tanzenden Feuern, in die das Fett nur so spritzte. Das Toddle House war kaum mehr als eine Backsteinhütte mit einem einzigen Tresen und ein paar Drehbarhockern, aber nie hat es auf engem Raum derart himmlische Speisen gegeben oder solch köstliche Wärme an einem kalten Abend. Die Pies – die Kruste blättrig, die Füllung cremig und die Stücke immer großzügig zugeschnitten – waren das Paradies auf einem Teller. Normalerweise war das der Höhepunkt des Abends, doch nach dem Kaugummidesaster war ich zerstreut und untröstlich. Ich fühlte mich beschmutzt und zum Sterben verurteilt. Und hätte mir nicht träumen lassen, dass mir noch Schlimmeres bevorstand. Aber so war es. Als ich am Tresen saß und gedankenverloren in meiner Banana-Cream-Pie mit Vanillepudding und Schlagsahne herumstocherte, vor Mitleid mit mir selbst und meinem Verdauungstrakt verging und Wasser aus meinem Glas trank, merkte ich auf einmal, dass der neben mir sitzende alte Mann ebenfalls daraus getrunken hatte. Er war über 200 Jahre alt und aus den Mundwinkeln troff ihm grauer Sabber. In dem Wasser im Glas schwebten kleine, weiße zerkaute Stückchen.

»Arrg, arrg, arrg«, krächzte ich mit insgeheimem Entsetzen und fasste mir mit beiden Händen an die Kehle. Meine Gabel fiel geräuschvoll zu Boden.

»Na, sag, hab ich von deinem Wasser getrunken?«, fragte der alte Mann fröhlich.

»Ja!« Mir blieb die Luft weg, und ich starrte fassungslos auf seinen Teller. »Und Sie haben ... *pochierte Eier* gegessen!«

Pochierte Eier waren das zweite Essen, das man wirklich nie mit einem zu wenig gewaschenen alten Mann teilen sollte, es wurde lediglich übertroffen von Hüttenkäse – aber nur knapp. Als dünnflüssiges Abfallprodukt beim Essen waren beide praktisch ununterscheidbar. »O arrg, arrg, arrg!«, schrie ich und machte über meinem Teller Geräusche wie eine Katze, die sich abmüht, einen Haarklumpen hervorzuwürgen.

»Na, dann will ich hoffen, dass du keine Läuse hast!«, sagte er, klopfte mir jovial auf den Rücken und stand auf, um zu zahlen.

Fassungslos starrte ich hinter ihm her. Er beglich seine Rechnung, legte sich einen Zahnstocher auf die Zunge und schlenderte o-beinig zu seinem Pick-up.

Er kam nie an. Als er den Arm ausstreckte, um die Tür zu öffnen, flogen aus meinen wild aufgerissenen Augen elektrische Blitze und glitten über seinen Körper. Einen Moment glühte er, dann verschmolz er zu einem kurzen, stummen, schrecklichen Grinsen des Todes und war weg.

Es war der Entstehungsmoment der ThunderVision™. Für Schwachköpfe war die Welt soeben gefährlich geworden.

Es gibt viele Versionen der Geschichte, wie Thunderbolt Kid seine fantastischen Kräfte erlangte – so viele, dass ich es selbst nicht mehr genau weiß. Doch ich glaube, die ersten Hinweise, dass ich nicht vom Planeten Erde stammte, sondern von irgendwo anders her (dem Planeten Electro in der Galaxie Zizz, erfuhr ich später), entnahm ich den Unterhaltungen meiner Eltern. Einen Großteil meiner Kindheit verbrachte ich damit, ihnen bei ihren Plaudereien zuzuhören – na, eigentlich, sie zu überwachen. Sie führten ungeheuer lange Gespräche, die stets am Rande kurios fröhlicher Geistesgestörtheit entlangzutanzen schienen. Ich erinnere mich, dass mein Vater eines Tages einmal ganz aufgeregt mit einem Zettel hereinkam, auf dem ein Wort stand.

»Was ist das für ein Wort?«, sagte er zu meiner Mutter. Das Wort war »Chaiselongue«.

»Schäis laundsch«, sagte sie und sprach es wie alle Menschen in Iowa, wahrscheinlich wie alle Amerikaner, aus. Damals war eine Chaiselongue ausschließlich eine in Mode gekommene verstellbare Gartenliege. Dazu gehörte ein Polster, das man abends mit reinnahm, wenn man dachte, jemand anderer werde es klauen. Über unser Polster galoppierten vier Pferde mit einer Kutsche. Das brauchten wir abends nicht mit reinzunehmen.

»Schau's dir noch mal an«, sagte mein Vater.

»Schäis laundsch«, wiederholte meine Mutter, die sich nicht einschüchtern ließ.

»Nein«, sagte er, »schau dir den zweiten Teil des Wortes an. Ganz genau.«

Sie schaute genau hin. »O«, sagte sie und kapierte. Dann versuchte sie es noch einmal. »Schäis lon-guäy.«

»Nein, es heißt nur ›long‹«, sagte mein Vater freundlich, versah es aber mit einem gallischen Schnurrlaut. »Schäis lohhhnggg«, wiederholte er. »Ist das nicht verrückt? Ich habe das Wort bestimmt hundertmal gesehen und nie gemerkt, dass es nicht ›laundsch‹ heißt.«

»Lonngg«, sagte meine Mutter, noch nicht ganz überzeugt. »Das wird 'ne Weile dauern, bis man sich daran gewöhnt hat.«

»Es ist französisch«, erklärte mein Vater.

»Ja, das wird's wohl sein«, sagte meine Mutter. »Was es wohl bedeutet?«

»Keine Ahnung«, sagte mein Vater und schaute aus dem Fenster. »Ach, schau, da kommt Bob von der Arbeit nach Hause. Ich probier es mal an ihm aus.« Er schnappte sich Bob in der Einfahrt, und sie unterhielten sich staunend zehn Minuten lang. Die nächste Stunde sah man, wie mein Vater den Gang auf und ab und manchmal in die umliegenden Straßen lief und das Stück Papier den Nachbarn zeigte, und sie alle staunten und unterhielten sich angeregt darüber. Später kam Bob und fragte, ob er sich den Zettel borgen könne, um ihn seiner Frau zu zeigen.

Ungefähr um diese Zeit keimte in mir der erste Verdacht, dass ich nicht von diesem Planeten kam und dass diese Leute nicht meine leiblichen Eltern waren – es nicht sein konnten.

Dann stöberte ich eines Tages, als ich noch nicht ganz sechs Jahre alt war, auf der Suche nach etwas Scharfem oder Brennbarem, das ich bisher übersehen hatte, hier und dort im Keller herum und fand hinter der Heizung hängend einen selten schicken Wollpullover. Ich schlüpfte hinein. Er war mir viel zu groß und zu weit – die Ärmel berührten fast den Boden, wenn ich sie nicht immer wieder hochschob –, doch es war das hübscheste Stück Oberbekleidung, das ich je gesehen hatte. Es war aus schimmernder, wetterfester, geölter Baumwolle, tiefflaschengrün, extrem warm und schwer, ziemlich kratzig und ein wenig mottenlöchrig, aber immer noch ein außergewöhnliches Prachtexemplar. Auf dem Vorderteil prangte ein goldener, schon sehr verblasster Blitz aus satinartigem Stoff. Interessanterweise wusste niemand, woher der Pullover kam. Mein Vater meinte, es könne ein altes Fußball oder Eishockeycollegetrikot von vor dem Ersten Weltkrieg sein. Aber wie es in unser Haus gelangt war, wusste er auch nicht. Vielleicht hatten es die Vorbesitzer dorthin gehängt und vergessen, als sie ausgezogen waren.

Doch ich wusste es besser. Es war ganz offensichtlich der Heilige Pullover von Zap, mir höchstpersönlich von King Volton vererbt, meinem verstorbenen leiblichen Vater, der mich im Erdjahr 1951 (Electrojahr 21000047002), kurz bevor unser spartanischer Planet mit der futuristischen Architektur spektakulär in eine Milliarde steinerner Trümmerstückchen explodierte, in einem silbernen Raumschiff zur Erde gebracht hatte. Damit ich die Electrokräfte und -glaubensgrundsätze bewahren konnte, hatte er mich in dieser harmlosen Familie in der Mitte der Vereinigten Staaten abgeladen und sie hypnotisiert, so dass sie nun glaubten, ich sei ein normaler Junge.

Und der Pullover war das entscheidende Kleidungsstück für meine Superkräfte. Er transformierte mich. Er verlieh mir kolossale Kraft, Muskelpakete, einen Röntgenblick, die Fähigkeit zu fliegen, mit dem Kopf nach unten an Zimmerdecken entlangzulaufen, mich im Nu unsichtbar zu machen, wie ein Cowboy Lasso zu werfen und Widersachern aus großer Entfernung die Waffe aus der Hand zu schießen, eine gute Stimme zum Singen am Lagerfeuer und ulkiges blauschwarzes Haar mit einer hochtoupierten Locke auf dem Haupt. Kurzum, der Pullover machte mich zu der Art Mensch, die Männer sein und mit denen Frauen zusammen sein wollen.

Zusätzlich zu dem Pullover bediente ich mich einer Auswahl an Ausrüstungsgegenständen aus meinem schon existierenden Fundus, die meine Kraft und glanzvolle Erscheinung weiter verstärkten: Zorro-Peitsche und -Degen, Sky-King-Halstuch und Halstuchring (mit verborgener Trillerpfeife), Pfeil und Bogen samt Köcher von Robin Hood, Roy Rogers' reich bestickte

Cowboyweste und juwelenbestückte Stiefel samt klimpernden Blechsporen, eine Batman-Taschenlampe mit Signalgeber (um Nachrichten an Wolken reflektieren zu lassen) und ein langes Jagdmesser aus Gummi. Am Gürtel trug ich eine klappernde Feldflasche aus Armeebeständen, aus der alles, was man hineintat, komisch nach Metall schmeckte; und mit dem Kompass und offiziellen Pfadfinder-Essbesteck, dem Vitt-L-Kit, hatte ich alle notwendigen Gerätschaften, die man brauchte, um in der Wildnis eine anständige Mahlzeit zuzubereiten und Wildkatzen, Grizzlybären oder pädophile Pfadfinderführer zu vertreiben.

Manchmal nahm ich auch einen Tornister mit, in dem sich ein kleiner Imbiss und zusätzliche Munition befanden, doch ich benutzte ihn nicht zu oft, weil er seltsamerweise immer nach Katzenurin roch und das freie Ausbreiten des roten Badetuchs behinderte, das ich mir zum Fliegen um den Hals band. Kurzzeitig zog ich mir auch Unterhosen über die Jeans wie Superman (eine Marotte beim Ankleiden, die man vergeblich zu ergründen suchte), doch das erzeugte im Kiddie Corral eine derartige Heiterkeit, dass ich es bald aufgab.

Auf den Kopf setzte ich mir je nach Jahreszeit einen grünen Filzcowboyhut oder eine Davy-Crockett-Waschbärenfellmütze beziehungsweise für die Tätigkeit in den Lüften einen von Johnny Unitas empfohlenen Footballhelm mit stabilem Plastikgesichtsschutz. Wenn ich alles trug, wog die Ausrüstung etwas über dreißig Kilo. Das heißt, ich trug sie eigentlich weniger, als dass ich sie mit mir herumschleppte. In voller Montur war ich Thunderbolt Kid (später Captain Thunderbolt); den Namen verlieh mir mein Vater in einem Moment der Bewunderung, als er kichernd ein Schwert, das sich verhakt hatte, losmachte, mich die fünf Holzstufen an unserer hinteren Veranda hochhob und mir damit vielleicht eine zehnminütige beschwerliche Kletterei ersparte.

Gott sei Dank musste ich nicht sehr mobil sein, denn meine Superkräfte dienten eigentlich nicht dazu, böse Menschen zu fangen oder Gutes für den gemeinen Mann zu tun, sondern ich benutzte meinen Röntgenblick in erster Linie, um unter die Kleider attraktiver Frauen zu schauen und Menschen, die meinem Glück im Wege standen, zu karbonisieren und eliminieren – Lehrer, Babysitter, alte Leute, die einen Kuss wollten. Alle damaligen Helden hatten ihre Spezialgebiete. Superman kämpfte für Wahrheit, Gerechtigkeit und den amerikanischen Way of Life. Roy Rogers jagte fast ausschließlich kommunistische Agenten, die sich verschworen, Gift ins Trinkwasser zu tun oder sonstwie den American Way of Life zu stören und zu attackieren. Zorro quälte aus unbekannten, doch offenbar guten Gründen einen tölpeligen Sergeant Garcia. Der Lone Ranger kämpfte für Recht und Gesetz in der Frühzeit des Wilden Westens. Ich brachte Schwachköpfe um. Tue ich immer noch.

Ich dachte immer viel über den Röntgenblick nach, weil ich nicht begriff, wie er funktionierte. Ich meine, wenn man damit durch die Kleidung von Leuten schauen konnte, sah man sicher auch durch ihre Haut und direkt in ihre Körper, Blutgefäße, pulsierenden Organe. Man sah, wie das Essen verdaut und durch die Darmschlingen geschoben wurde und vieles andere Ekelige, von dem man lieber nicht sprach. Selbst wenn man seine Röntgenstrahlen nur auf die rosige Epidermis richtete, würde jeder Körper, den man betrachtete, von unsichtbarer Unterwäsche zusammengedrückt und nicht in seinem reizvollen natürlichen Zustand sein. Die Brüste zum Beispiel würden sich seltsam eingeengt, hochgeschoben und in einen unsichtbaren BH eingekastelt präsentieren und nicht hübsch locker wippen. Zufriedenstellend war das nicht – oder jedenfalls beileibe nicht zufriedenstellend genug. Es war also notwendig, ThunderVision™ zu perfektionieren, eine Art Laserblick, der es mir ermöglichte, Unterwäsche verschwinden zu

lassen. Dass man ThunderVision – ein Grad schärfer eingestellt und auf einen einzigen Punkt konzentriert – auch als
machtvolle Waffe einsetzen konnte, um Leute, die einen ärgerten, zu vaporisieren, war ein erfreulicher, doch vollkommen
zufällig zustande gekommener weiterer Vorteil.

Im Gegensatz zu Superman erklärte mir niemand die
Grundlage meiner Kräfte. Ich musste mich selbst in die Super-
welt einfinden und mir eigene Vorbilder suchen. Was nicht
leicht war, denn die 1950er Jahre strotzten zwar vor Helden,
aber ganz koscher war das alles nicht. Fast alle Heldenfiguren
der Zeit waren komisch und einen Hauch verstörend. Die
meisten lebten mit einem Mann zusammen, nur Roy Rogers
nicht, der singende Cowboy. Der lebte mit einer Frau zusammen, Dale Evans, die sich aber kleidete wie ein Mann. Batman
und Robin sahen fraglos aus, als gingen sie zu einem schwulen
Karneval, und Superman war eigentlich um keinen Deut besser. Sehr verwirrend: Es gab sogar zwei Supermänner. Der Co-
mic-Superman hatte bläuliches Haar, lachte nie und war sogar
oft jähzornig. Der Fernsehsuperman war viel freundlicher und
ein bisschen wabbelig um die Brüste und wurde sogar mit den
Jahren schlappschwänziger und saumseliger.

Desgleichen wurde der Lone Ranger, von vornherein schon
nicht der Typ, mit dem man in einem Zweimannzelt liegen
wollte, noch komischer durch die Tatsache, dass er im Fernsehen von zwei verschiedenen Schauspielern dargestellt wurde –
von 1948 bis 1951 und 1954 bis 1957 von Clayton Moore und
in den Jahren dazwischen von John Hart. Da die einzelnen Folgen auf dem lokalen Fernsehsender aber willkürlich durchein-
ander wiederholt wurden, bekam man den Eindruck, dass der
Lone Ranger nicht nur eine kleine Maske trug, von der sich
keiner hinters Licht führen ließ, sondern auch noch von Zeit
zu Zeit den Körper wechselte. »Ein feuriges Pferd, schnell wie
das Licht, eine Staubwolke und ein kräftiges ›Hei-ho, Silver!‹«,

den Spruch führte er beständig im Munde, obwohl der, einerlei, wie man ihn betrachtete, keinerlei Sinn ergab.

Roy Rogers, mein erstes wahres Idol, war in vieler Hinsicht am allerverwirrendsten. Zum einen war er seltsam anachronistisch. Er wohnte in einer Stadt im Westen, in Mineral City, einer ganz normal im 19. Jahrhundert angesiedelten Stadt. Es gab dort Holzbürgersteige und Pfosten zum Tiereanbinden, in den Häusern benutzte man Petroleumlampen, alle ritten auf Pferden und hatten sechsschüssige Revolver dabei, der Sheriff war angezogen wie ein Cowboy und trug einen Stern. Doch wenn die Leute in Dale's Café Kaffee bestellten, wurde er ihnen in einer Glaskanne gebracht, die auf einer elektrischen Platte gestanden hatte. Hin und wieder tauchten sogar moderne Polizisten oder FBI-Leute in Autos oder auch Kleinflugzeugen auf, die flüchtige Kommunisten suchten, und wenn das passierte, weiß ich noch genau, dass ich dachte: »Hä, verdammte Kacke?«, oder was auch immer das Äquivalent im Sprachschatz eines Fünfjährigen war.

Außer bei Zorro – der wirklich wusste, wie er einen Degen zum Tanzen brachte – waren die Kämpfe immer kurz und unblutig; es musste nie jemand ins Krankenhaus gebracht werden, geschweige denn, dass er ins Koma fiel, umfänglich verwundet wurde oder das Zeitliche segnete. Meist sprang jemand von einem Felsbrocken auf jemanden, der auf einem Pferd vorbeiritt, und dann folgte ein ausgiebiger flotter Ringkampf. Zum Schluss standen die beiden Streithähne auf, und der Gute schlug den Bösen nieder. Roy und Dale trugen beide Knarren – alle trugen Knarren, auch Magnolia, ihre närrische schwarze Dienerin, und Pat Brady, der Koch –, brachten aber nie jemanden um. Sie schossen nur bösen Menschen die Pistolen aus der Hand und streckten sie dann mit einem Faustschlag nieder.

Denkwürdig an Roy Rogers war außerdem – und daran erinnere ich mich besonders deshalb, weil mein Vater immer eine Bemerkung dazu machte, wenn er zufällig durchs Zimmer ging –, dass im Abspann Roys Pferd Trigger vor seiner Gattin Dale Evans genannt wurde.

»Aber Trigger ist auch viel talentierter«, sagte mein Vater immer.

Woraufhin wir dann beide unisono riefen: »Und sieht besser aus!«

Meine Güte, was waren wir damals zufriedene Menschen.

IV
Zeit der Aufregung

Studie zeigt, dass Aperitif dem Herzen nicht schadet

Philadelphia, Penn. (AP) – Zwei Cocktails vor dem Essen und ruhig auch noch ein dritter fügen Ihrem Herzen keinerlei Schaden zu. Ja, sie tun ihm vielleicht sogar gut. Zu diesem Schluss kam eine Forschungsgruppe am Lankenau Hospital in einer Studie, die teilweise von der Heart Association of Southeastern Pennsylvania finanziert wurde.

Des Moines Register, 12. August 1958

113,597 DOCTORS FROM COAST TO COAST WERE ASKED!

Family doctors, surgeons, diagnosticians, nose and throat specialists ... doctors in every branch of medicine were asked: "What cigarette do you smoke, Doctor?"

Three nationally known independent research organizations did the asking.

The answers came in by the thousands. Actual statements from doctors themselves. Figures were checked and re-checked! The results? Camels ... convincingly!

R. J. Reynolds Tobacco Co., Winston-Salem, North Carolina

According to this recent Nationwide survey:

MORE DOCTORS SMOKE CAMELS THAN ANY OTHER CIGARETTE!

This is no casual claim. It's an actual fact. Based on the statements of doctors themselves to three nationally known independent research organizations.

THE QUESTION was very simple. One that you...any smoker... might ask a doctor: "What cigarette do you smoke, Doctor?"

After all, doctors are human too. Like you, they smoke for pleasure. Their taste, like yours, enjoys the pleasing flavor of costlier tobaccos. Their throats too appreciate a cool mildness.

And more doctors named Camels than any other cigarette!

If you are a Camel smoker, this preference for Camels among physicians and surgeons will not surprise you. But if you are not now smoking Camels, by all means try them. Compare them critically in your "T-Zone" (see right).

CAMEL—COSTLIER TOBACCOS

THE "T-ZONE" TEST WILL TELL YOU

The "T-Zone"—T for taste and T for throat—is your own proving ground for any cigarette. Only your taste and throat can decide which cigarette tastes best to you ... how it affects your throat. On the basis of the experience of many, many millions of smokers, we believe Camels will suit your "T-Zone" to a "T."

CAMEL
TURKISH & DOMESTIC
BLEND
CIGARETTES

CHOICE QUALITY

Ich weiß nicht, wie es den Leuten, die für die fünfziger Jahre des 20. Jahrhunderts verantwortlich waren, gelang, eine Welt zu kreieren, in der im Grunde alles gut für einen war. Ein Schluck vor dem Essen? Je mehr, desto besser! Rauchen? Aber gewiss doch! Zigaretten machten einen sogar gesünder, weil sie laut der Werbung überreizte Nerven beruhigten und müde Geister munter machten. »Genau, was der Arzt verschreibt!«, steht in Anzeigen für L&M-Zigaretten, die sogar im *Journal of the American Medical Association* erschienen, denn dort wurde Zigarettenwerbung bis in die sechziger Jahre hinein gern genommen. Röntgenstrahlen waren so gutartig, dass man in Schuhgeschäften Geräte aufstellte, mit denen man die Fußgrößen maß, indem man die alles durchdringenden Strahlen durch die Sohlen und oben durch den Kopf wieder hinausschickte. Kein Partikelchen Gewebe desjenigen, der auf dem Ding stand, wurde nicht in magischen Schimmer getaucht. Was Wunder, dass man voll neuer Energie und bereit für ein neues Paar Keds war, wenn man wieder normalen Boden betrat.

Glücklicherweise waren wir unzerstörbar. Wir brauchten keine Sicherheitsgurte, Airbags, Rauchmelder, Trinkwasser in Flaschen oder den Heimlich-Handgriff zum Entfernen von Fremdkörpern aus einem erstickenden Opfer. Wir brauchten keine Kindersicherheitsverschlüsse an unseren Medikamenten. Auch keine Helme zum Fahrradfahren und keine Knie- oder Ellenbogenschützer zum Skaten. Wir wussten, auch ohne dass man uns schriftlich darauf hinwies, dass ein Bleichmittel kein Erfrischungsgetränk ist und Benzin dazu neigt, sich zu entzünden, wenn man ein brennendes Streichholz daranhält. Wir mussten uns keine Sorgen um das machen, was wir aßen, denn fast alle Nahrungsmittel waren gut für uns: Zucker gab uns Energie, rotes Fleisch machte uns stark, Eiskrem gab uns gesunde Knochen, Kaffee hielt uns wach und produktiv am Schnurren.

Jede Woche brachte aufregende Neuigkeiten, dass alles noch besser, schneller, bequemer wurde. Nichts war zu grotesk, um es auszuprobieren. »Post wird mit Lenkflugkörpern zugestellt«, berichtete der *Des Moines Register* mit einer deutlichen Spur Aufregung und Stolz am Morgen des 8. Juni 1959. Die Post der Vereinigten Staaten hatte von einem U-Boot im Atlantischen Ozean eine Regulus I-Rakete mit 3000 Briefen 100 Meilen weit zu einem Luftwaffenstützpunkt in Forida geschossen. Bald, versicherte uns der Artikel, würden mit Post beladene Raketen über den Himmel der Nation flitzen. Praktisch stündlich, stellten wir uns vor, träfen Eilbriefe in Flugkörpern ein, die mit der Rumpfspitze vorneweg dumpf in unseren Gärten aufschlugen.

»Ich glaube, wir werden erleben, dass ein bedeutender Teil der Post mit Raketen zugestellt wird«, verhieß Postminister Arthur Summerfield bei den folgenden Feierlichkeiten. Dann hörte man nichts mehr von Raketenpost. Vielleicht war noch rechtzeitig jemandem gedämmert, dass durch die Gegend zischende Raketen hin und wieder die unselige Tendenz haben mochten, ihr Ziel zu verfehlen, und in Fabriken oder Krankenhäusern durchs Dach krachen oder im Flug explodieren oder vorbeikommende Flugzeuge außer Gefecht setzen konnten. Und dass für die Zustellung einer Nutzlast, die bei den herrschenden Posttarifen im Höchstfall 120 Dollar kostete, jeder Abschuss zehntausende Dollar verschlang.

Raketenpost hatte also keinen Augenblick lang eine realistische Chance, und jeder Cent von der einen Million Dollar, die man ausgegeben hatte, war zum Fenster hinausgeworfen. Egal. Wichtig war, dass wir wussten, wir konnten Post mit Raketen verschicken, wenn wir wollten. Schließlich war es ein Zeitalter, in dem geträumt werden durfte.

Wenn man heute zurückblickt, findet man fast nichts, das damals nicht wenigstens einen Tick aufregend war. Selbst beim Haareschneiden konnte man ungewöhnlich viel Spaß haben. 1955 gingen mein Vater und mein Bruder zum Figaro, und als sie zurückkamen, hatte jedes Haar auf ihrem Kopf Haltung angenommen und war so geschnitten, dass die Spitzen eine perfekte horizontale Fläche bildeten. Diese faszinierende Frisur wurde bekannt als »flat-top«, was im Militärjargon ein Flugzeugträger ist, und mein Vater und mein Bruder sahen den Rest des Jahrzehnts auch wirklich so aus, als seien sie im Notfall gerüstet, Landeflächen für sehr kleine Experimentierflugzeuge bereitzustellen oder vielleicht ja auch für Eilsendungen, die mit Miniaturraketen versandt wurden. Nie haben Menschen gleichzeitig so lächerlich und so glücklich ausgesehen.

Das Zeitalter entbehrte zudem nicht einer gewissen liebenswürdigen Unschuld. Laut einer Nachrichtenmeldung nahm eine Mrs. Julia Chase aus Hagerstown, Maryland, am 3. April 1956 an einer Führung durch das Weiße Haus teil, stahl sich von ihrer Gruppe weg und verschwand im Inneren des Gebäudes. Viereinhalb Stunden lang wanderte Mrs. Chase, die später als »zerzaust, zerstreut und nicht ganz klar im Kopf« beschrieben wurde, durchs Weiße Haus und legte Feuerchen – im ganzen fünf. So streng waren die Sicherheitsmaßnahmen damals: Eine Frau, die nicht ganz klar im Kopf war, konnte länger als einen halben Arbeitstag lang unbemerkt durch die Präsidentenresidenz streifen. Stellen Sie sich vor, was passieren würde, wenn das heute jemand versuchte: Sofort würden überall die Alarmanlagen angehen, Luftwaffendüsenjäger aufsteigen, die Mannschaften der Spezialeinsatzkommandos aus der

Deckenverkleidung plumpsen, Panzer über die Rasenflächen rollen und das Zielgebiet neunzig Minuten lang unter Dauerbeschuss nehmen. Hinterher würde man großzügig Tapferkeitsmedaillen verleihen, unter anderem posthum an die 76 Leute in Virginia und Maryland, die durch Beschuss von der eigenen Seite umgekommen wären. Als man Mrs. Chase 1956 fand, nahm man sie mit in die Personalküche, schenkte ihr eine Tasse Tee ein und übergab sie der Obhut ihrer Familie; danach ward nie wieder von ihr gehört.

Auch in der Küche passierte Aufregendes. »Vor ein paar Jahren brauchte eine Hausfrau fünfeinhalb Stunden, um die täglichen Mahlzeiten für eine vierköpfige Familie zuzubereiten«, berichtete die *Time* 1959 in einer Titelgeschichte, und meine Mutter hat garantiert mit Begeisterung zur Kenntnis genommen, dass »sie es heute in neunzig Minuten oder weniger erledigen und trotzdem Mahlzeiten zubereiten kann, die höchsten Ansprüchen genügen und gewiss auch einem wählerischen Ehegatten schmecken.« Dann zählten die anonymen Tippgeber die fantastischen neuen Fertigprodukte auf, die auf uns warteten. Tiefgefrorene Salate. Sprühmajonäse. Käse, den man mit einem Messer verstreichen konnte. Flüssigen Pulverkaffee in einer Sprühdose. Ein komplettes Pizzagericht in einer Tube.

Voll tief empfundener Anerkennung schilderte der Artikel weiter, dass Charles Greenough Mortimer, Vorstandsvorsitzender von General Foods und kulinarischer Visionär ersten Ranges, sich so über die Fadheit, Zerkochtheit und deprimierende Vorhersagbarkeit der landläufigen Gemüsesorten geärgert hatte, dass er seine besten Männer daransetzte, in den Labors von General Foods »neue« zu kreieren. Und nun hatten Mortimers Küchenmagiere gerade ein Produkt namens Rolletes ausgeheckt, für das sie mehrere Gemüse pürierten – zum Beispiel Erbsen, Karotten und Limabohnen –, den dabei ent-

94

stehenden Brei mischten und in Stäbchen einfroren, die die vielbeschäftigte Hausfrau auf ein Backblech legen und im Ofen erwärmen konnte.

Rolletes war das gleiche Schicksal beschieden wie der Raketenpost (und Charles Greenough Mortimer), doch eine große Zahl anderer Viktualien eroberte sich einen Platz in unseren Mägen und Herzen. Am Ende des Jahrzehnts konnten die amerikanischen Konsumenten unter fast 100 Eismarken, 500 Sorten Frühstücksflocken und beinahe ebenso vielen Kaffeemarken wählen. Gleichzeitig pumpten die nationalen Nahrungsmittelfabriken ihre Produkte voll mit den köstlichen Farben und Konservierungsmitteln, um deren Reiz zu erhöhen und zu erhalten. Ende der Fünfziger enthielten die Supermarktlebensmittel der Vereinigten Staaten bis zu 2000 chemische Zusatzstoffe, einschließlich (laut einer Studie) »neun Emulgatoren, 31 Stabilisatoren und Verdickungsmitteln, 85 oberflächenaktive Stoffe, sieben Antiverklumpungs-, 28 Antioxydations- und 44 Trennmittel«. Manchmal, glaube ich, enthielten sie auch Essen.

Selbst der Tod war einigermaßen aufregend, besonders, wenn er andere betraf und nicht einen selbst. 1951 bat die Zeitschrift *Popular Science* die zehn führenden Wissenschaftsjournalisten der Nation, die vielversprechendsten wissenschaftlichen Durchbrüche zu nennen, mit denen sie in den nächsten zwölf Monaten rechneten, und genau die Hälfte von ihnen nannte die Verfeinerung der atomaren Bewaffnung – mehrere durchaus mit großer Genugtuung. Arthur J. Snider von der *Chicago Daily News* zum Beispiel bemerkte aufgeregt, dass amerikanische Bodentruppen schon bald mit individuellen Atomsprengköpfen ausgerüstet werden könnten. »Mit einem kleinen atomar gerüsteten Artilleriekorps, das in ein dichtes Truppenaufgebot feuern kann, werden die Möglichkeiten der taktischen Kriegführung revolutioniert!«, begeisterte sich

Snider. »Gebiete, die in der Vergangenheit einer wochen- und monatelangen Belagerung standhielten, können dann in Tagen oder Stunden dem Erdboden gleichgemacht werden.« Hurra!

Die Menschen waren von der glühenden Erhabenheit und übermenschlichen Macht der Atombomben bezaubert und fasziniert – ja, in Bann geschlagen. Als das Militär begann, an einem ausgetrockneten See namens Frenchman Flat in der Wüste von Nevada Nuklearwaffen zu testen, wurde das die angesagteste Touristenattraktion der Stadt. Die Leute kamen nicht wegen des Glücksspiels nach Las Vegas – oder jedenfalls nicht ausschließlich deswegen –, sondern, um am Rand der Wüste zu stehen, zu spüren, wie der Boden unter ihren Füßen bebte, und zuzusehen, wie sich die Luft vor ihnen mit immer größer sich blähenden Staub- und Qualmsäulen füllte. Besucher konnten sich im Atomic View Motel einquartieren, einen Atomic Cocktail (»zu gleichen Teilen Wodka, Kognak und Sekt mit einem Spritzer Sherry«) in den örtlichen Cocktailbars bestellen, einen Atomic Hamburger essen, sich eine Atomfrisur legen lassen, der jährlichen Krönung der Miss Atombombe beiwohnen oder die nächtlichen rhythmischen Kreisbewegungen einer Stripteasetänzerin namens Candyce King verfolgen, die sich »Atomexplosion« nannte.

In den Hochzeiten der Tests wurden in Nevada bis zu vier Atomexplosionen im Monat durchgeführt. Die Atompilze waren von allen Parkplätzen in Las Vegas aus zu sehen[*], doch die meisten Besucher gingen, oft mit Picknickutensilien, an den Rand der Detonationszone selbst, beobachteten die Tests und

---

[*] Las Vegas war damals allerdings noch nicht die pulsierende Stadt, die wir heute kennen. Die ganzen Fünfziger hindurch blieb es ein kleiner Urlaubsort weit draußen in der sengenden Leere. Seine erste Verkehrsampel bekam es 1952 und seinen ersten Lift (im Riviera Hotel) 1955.

genossen danach den Fallout. Und es waren keine kleinen Explosionen. Manche wurden von Flugzeugpiloten gesehen, die Hunderte von Meilen entfernt draußen über dem Pazifischen Ozean waren. Oft trieb radioaktiver Staub über Las Vegas und hinterließ auf jeder horizontalen Fläche eine sichtbare Staubschicht. Nach einigen der ersten Tests gingen staatliche Techniker in weißen Laborkitteln durch die Stadt und hielten Geigerzähler an alles. Die Leute standen Schlange, um zu erfahren, wie radioaktiv sie waren. Das war alles im Vergnügen inbegriffen. Was für eine Freude, dass man unzerstörbar war.

So vergnüglich es war, Atomexplosionen zu beobachten und dann selbst schwach radioaktiv zu glühen – am meisten Freude machte in den Fünfzigern immer noch das Fernsehen. Es war besser als Flat-top-Frisuren, Raketenpost, Sprühmajonäse und die Atombombe zusammen. Heute kann man sich gar nicht mehr vorstellen, wie toll damals alle das Fernsehen fanden.

1950 hatten nicht viele Privathaushalte in den Vereinigten Staaten einen Flimmerkasten. 40 Prozent der Menschen hatten noch nicht einmal eine einzige Sendung gesehen. Dann wurde ich geboren, und das Land flippte aus (wenn auch die beiden Ereignisse nicht direkt miteinander verknüpft waren). Bis Ende 1952 hatte ein Drittel der Haushalte – 20 Millionen oder so was in dem Dreh – Fernsehgeräte gekauft. Die Zahl wäre sogar noch höher gewesen, wenn große ländliche Gebiete Empfang (ja, in vielen Fällen: Strom) gehabt hätten. Die Bewohner der Städte waren dagegen schnell versorgt. Im Mai 1953 verkündete United Press, dass Boston nun mehr Fernseher (780 000) als Badewannen (720 000) habe, und in einer Meinungsumfrage gaben die Leute zu, dass sie lieber hungern als auf ihr Fernsehen verzichten würden. Vermutlich hungerten tatsächlich viele. Anfang der Fünfziger war der durchschnittliche Nettolohn eines Fabrikarbeiters weit unter 100 Dollar die Woche, ein neuer Fernseher kostete bis zu 500.*

Fernsehen war so aufregend, dass die Bekleidungsfirma McGregor eine ganze Kollektion darauf abstimmte. »Mit der spektakulären Zunahme des Fernsehens bleiben viele Amerikaner zu Hause«, bemerkte die Firma in ihren Anzeigen. »Für diesen revolutionären Lebensstil bereitet McGregor eine Revolution in der Sportbekleidung vor. Ob Sie zuschauen – oder Ihnen zugeschaut wird – hier ist die Sportkleidung zum Hinschauen.«

Die Kollektion hieß »Videos«, und die Firma bewarb sie mit einer Illustration in dem detailreichen, fotografisch genauen Stil von Norman Rockwell. Vier sportlich aussehende junge Männer saßen gemütlich vor einem glimmenden Fernseher und trugen alle ein flottes neues Teil aus der Videos-Kollektion – eine Glen Plaid Visa-Versa-Wendejacke, eine Allwetter-Host Tri-Threat Jacke, eine Durosheen-Host Jacke mit passender Freizeithose und für die, die sich einen Hauch schwul fühlten, ein Arabian-Knights-Gabardinesporthemd mit Paisleymuster, hübsch kombiniert mit noch einer Allwetterjacke. Die jungen Männer auf dem Bild schauten extrem zufrieden drein, mit dem Fernsehen, mit ihrem Outfit, mit ihren guten Zähnen und klaren Teints, mit allem – und es war auch ganz egal, dass ihre Kleidung eindeutig zum Tragen im Freien gedacht war. Vielleicht rechnete McGregor damit, dass sie in den Blumenbeeten des Nachbarn standen und durchs Fenster fernsahen wie wir vor Mr. Kiesslers Haus. Trotzdem war der McGregor'schen Kollektion kein großer Erfolg beschieden.

---

* Noch 1959 betrug der Nettolohn eines Fabrikarbeiters mit einer vierköpfigen Familie nicht mehr als 81,03 Dollar die Woche, der eines alleinstehenden Fabrikarbeiters 73,49 Dollar. Die Preise für Fernseher waren allerdings erheblich gesunken.

Es stellte sich nämlich heraus, dass die Leute keine besonderen Klamotten zum Fernsehen wollten. Sie wollten besonderes Essen. Und 1954 brachten C.A. Swanson and Sons aus Omaha das perfekte Produkt auf den Markt: das TV Dinner (offiziell: TV Brand Dinner), womöglich das beste schlechte Essen, das je produziert wurde, und das meine ich als zutiefst aufrichtiges Kompliment. Mit einem TV Dinner bekam man ein ganzes Gericht auf einem unterteilten Aluminiumtablett. Zusätzlich brauchte man nur ein Messer, eine Gabel und einen Klacks Butter auf dem Kartoffelbrei, und schon hatte man eine vollständige Mahlzeit, deren Einzelteile einem gemeinhin (zumindest in unserem Haus) auch noch ein interessantes Spektrum an Temperaturerfahrungen verschafften, von lauwarm und labbrig (das Brathähnchen) über so glühend heiß, dass man überrascht aufsprang (die Suppe oder das Gemüse), bis zu teilweise noch gefroren (der Kartoffelbrei). Und alles schmeckte seltsam metallisch, aber irgendwie auch wieder sehr zufrieden stellend, vielleicht aus dem einfachen Grunde, weil es neu war und es dergleichen sonst nicht gab. Dann brachte ein anderer genialer Neuerer spezielle Klapptabletts auf den Markt, auf die man beim Fernsehen die TV Dinner stellen konnte, und damit hatte sich zum letzten Mal ein Kind – ja, überhaupt ein Menschenwesen – freiwillig zum Essen an einen Tisch gesetzt.

Natürlich war es nicht das Fernsehen, das wir heute kennen. Zum einen waren die Werbespots oft richtig in die Sendungen eingebaut, was ihnen einen liebenswerten, unschuldigen Zauber verlieh. In *Burns and Allan*, meiner Lieblingsserie, trat ungefähr nach der Hälfte der Sendezeit ein Ansager namens Harry Von Zell auf, schlenderte in Georges and Gracies Küche und machte am Küchentisch Werbung für Carnation-Büchsenmilch (»die Milch von zufriedenen Kühen«), während George und Gracie entgegenkommenderweise warteten, bis er fertig war, und dann mit der lustigen Geschichte der Woche fortfuhren.

Damit auch ja niemand vergaß, dass das Fernsehen ein kommerzielles Unternehmen war, verwob man den Namen des Sponsors oft großzügig in die Titel der Sendungen: die *Colgate Comedy Hour*, das *Lux-Schlitz-Playhouse*, die *Dinah Shore Chevy Show*, das *G.E. Theater*, die *Gillette Cavalcade of Sports* und das generös doppelt gemoppelte *Your Kaiser-Fraser Dealer Presents Kaiser-Fraser Adventures in Mystery*. Die Werbeleute hatten bei diesen Produktionen das Sagen und legten alles bis ins Detail fest. Drehbuchautoren, die von Camel-Zigaretten gesponsorte Sendungen schrieben, durften keine Schurken bringen, die Zigaretten rauchten, sie durften weder Feuer noch Brandstiftung noch irgendwas Schlimmes erwähnen, das mit Rauch und Flammen zu tun hatte – der Kontext spielte keine Rolle –, und es durfte auch unter keinen Umständen jemand husten. Als ein Teilnehmer der Spielshow *Do You Trust Your Wife?* erwiderte, das Sternzeichen seiner Frau sei Krebs (schreibt J. Ronald Oakley in dem exzellenten *God's Country: America in the Fifties)*, »befahl die Tabakfirma, die die Sendung sponsorte, dass die Sendung noch einmal aufgenommen und das Sternzeichen der Frau in Widder geändert werde.« Denkwürdiger noch schaffte es die American Gas Association als Sponsor einer Serie namens *Playhouse 90*, dass in einem Bericht über die Nürnberger Prozesse, *Judgment at Nuremberg*, alle Hinweise auf Gasöfen und das Vergasen der Juden aus dem Skript gestrichen wurden.

Nur eines war stärker als die Vernarrtheit der Amerikaner ins Fernsehen, und das war ihre Liebe zum Auto. Noch nie ist ein Land autoverrückter gewesen als die Vereinigten Staaten in den 1950er Jahren.

Als der Krieg zu Ende war, fuhren nur 30 Millionen Autos

auf US-amerikanischen Straßen, ungefähr so viel wie in den Zwanzigern, doch dann gab es buchstäblich kein Halten mehr. In den nächsten vierzig Jahren, schreibt ein Autor der *New York Times*, »legte das Land 42798 Meilen Interstate Highways an, kaufte 300 Millionen Autos und ging auf Spritztour«. Die Zahl neu gekaufter Autos stieg von gerade einmal 69000 im Jahr 1945 auf über fünf Millionen vier Jahre später. Mitte der Fünfziger erstanden die Amerikaner acht Millionen neue Autos im Jahr (und das bei etwa 40 Millionen Haushalten).

Sie wollten nicht nur, sie *mussten*. Unter Präsident Eisenhower gaben die Vereinigten Staaten drei Viertel der Bundesmittel für Transport und Verkehr für den Bau von Highways aus und weniger als ein Prozent für den öffentlichen Verkehr. Egal, wo man hinwollte, man musste es in zunehmendem Maße im eigenen Auto tun. Und Mitte der 1950er Jahre wurden die Vereinigten Staaten schon zu einer Zweitauto-Nation. »Eine Familie mit zwei Autos kann auch zweimal so viel Dinge erledigen. Sie kann also mehr Freizeit miteinander verbringen!«, jubelte eine Anzeige für Chevrolet 1956.

Und was für Autos das waren! Jemand beschrieb sie einmal als wunderschöne Spielzeuge. Viele konnten sich einer Ausstattung rühmen, mit der man offenbar gleich in die Lüfte steigen konnte. Pontiacs hatten Strato-Streak-V8-Motoren und Strato-Flight-Hydra-Matic-Getriebe. Chrysler bot Power-Flite-Schalthebel und Torsion-Aire-Federung an, während der Bel-Air von Chevrolet ein Extra namens Triple-Turbine-TurboGlide besaß (Motto: Halten Sie Ihren Hut fest!). 1958 produzierte Ford einen Lincoln, der fast sechs Meter lang war. 1961 konnte der US-amerikanische Autokäufer aus über 350 Modellen auswählen.

Die Leute waren so verliebt in ihre fahrbaren Untersätze, dass sie mehr oder weniger versuchten, darin zu leben. Sie aßen in Drive-in-Restaurants, verbrachten ihre Abende in

Autokinos und gaben ihre Kleider in Drive-in-Reinigungen ab. Mein Vater aber wollte mit alldem nichts zu tun haben. Er fand, so was gehöre sich nicht. Er aß nicht in einem Restaurant, das keine Nischen und Platzdeckchen an jedem Platz hatte. (Wenn ich es aber jetzt bedenke, aß er auch nicht in Restaurants mit etwas Besserem als Nischen und Platzdeckchen.) Ich machte meine ersten Drive-in-Erfahrungen, als ich mit Ricky Ramone ging, die keinen Vater, aber eine Mutter mit einem roten Pontiac-Star-Chief-Kabrio hatte, die für ihr Leben gern mit heruntergelassenem Verdeck und aufgedrehter Musik zu dem A&W-Drive-in-Restaurant weit draußen beim Messegelände am östlichen Rand der Stadt raste. Weshalb ich sie liebte. Und Ricky ist bestimmt in einem Auto gezeugt worden, wahrscheinlich zwischen ein paar Bissen in einem A&W.

Ende des Jahrzehnts gab es in den Vereinigten Staaten fast 74 Millionen Autos auf den Straßen; das waren fast doppelt so viele wie zehn Jahre zuvor. In Los Angeles gab es mehr Autos als in Asien und General Motors war eine größere Wirtschaftseinheit als Belgien und außerdem weit aufregender.

Fernsehen und Autos passten perfekt zusammen. Das Fernsehen zeigte eine Welt verlockender Dinge – Atombombenabwürfe in Las Vegas, flotte Bienen auf Wasserskiern in Florida, Thanksgiving-Day-Paraden in New York City – und mit dem Auto konnte man dorthin fahren.

Das verstand niemand besser als Walt Disney. Als er 1955 auf 60 Morgen Land unweit der völlig unbekannten Stadt Anaheim, 23 Meilen südlich von Los Angeles Disneyland eröffnete, dachten die Leute, er sei nicht recht bei Trost. In den fünfziger Jahren starben Rummelplätze aus. Sie waren ein Zufluchtsort für Arme, Einwanderer, Matrosen auf Landgang und andere Leute mit niedrigem Niveau und leeren Taschen. Doch Disneyland war natürlich von Anfang an anders. Zunächst einmal konnte man es nicht mit öffentlichen Verkehrsmitteln erreichen; Menschen mit bescheidenen Mitteln kamen deshalb gar nicht erst hin. Und wenn sie es doch irgendwie bis vor die Einlasstore schafften, konnten sie sich den Eintritt nicht leisten.*

Disneys Meisterleistung freilich war es, sich das Fernsehen zunutze zu machen, und zwar nach allen Regeln der Kunst. Schon ein Jahr, bevor Disneyland eröffnet wurde, startete er eine Fernsehserie, die im Prinzip eine wöchentliche einstündige Werbesendung für die Disney-Unternehmensgruppe war. Die Serie hieß in den ersten vier Jahren sogar *Disneyland* und viele Episoden, einschließlich der allerersten, waren ausschließlich dazu da, die Zuschauer für dieses Paradies der Träume und Abenteuer zu begeistern, das sich rasch aus den Orangenhainen Kaliforniens erhob – und zwar just an der Stelle mit den höchsten Smogwerten.

Als der Park endlich öffnete, konnten es die Leute gar nicht abwarten hinzukommen. Schon nach zwei Jahren zog er viereinhalb Millionen Menschen pro Jahr an. Laut *Time* gab der durchschnittliche Besucher bei seinem Ausflug in Disneyland 4,90 Dollar aus, 2,72 Dollar für Karussellfahrten und Eintritt, 2 Dollar für Essen und 18 Cents für Souvenirs. Das erscheint mir heute durchaus erschwinglich – schwer zu glauben, dass es damals nicht erschwinglich war –, doch augenscheinlich waren die Preise horrend. Und so klagten denn auch in den ersten beiden Jahren die Leute am meisten über die Kosten, berichtete die *Time*.

---

* Es sagt alles, finde ich, dass der Parkplatz bei Disneyland 100 Morgen groß und damit um 40 Morgen größer als der Vergnügungspark selbst war. 12175 Autos fanden darauf Platz – zufällig fast genauso viel Orangenbäume hatte man während des Baus ausbuddeln müssen.

Von unserer Gegend aus fuhr man nur nach Disneyland, wenn der Vater Gehirnchirurg oder Kieferorthopäde war. Für alle anderen war es zu weit und zu teuer. Für uns kam es absolut nicht in Frage. Mein Vater liebte zwar nichts mehr, als uns alle ins Auto zu stopfen und weit wegzufahren, doch nur, wenn die Trips billig und lehrreich waren und es um irgendeinen vergessenen Aspekt der glorreichen Vergangenheit der Vereinigten Staaten ging, gemeinhin also um Gemetzel, bitterste Not und Entbehrung oder die Zustellung der Post im Galopp. Für 15 Cents die Fahrt in Teetassen zu kreisen war das krasse Gegenteil.

Der Tiefpunkt des Jahres kam bei uns zu Hause immer mitten im Winter, wenn mein Vater sich in sein Zimmer zurückzog und das Ziel für unseren nächsten Sommerurlaub ausbaldowerte. Dabei verschwand er hinter einem enormen Haufen von Straßenkarten, Reiseführern, modrigen Schwarten zur amerikanischen Geschichte sowie Broschüren von Gemeinden, die völlig überrascht über sein Interesse und zugleich dankbar dafür waren.

»Also, meine Lieben«, verkündete er, wenn er nach zwei, drei Abenden eingehenden Studiums wieder auftauchte, »dieses Jahr sollten wir meiner Meinung nach die Schlachtfelder des wenig bekannten Krieges der philippinischen Hausboys besuchen.« Dann starrte er uns mit einem Blick an, als wolle er uns auffordern, unverzüglich laut und entzückt zuzustimmen.

»Ach, davon habe ich ja noch nie gehört«, sagte meine Mutter bedachtsam.

»Gut, es war auch eher ein Gemetzel als ein Krieg«, gab er zu. »Und in drei Stunden vorbei. Aber es liegt ganz in der Nähe des Nationalmuseums für landwirtschaftliche Geräte in Haystacks. Offenbar haben sie dort mehr als 700 Hacken.«

Während er uns das erzählte, breitete er eine Karte der westlichen Vereinigten Staaten aus und zeigte auf eine ausgedörrte Ecke von Kansas, Nord- oder Süddakota, die kein Fremder je freiwillig betreten hatte. Wir fuhren fast immer gen Westen, doch nie bis Disneyland oder Kalifornien, ja nicht einmal bis zu den Rockies. Es gab zu viele Grassodenhäuser in Nebraska, die wir vorher besichtigen mussten.

»Es gibt auch ein Dampfmaschinenenmuseum in West Windsock«, fuhr er frohgemut fort und hielt eine Broschüre hoch, die ihm aber niemand abnahm. »Sie haben eine Zweitageskarte eigens für Familien, die mir sehr günstig erscheint. Hast du schon mal ein Dampfklavier gesehen, Billy? Nein? Das überrascht mich nicht. Es gibt nämlich nicht viele Leute, die schon mal eines gesehen haben.«

Das Schlimmste an der Fahrt gen Westen war, dass es bedeutete, auf dem Rückweg in Omaha Halt zu machen, um die schrägen Verwandten meiner Mutter zu besuchen. Omaha war für alle Beteiligten eine Zerreißprobe, gerade auch für die, die wir besuchten. Deshalb verstand ich nie, warum wir dort hinfuhren, doch wir legten immer einen Halt in Omaha ein. Vielleicht, weil meinen Vater die Vorstellung reizte, einen Gratiskaffee zu bekommen.

Meine Mutter ist in bemerkenswerter Armut aufgewachsen, in einem winzigen Haus, eigentlich einer Hütte, am Rand der riesigen, berühmten Schlachthöfe von Omaha. Hinter dem Haus war ein kleiner Hof, der an einer jähen Klippe endete, unter der sich, so weit das Auge reichte (scheint es mir jedenfalls in der Erinnerung), im Dunst die endlosen Schlachthöfe hinzogen. Aus Tausenden von Meilen Entfernung wurde jede Kuh dorthin gebracht, die noch einmal hysterisch muhte und ein paarmal recht flüssig schiss, bevor sie weggeführt wurde, um zu Hamburger-Hack zu werden. Einen Geruch, wie er besonders an heißen Tagen von den Schlachthöfen aufstieg, haben Sie noch nie gerochen und ein solch unglückliches Klagegeschrei auch noch nie vernommen. Es hörte nie auf und war ohrenbetäubend – der Lärm prallte beinahe von den Wolken ab –, und noch einen Monat später schaute man alle Fleischprodukte zweimal an.

Der Vater meiner Mutter, ein gutherziger irischer Katholik namens Michael McGuire, hatte fast sein gesamtes Erwachsenenleben für kargen Lohn als ungelernter Arbeiter auf den Schlachthöfen geschuftet. Seine Frau, die Mutter meiner Mutter, war gestorben, als meine Mutter sehr klein gewesen war, und er hatte fünf Kinder mehr oder weniger im Alleingang großgezogen. Meine Mutter und ihre jüngere Schwester Frances machten den Großteil der Hausarbeit. Im letzten Jahr an der Highschool gewann meine Mutter einen städtischen Redewettbewerb, und der Preis war ein Stipendium an der Drake University in Des Moines. Dort studierte sie Journalismus, arbeitete im Sommer beim *Register* (wo sie meinen Vater kennen lernte, einen jungen Sportreporter mit breitem Grinsen und einer Schwäche für auffällige Schlipse, wenn man alten Fotos trauen darf) und kehrte eigentlich nie wieder nach Hause zurück, weswegen sie sich, glaube ich, immer ein wenig schuldig fühlte. Auch Frances ging schließlich und wurde Nonne, eine vom schüchternen, flattrigen Typ. Der Vater starb ziemlich jung, lange vor meiner Geburt, und hinterließ das Haus den drei seltsam undynamischen Brüdern meiner Mutter, Joey, Johnny und Leo.

Schon in frühester Kindheit war ich immer erstaunt, dass meine Mutter und ihre Geschwister aus demselben Genpool stammten. Und ich glaube, sie selbst hat eigentlich auch immer ein bisschen gestaunt. Mein Vater nannte die Brüder die Three Stooges nach der beliebten Komikertruppe, obwohl das vielleicht auf eine Lebendigkeit und eine Lebensfreude deutete (ganz zu schweigen von dem Unterhaltungstalent, sich mit zwei ausgestreckten Fingern in die Augen zu stechen), die sie

106

keineswegs besaßen. Sie waren die drei uninteressantesten menschlichen Wesen, die ich je kennen gelernt habe. Sie verbrachten ihr ganzes Leben in diesem winzigen Haus, obwohl sie praktisch in einem Bett geschlafen haben müssen. Ich wüsste nicht, dass einer von ihnen je gearbeitet oder sich überhaupt aus dem Haus bewegt hätte. Leo, der Jüngste, besaß eine elektrische Gitarre und einen kleinen Verstärker. Wenn man ihn bat, etwas zu spielen – und nichts liebte er mehr –, verschwand er 20 Minuten lang im Schlafzimmer und tauchte zur Verblüffung aller in einem grünen, paillettenbesetzten Cowboyanzug wieder auf. Da er nur zwei Lieder konnte, beide mit denselben Akkorden in derselben Reihenfolge, dauerten seine Konzerte nie lange. Johnny saß sein Leben lang an einem leeren Tisch und trank still vor sich hin – er hatte eine unglaublich rote Nase, wirklich unglaublich –, und Joey hatte überhaupt keine positiven Eigenschaften. Als er starb, hat sich, glaube ich, niemand groß drum geschert. Wahrscheinlich haben sie seine Leiche einfach nur über die Klippe gerollt. Aber auch egal. Wenn man die McGuires besuchte, gab es nichts zu tun. Soweit ich mich erinnere, hatten sie nicht mal einen Fernseher. Jedenfalls gab es keinerlei Spielzeug oder auch nur einen Fußball, mit dem man ein wenig hätte herumkicken können. Es gab nicht einmal genug Stühle, dass alle gleichzeitig sitzen konnten.

Als Jahre später Johnny starb, entdeckte meine Mutter, dass er in wilder Ehe mit einer Frau gelebt hatte, wovon er meiner Mutter aber nie erzählt hatte. Wahrscheinlich war die Frau im Schrank oder unter den Dielen oder wer weiß wo versteckt, wenn wir zu Besuch kamen. So gesehen ist es auch gar nicht verwunderlich, dass die Brüder stets darauf erpicht zu sein schienen, dass wir schleunigst wieder fuhren.

1960, kurz vor meinem neunten Geburtstag, passierte etwas wirklich Unerwartetes. Mein Vater verkündete, dass wir in den

Weihnachtsferien in *Winter*urlaub fahren würden, doch wohin, sagte er nicht.

Es war ein komischer, aber guter Herbst gewesen, besonders für meinen Vater. Sie müssen nämlich wissen, dass mein Vater der beste Baseballjournalist seiner Generation war – wirklich! –, und im Herbst 1960, da bewies er es. In einer Zeit, in der die Sportschreiberei großteils bleiern war oder sich las wie verfasst von enthusiastischen, aber minimal begabten Vierzehnjährigen, schrieb er einen Stil, der nachdenklich, sprachgewandt und vergleichsweise niveauvoll war. »Ordentlich, aber nicht knallig«, sagte er immer, wenn er mit einer schwungvollen Geste der Zufriedenheit das letzte Blatt aus der Schreibmaschine zog. Und wenn es darum ging, Termine einzuhalten, war er unschlagbar. Am 13. Oktober 1960, bei der World Series in Pittsburgh, zerstreute er eventuell noch vorhandene Zweifel an seiner Qualität ein für alle Mal.

Die World Series endete mit einem der dramatischen Momente, auf die sich der Baseball damals zu spezialisieren schien: Bill Mazeroski von den Pittsburgh Pirates erzielte beim neunten Inning einen Homerun, der den Yankees den Sieg nahm und wundersamerweise und völlig unerwartet die bescheidenen Pirates damit beglückte. Praktisch alle Zeitungen des Landes berichteten darüber im gleich faden, umständlichen, verblüffend uninspirierten Ton. Hier zum Beispiel ist der erste Absatz der Geschichte, die am nächsten Morgen auf Seite eins der *New York Times* stand:

»Heute holten die Pirates nach 35 Jahren zum ersten Mal wieder die World-Series-Baseballmeisterschaft nach Pittsburgh. Bill Mazeroski schlug im neunten Inning einen Homerun hoch über die linke Feldbegrenzung des historischen Forbes Field.«

Und das hier lasen die Leute in Iowa:

»Der heiligste Gegenstand in der Pittsburgher Baseballge-
schichte verließ Forbes Field am späten Donnerstagnach-
mittag unter einer schmutzigen grauen Trainingsjacke und
Polizeischutz. Es war natürlich das Homeplate, an dem Bill
Mazeroski seinen begeisternden Homerun beendete. Schieds-
richter Bill Jackowski musste allerdings seinen Rücken breit
machen und die Arme ausstrecken, um die Menge so lange
aufzuhalten, bis Bill und die Pirates den Sieg auch formal
errungen hatten.

Pittsburghs Stahlwerke hätten nicht lauter sein können als
die Zuschauermenge auf dem traditionsreichen Feld, als
Mazeroski den zweiten Schlag im neunten Inning des Yankees Ralph Terry parierte. Während der Ball über die efeube-
wachsene Backsteinmauer segelte, stürmte die Menge schon
von den Tribünen und drohte, plötzlich völlig außer Rand
und Band, Maz daran zu hindern, das Homeplate zu berühren nach dem Lauf, der das 10:9 brachte und mit dem er
den stolzen Yankees den Titel entriss.«

Vergessen Sie nicht, dass mein Vater die Geschichte nicht in
aller Muße schrieb, sondern im Lärm und Trubel einer über-
füllten Pressekabine, direkt im Jubelgeschrei nach Spielende.
Er konnte sich auch keinen einzigen Gedanken oder eine
hübsche Wendung (wie »den Rücken breit machen und die
Arme ausstrecken«) vorher ausdenken und dann lässig im Text
unterbringen. Da Mazeroskis Homerun die Erwartungen der
ganzen Nation auf einen sicheren Sieg der »stolzen Yankees«
grob enttäuschte, mussten alle anwesenden Sportjournalisten
alles wegwerfen, was sie bis zu dem Schlagmann davor noch
hatten sagen wollen, und von vorn anfangen. Sie können suchen, wie Sie wollen, einen schöneren Bericht von der World

Series finden Sie in keinem Archiv, es sei denn, er ist auch von meinem Vater.*

Das wusste ich zu der Zeit natürlich nicht. Ich wusste nur, dass mein Vater von der World Series in ungewöhnlich guter Laune zurückkam und seine überraschenden Pläne enthüllte, über Weihnachten mit uns eine Reise zu einem geheimnisvollen Ort zu machen.

»Wartet's nur ab. Es wird euch gefallen. Ihr werdet schon sehen«, war alles, was er sagte; einerlei, wer fragte. Schon der bloße Gedanke war unbeschreiblich aufregend und zugleich enervierend – wir gehörten schließlich nicht zu den Leuten, die etwas derartig Übereiltes, Plötzliches, für die Jahreszeit *Ungewöhnliches* taten. Als am Nachmittag des 16. Dezember also Greenwood, meine Grundschule, ihre glücklichen Horden in die verschneiten Straßen entließ, in drei herrliche Wochen weihnachtlicher Erholung (und damals waren die Schulferien, lassen Sie mich das sagen, anständig und üppig bemessen), wartete der Ford Rambler der Familie draußen, dampfte reichlich, ja sogar ungeduldig und war bereit, eine Spur durch die verschneite Prärie zu ziehen. Wie üblich fuhren wir gen Westen, überquerten den mächtigen Missouri bei Council Bluffs und ließen Omaha hinter uns. Dann ging es einfach immer nur weiter. Wir fuhren scheinbar (nein, tatsächlich!) tagelang über die stoppeligen, schneeverwehten, unendlichen Great Plains, an einer verführerischen Attraktion nach der anderen vorbei – Pony-Express-Stationen, Büffelsalzlecken, einem hübschen

---

* Möglicherweise übertreibe ich die Dinge – schließlich geht es um meinen Vater –, doch wenn ja, stehe ich wenigstens mit meiner Meinung nicht allein. Im Jahre 2000 schrieb Michael Gartner, ein früherer Direktor der NBC News und in Des Moines aufgewachsen, in der *Columbia Journalism Review*, dass mein Vater, der ursprüngliche Bill Bryson, »vielleicht der beste Baseballjournalist war, den es je gab«.

großen Felsen –, ohne dass mein Vater sie auch nur eines Blickes gewürdigt hätte. Meine Mutter sah allmählich ein wenig besorgt drein.

Als wir am dritten Morgen die Rockies erblickten – und ich zum ersten Mal in meinem Leben am Horizont etwas anderes als Horizont sah, fuhren wir trotzdem immer weiter, in die zerklüfteten Berge hinauf und hindurch und auf der anderen Seite wieder hinunter. In Kalifornien tauchten wir dann wieder auf, in Wärme und Sonnenschein, und erlebten eine Woche lang seine Wunder – seine mächtigen Mammutbaumwälder, das saftig grüne Imperial Valley, Big Sur, Los Angeles – sowie das köstlich komische Gefühl warmen Sonnenlichts auf Gesicht und nackten Armen im Dezember: einen Winter ohne Winter.

Selten hatte ich meinen Vater – was sage ich? Nie! – so spendabel und unbekümmert gesehen. An einer Lunchtheke in San Luis Obispo sagte er mir, drängte mich geradezu, ich solle mir einen großen Schokokaramellbecher bestellen, und als ich sagte: »Ganz bestimmt, Dad?«, erwiderte er: »Na, los doch, du lebst nur einmal« – eine Bemerkung, die ihm nie zuvor über die Lippen gekommen war, auf jeden Fall nicht in einer Umgebung, in der man Geld ausgab.

Am ersten Weihnachtsfeiertag machten wir einen Spaziergang am Strand von Santa Monica, und am nächsten Tag stiegen wir ins Auto und fuhren auf einem kurvenreichen Freeway durch das dunstige, warme, endlose anonyme Los Angeles. Schließlich parkten wir auf einem riesigen Parkplatz, der beinahe komisch leer war – außer unserem stand dort nur ein halbes Dutzend Autos (keines aus Kalifornien) –, und schlenderten dann ein paar Schritte zu einem noblen Eingangstor, wo wir, die Hände in den Taschen, stehen blieben und das herrliche schmiedeeiserne Kunstwerk betrachteten.

»Na, Billy, weißt du, was das ist?«, fragte mein Vater völlig überflüssigerweise. Welches Kind auf der ganzen weiten Welt hätte dieses legendäre Tor nicht erkannt?

»Disneyland«, sagte ich.

»Allerdings«, sagte er und betrachtete das Tor anerkennend, als habe er es höchstpersönlich in Auftrag gegeben.

Eine Minute lang fragte ich mich, ob wir nur gekommen waren, um das Tor zu bewundern, und im nächsten Moment wieder ins Auto steigen und woanders hinfahren würden. Doch nein, mein Vater hieß uns an Ort und Stelle warten und schritt zielstrebig auf ein Eintrittskartenhäuschen zu, wo er eine kurze, doch bemerkenswert fröhliche Transaktion vollzog. Zum ersten Mal in meinem Leben sah ich, dass gleichzeitig zwei Zwanzigdollarscheine die Brieftasche meines Vaters verließen. Während er an dem Schalter wartete, schenkte er uns ein breites Lächeln und winkte uns zu.

»Habe ich Leukämie oder so was?«, fragte ich meine Mutter.

»Nein, Süßer«, erwiderte sie.

»Hat Dad Leukämie?«

»Nein, Süßer, allen geht's gut. Dein Vater ist nur gerade in Weihnachtsstimmung.«

Zu keinem Zeitpunkt in meinem Leben vorher oder nachher war ich erstaunter, dankbarer oder glücklicher als an diesem ganzen Tag. Wir hatten Disneyland praktisch für uns allein. Wir machten alles – kreisten in menschengroßen Teetassen, kletterten an Bord fliegender Dumbos, bewunderten im Tomorrowland die aufregenden Annehmlichkeiten des Monsanto-Hauses, das ganz aus Plastik war, machten eine Fahrt im Unterseeboot und eine Flussschiff-Safari, bestiegen eine Rakete zum Mond. (Die Sitze wackelten sogar. »Huch!«, kreischten wir in lustvoller Angst.) Damals war Disneyland ein bei weitem weniger glattes, manikürtes Wunder als heute, doch immer noch das Schönste, was ich je gesehen hatte – vermutlich das

Schönste, was zu der Zeit in den Vereinigten Staaten existierte. Mein Vater war absolut entzückt, wie ordentlich und zweckmäßig alles war und wie es den Zauber eines fantasievollen Filmsets besaß, und stellte ein ums andere Mal die rhetorische Frage, warum nicht die ganze Welt so sein könne. »Aber natürlich billiger«, fügte er hinzu, gutgelaunt wieder der Alte und steuerte uns geschickt an einem Souvenirstand vorbei.

Am nächsten Morgen stiegen wir ins Auto und brachen zu der Tausendmeilenrückfahrt über Wüste, Gebirge und Prärie nach Des Moines auf. Es war eine lange Fahrt, doch alle waren glücklich und zufrieden. Wir hielten nicht in Omaha – fuhren dort nicht einmal langsamer –, sondern gleich nach Hause. Und wenn es eine bessere Art gibt, einen Urlaub zu beschließen, als nicht in Omaha zu halten, dann weiß ich es auch nicht.

V

Das Streben nach Vergnügen

Mrs. Dorothy Van Dorn reichte in Detroit die Schei-
dung ein, weil ihr Mann 1) ihr gesamtes Essen in die
Tiefkühltruhe legte, 2) die Tiefkühltruhe abschloss,
3) sie für das Essen, das sie aß, bezahlen ließ und ihr
dabei 4) die in Michigan übliche Umsatzsteuer von
drei Prozent abknöpfte.

Time, 10. Dezember 1951

Spaßhaben war in den 1950er Jahren etwas ganz anderes als heute, hauptsächlich, weil man nicht so oft Gelegenheit dazu bekam. Was, möchte ich behaupten, nicht per se schlecht ist. Toll vielleicht auch nicht, aber auch nicht schlecht. Man lernte, auf sein Vergnügen zu warten, und wusste es zu schätzen, wenn man es bekam.

Meine vergnüglichste Erfahrung dieser Jahre fiel auf einen heißen Tag im August 1959, kurz nachdem mir meine Mutter mitgeteilt hatte, dass sie eine Einladung für mich angenommen habe, mit Milton Milton und seiner Familie einen Tagesausflug zum Ahquabisee zu machen. Über diese voreilige Zusage freute ich mich nun keineswegs, glauben Sie mir, denn Milton Milton war die nervigste, widerwärtigste, dämlichste Flasche, die die Welt je hervorgebracht hatte, und seine Eltern und seine Schwester waren sogar noch schlimmer. Sie waren laut, stritten sich die ganze Zeit wie die Besenbinder, erzählten blöde Witze und aßen mit so weit offenen Mündern, dasss man bis zu ihren Zäpfchen und noch ein ganzes Stück weiter sehen konnte. Mr. Milton hatte einen Sektkorken großen Adamsapfel und sah der Disneyfigur Goofy gespenstisch ähnlich. Seine Frau war genauso wie er, nur haariger.

Ihre Vorstellung von Luxus war es, einen Teller mit Fig Newtons herumzureichen, den einzig wahrhaft grauslichen Keksen, die je gebacken wurden. Und wenn Sie dabei hässlich lachten, rissen sie den Mund weit auf und nutzten die Gelegenheit, einem zu zeigen, wie ein gut durchgekauter Fig Newton in seinen letzten Momenten vor dem ewigen Dunkel aussah (schwarz, pampig, grässlich). Eine Stunde mit den Miltons zu verbringen war wie ein Besuch im zweiten Kreis der Hölle. Natürlich setzte ich sie wiederholt mit ThunderVision in Brand, doch sie waren eigenartig unausrottbar.

Ich hatte ihre Gastfreundschaft bis dato erst einmal genossen, und zwar bei einer Pyjamaparty, bei der ich der einzige Gast war, das heißt, wahrscheinlich der einzige der Eingeladenen, der auch kam. Und da zwang mich – ich wiederhole: zwang mich – Mrs. Milton, Rindfleischbröckchen auf Toast zu essen, ein Gericht, das sich eng an die Vorlage Erbrochenes hielt, und schickte uns um halb neun ins Bett, nachdem Milton, der ungefähr 16 Stunden so getan hatte, als sei er ein Löffelbagger, bei der Hälfte von *I've Got a Secret* eingeschlafen war.

Als mir meine Mutter also mitteilte, dass sie mich in einem Anfall liebenswürdigen Wahnsinns erneut zu mehreren Stunden in der Gesellschaft der Miltons verdammt hatte, war mein Entsetzen praktisch grenzenlos.

»Sag mir, dass das nicht wahr ist«, stöhnte ich und begann in kleinen, verstörten Kreisen auf dem Teppich herumzutigern. »Sag mir, dass das alles nur ein böser Traum ist.«

»Ich dachte, du magst Milton«, sagte meine Mutter. »Du bist doch auch bei seiner Pyjamaparty gewesen.«

»Mom, das war die schlimmste Nacht meines Lebens. Weißt du das denn nicht mehr? Mrs. Milton hat mich gezwungen, überbackenes Erbrochenes zu essen. Und dann hat sie mich gezwungen, Miltons Zahnbürste zu benutzen, weil du vergessen hattest, meine einzupacken.«

»Wirklich?«, sagte meine Mutter.

Ich nickte mit gequältem Stoizismus. Sie hatte mir aus Versehen den Kulturbeutel meiner Schwester mitgegeben. Darin waren zwei in Papier eingewickelte Tampons und eine Duschkappe, aber weder meine Zahnbürste noch die geheime Mitternachtsleckerei, die sie mir hoch und heilig verprochen hatte.

118

Den Rest des Abends trommelte ich mit den Tampons auf dem Kopf des im Koma liegenden Milton herum.

»Ich habe mich in meinem ganzen Leben noch nie so gelangweilt. Das habe ich dir doch alles erzählt.«

»Wirklich? Ich kann mich gar nicht erinnern.«

»Mom, ich musste Milton Miltons Zahnbürste benutzen, nachdem er Fig Newtons gegessen hatte.«

Jetzt zuckte sie wenigstens mitfühlend zusammen.

»Bitte, zwing mich nicht, mit ihnen zum Ahquabisee zu fahren.«

Sie überlegte kurz. »Na, gut«, sagte sie. »Aber dann musst du leider mit uns kommen Schwester Gonzaga besuchen.«

Schwester Gonzaga war eine Großtante mit eindrucksvollem Gebaren und noch eine der vielen Nonnen im mütterlichen Zweig meiner Familie. Sie war 1,80 Meter groß und wahrhaft Furcht erregend. Seit langem hegte man in der Familie den Verdacht, dass sie eigentlich ein Mann sei. Man hatte immer den Eindruck, dass unter all dem steifen Leinen reichlich Brustbehaarung war. Im Sommer 1959 lag Schwester Gonzaga in einem Des Moineser Krankenhaus im Sterben, beeilte sich aber, wenn Sie mich fragen, beileibe nicht damit. Ein Nachmittag in Schwester Gonzagas Zimmer im Heim für sterbende Nonnen (ob das der Name war, weiß ich natürlich nicht mehr genau) war wahrscheinlich das Einzige, das schlimmer war als ein Tagesausflug mit den Miltons.

Eingequetscht in die uralte Sardinenbüchse der Miltons, ein Auto der Marke Nash mit dem Komfort, der Eleganz und Geschmeidigkeit einer Gefriertruhe, fuhr ich also in einer Stimmung düsterer Ergebenheit mit zum Ahquabisee, erwartete das Schlimmste und wurde nicht enttäuscht. Eine Stunde verirrten wir uns zunächst einmal unter heftigen Wortwechseln in unmittelbarer Nähe des Capitol von Iowa – einer normalen Familie wäre das in Des Moines nie gelungen –, und als wir den See dann endlich erreichten, verbrachten wir weitere eineinhalb Stunden damit, unter viel zusätzlichem Disputieren das Auto auszuladen und auf dem schattigen Rasen neben dem schmalen künstlichen Strand ein Basislager zu errichten. Mrs. Milton verteilte Sandwiches, die mit einer rosafarbenen Paste bestrichen waren, die aussah wie das Zeug, mit dem meine Großmutter ihr Gebiss am Gaumen befestigte, und es vielleicht sogar auch war. Ich ging mit meinem Sandwich jedenfalls ein wenig spazieren und überließ es einem Hund, der aber nichts davon wissen wollte. Selbst eine Ameisenkolonne, sah ich später, hielt einen Meter Abstand.

Nach dem Essen mussten wir 45 Minuten lang stillsitzen, bevor wir schwimmen durften, denn wir hätten ja Krämpfe kriegen und in dem 15 Zentimeter tiefen Wasser eines grauslichen Todes sterben können. Weiter wagten sich junge männliche Wesen ohnehin nicht hinein, denn die Gerüchte wollten nie verstummen, dass in den kaffeefarbenen Tiefen des Ahquabisees bösartige Schnappschildkröten hausten, die die Schniepel kleiner Jungs mit leckerem Futter verwechselten. Mrs. Milton maß die Ruhepause mit einer Eieruhr und regte uns an, die Augen zu schließen und ein Nickerchen zu machen, bis wir schwimmen konnten.

Weit draußen im See war eine große Holzplattform vertäut, auf der ein unglaublich hohes Sprungbrett stand – eine Art hölzerner Eiffelturm. Ich bin sicher, es war die höchste Holzkonstruktion in Iowa, wenn nicht im Mittleren Westen. Da sie aber so weit vom Ufer entfernt war, verirrte sich kaum jemand dorthin. Ganz selten einmal schwammen ein paar tollkühne Teenager dort hinaus und schauten sich um. Manchmal kletterten sie die vielen Leitern zu dem hohen Sprungbrett hinauf und krochen sogar vorsichtig bis zu dessen Spitze, doch sie zogen sich stets wieder zurück, wenn sie sahen, wie selbstmörderisch tief das Wasser unter ihnen lag. Niemand wusste, ob überhaupt einmal ein menschliches Wesen von dort hinuntergesprungen war.

Deshalb war es eine veritable Überraschung, als die Eieruhr unsere Befreiung einläutete und Mr. Milton aufsprang, anfing, den Kopf hin und her zu drehen und Streckübungen mit den Armen zu machen, und verkündete, er werde einen Sprung vom Sprungturm wagen. Er war nämlich ein kleinerer Kunstsprungstar an der Lincoln Highschool gewesen und versäumte nie, jeden, der länger als drei Minuten in seiner Gesellschaft verbrachte, darauf hinzuweisen. Aber auf einem Dreimeterbrett in einer Schwimmhalle! Der Sprungturm am Ahquabisee war eine andere Größenklasse. Er hatte offensichtlich den Verstand verloren, aber Mrs. Milton blieb bemerkenswert ungerührt. »Okay, Schatz«, erwiderte sie cool von unter einem grotesken Hut hervor. »Du kriegst auch ein Fig Newton von mir, wenn du zurückkommst.«

Die Neuigkeit von der irrsinnigen Absicht des Mannes, der wie Goofy aussah, hatte sich schon am Ufer entlang verbreitet, als Mr. Milton im leichten Laufschritt zum Wasser eilte und mit gleichmäßigen Zügen zur Plattform hinausschwamm. Als er dort ankam, war er bloß ein winziges, weit entferntes Strichmännchen, doch selbst aus einer solchen Distanz schien das Sprungbrett Hunderte Meter über ihm zu dräuen – ja, es sah aus, als kratze es an den Wolken. Mr. Milton brauchte mindestens 20 Minuten, um die Zickzackleitern bis oben hochzuklettern. Auf dem Gipfel angekommen, schritt er auf dem Sprungbrett auf und ab, das wahnsinnig lang war – musste es auch sein, damit es über den Rand der Plattform reichte –, sprang zur Probe zwei-, dreimal in die Höhe, atmete ein paarmal tief durch und stellte sich schließlich am festen Ende, die Arme seitlich am Körper, in Positur. Von seiner Haltung und startbereiten Pose war klar, er wagte es.

Mittlerweile hatten alle Leute am Ufer und im Wasser – insgesamt mehrere Hundert – in ihrem Tun innegehalten und schauten schweigend zu. Mr. Milton stand geraume Zeit still, hob dann mit einem hübschen Hauch Dramatik die Arme, rannte wie von der Tarantel gestochen über das lange Sprungbrett – denken Sie an einen Kunstturner, der bei Olympischen Spielen mit voller Geschwindigkeit zu einem in einiger Entfernung stehenden Absprungbrett rast, und Sie haben eine ungefähre Vorstellung –, sprang einmal gewaltig hoch und warf sich dann in einem perfekten Schwalbensprung weit und hoch hinaus. Ich muss sagen, es war ein herrlicher Anblick. Er fiel mit makelloser Eleganz – scheinbar minutenlang. So schön waren der Moment und das atemlose Schweigen der zuschauenden Menschenmassen, dass man über den ganzen See nur das schwache Pfeifen seines Körpers hören konnte, der durch die Luft aufs weit, weit unter ihm liegende Wasser zuraste. Vielleicht habe ich es mir nur eingebildet, doch nach einer Weile schien er rot zu werden wie ein herabfallender Meteor. Aber er bewegte sich *wirklich*.

Ich weiß nicht, was passiert ist – ob er die Nerven verlor oder begriff, dass er mit mörderischem Tempo aufs Wasser zuschoss, oder sonst irgendwas –, er besann sich jedenfalls nach drei Vierteln des Weges hinunter in der ganzen Angelegenheit noch mal und fing an um sich zu schlagen, als habe er einen Alptraum und sich dabei im Bettzeug verfangen oder als sei sein Fallschirm nicht aufgegangen. Vielleicht zehn Meter über dem Wasser hörte er auf, um sich zu schlagen, und versuchte eine neue Taktik. Er breitete Arme und Beine weit in X-Form aus und hoffte augenscheinlich, dass es seinen Fall verlangsamen würde, wenn er ein Höchstmaß an Oberfläche bot.

Dem war nicht so.

Er schlug – »prallte« ist das richtige Wort – mit mehr als 900 Stundenkilometern auf dem Wasser auf, und der Knall war so laut, dass selbst fünf Kilometer weiter Vögel noch aus den Bäumen aufflogen. Bei der Aufschlaggeschwindigkeit wird Wasser praktisch zum Festkörper. Ich glaube auch, Mr. Milton tauchte gar nicht ein, sondern wurde, mit plötzlich erschlafften Armen und Beinen, etwa fünf Meter wieder hochkatapultiert, fiel zurück, blieb dann auf der Oberfläche reglos liegen und drehte sich langsam wie ein Herbstblatt. Zwei vorbeikommende Angler in einem Ruderboot schleppten ihn ans Ufer, ein Dutzend Zuschauer trug ihn zu einem Rasenstück und bettete ihn dort vorsichtig auf eine alte Decke, wo er, auf dem Rücken liegend und Arme und Beine leicht angewinkelt und hochgestellt, den restlichen Nachmittag verbrachte. Jeder Zentimeter seiner Körperoberfläche, von seiner beginnenden Glatze bis zu seinen Zehennägeln sah roh und wie abgeschliffen aus, als habe er einen unglaublichen Unfall mit einer Bandschleifmaschine erlitten. Gelegentlich nahm er einen kleinen Schluck Wasser zu sich, zum Sprechen war er zu traumatisiert.

Später an dem Nachmittag schnitt sich Milton junior mit einem Beil, das er auf keinen Fall, hatte man ihm gesagt, anrühren durfte, und hatte alles auf einen Schlag: Riesenschmerzen und natürlich Riesenärger. Es war der schönste Tag meines Lebens.

Das heißt natürlich nicht viel, wenn man bedenkt, dass bisher der schönste Tag meines Lebens der gewesen war, an dem Mr. Sipkowicz, ein Lehrer, den wir nicht sehr mochten, an einem Lincoln Log leckte.

Lincoln Logs waren Holzklötze zum Spielen, mit denen man, wie den fantasievollen Bebilderungen der zylindrischen Schachteln zu entnehmen war, Forts, Ranches, Palisaden, Arbeiterbaracken, Korrale und viele andere Bauwerke errichten konnte, die für Cowboys interessant und nützlich waren. Doch die zur Verfügung gestellten Materialien reichten kaum aus, eine kleine rechteckige Hütte mit einer Tür und einem Fenster zu bauen (obwohl man das Fenster, je nach Wunsch, rechts oder links von der Tür anbringen konnte).

Buddy Doberman und ich entdeckten nun, dass man Lincoln Bauklötze weiß bleichen konnte, wenn man auf sie pieselte. Und es gelang uns nach mehrwöchigen Bemühungen die erste Albino-Lincoln-Blockhütte zu erschaffen, die wir als Teil eines Projekts über Abraham Lincolns Kindheit und Jugend mit in die Schule nahmen. Da wir selbstverständlich darauf verzichteten, Auskunft zu erteilen, wie wir die Bauklötze weiß gemacht hatten, untersuchten Mitschüler wie Lehrer sie prompt gründlich nach Hinweisen.

»Ich wette, ihr habt es mit Zitronensaft gemacht«, sagte Mr. Sipkowicz, der jugendlich forsch und widerwärtig war, eine unselige Vorliebe für protzige Schlipse und ein ganzes Schulhalbjahr die Ehre hatte, der einzige männliche Kollege an der Greenwood School zu sein. Bevor wir ihn davon abhalten konnten – nicht, dasss wir die Absicht oder den Wunsch gehabt hätten –, ließ er eine lange Reptilienzunge herausschnellen und fuhr probeweise zart, genüsslich, mit den Augendeckeln klimpernd, über den längsten Baustein in der Rückwand, den wir zufällig erst an dem Morgen präpariert hatten und der noch ein Ideechen feucht war.

»Also, bitte, da schmecke ich doch Zitrone«, sagte er mit selbstzufriedenem Kennerblick.

»Fast!!!«, riefen wir, und er probierte noch einmal.

»Nein, es ist Zitrone«, behauptete er. »Ich schmecke die Säure.« Noch einmal schleckte er darüber und genoss den Geschmack mit solch innigem, konzentriertem, erregtem Nachdruck, dass wir einen Moment lang dachten, er stehe unter Schock und werde gleich umkippen, doch es war nur seine Art, den Moment auszukosten. »Definitiv Zitrone«, sagte er wieder entspannter und gab uns das Haus zur allseitigen Zufriedenheit zurück.

Natürlich machte uns Mr. Sipkowicz' unverhofftes Lecken Freude, doch das wahrhaft Erfreuliche an der ganzen Angelegenheit bestand in dem Wissen, dass wir die ersten Jungs in der Geschichte waren, die mit Lincoln-Bauklötzen richtigen Spaß gehabt hatten, denn eigentlich waren sie unabänderlich sinnlos und langweilig und teilten diese Eigenschaft mit fast allem anderen Spielzeug der damaligen Zeit.

Schwer zu sagen, welche die dümmsten oder enttäuschendsten Spielsachen der 1950er Jahre waren, denn die meisten waren das eine oder das andere und viele sogar beides. Was mir immer als das unbestreitbar Unbefriedigendste in den Kopf kommt, war Silly Putty, eine klebrige, knetbare rosa Plastikmasse, die, wenn man sie warf, ein Dutzend Mal oder so unberechenbar in der Gegend herumsprang, und dann in einem Abflussrohr verschwand. (Eigentlich war das das Beste daran, sie war eh zu nichts zu gebrauchen.) Manch anderer entscheidet sich vielleicht für den haushoch unamüsanten Mr. Potato Head, eine Schachtel mit Plastikteilen, anhand derer Kinder die fundamentale Wahrheit entdecken konnten, dass auch eine leblose Knolle mit Ohren, Armen, Beinen und debilem Lächeln eine leblose Knolle bleibt.

Bekannt für das Gegenteil von freudiger Extase war Slinky, eine Metallspirale, die man koppheister eine Treppe hinunterrasseln lassen konnte, die aber sonst nichts tat. Ein wenig versöhnlich stimmte allerdings, dass man das eine Ende jemandem in die Hand geben – Lumpy Kowalski war dafür immer sehr gut geeignet – und das andere bis weit über die Straße und halb einen gegenüberliegenden Hang hinaufziehen konnte. Wenn man losließ, traf es den anderen wie eine Kanonenkugel. In weitgehend gleicher Weise gewannen Hula-Hoop-Reifen einen gewissen Unterhaltungswert, wenn man sie als überdimensionale Wurfringe benutzte, um vorbeikommende Krabbelkinder einzufangen und zu Fall zu bringen.

Vielleicht sagt nichts mehr über das bescheidene Spektrum der Vergnügungen von damals aus, als dass die beliebtesten Bonbons in meiner Kindheit aus Wachs waren. Man konnte wählen zwischen Wachszähnen, Wachslimonadenflaschen, Wachsfässchen und Wachsschädeln, alle mit einer kleinen Menge einer bunten Flüssigkeit gefüllt, die wie Hustensaft schmeckte. Die schluckte man interessiert, wenn auch unbefriedigt und kaute die nächsten zehn, elf Stunden auf dem verbliebenen Wachs herum. Sie denken jetzt vielleicht, dass man eine falsche Vorstellung von Lust hat, wenn man bares Geld für farbloses Wachs hinblättert, und Sie haben natürlich völlig Recht. Doch wir haben es getan und es genossen, weil wir nichts Besseres kannten. Und irgendwie hatte es auch etwas Gutes, etwas gesund Asketisches, etwas zu essen, das weder Geschmack noch Nährwert besaß.

Man bekam auch kleine unechte Eishörnchen aus einem krümeligen, kreideähnlichen Material, Strohhalme mit grobkörnigem Zucker, der so wahnsinnig sauer war, dass einem das ganze Gesicht in den Mund gesaugt wurde wie Sand, der in einem Loch verrieselt, Kräuterlimonadefässchen, scharfe Zimtdragees, Lakritzschnecken und -schlangen, schmierige Gummiwürmer, gummiartige sowie zähe Bonbons aus gelatineähnlichem Material, die nach unbekannten (und ungenießbaren) Früchten schmeckten, aber ihr Geld wert waren, weil es über drei Stunden dauerte, eins zu lutschen (und weitere drei, die klebrigen Überreste, manchmal mit anhängenden Füllungen, aus den Backenzähnen zu pulen). Und schließlich gab es noch Kieferbrecher von der Größe und Kompaktheit einer Billardkugel, die ihr Geld am allermeisten wert waren, denn an ihnen lutschte man bis zu drei Monaten, und sie hatten verschiedenfarbige Schichten, die der Zunge interessante neue Farbtönungen verliehen, wenn man beharrlich eine schuppige Schicht nach der anderen ablöste.

Bei Bishop's, wo es an der Kasse eine große und allseits geschätzte Auswahl an Penny-Bonbons gab, konnte man auch relativ köstliche Lakritzen bekommen, die mit nicht zu überbietender Sensibilität Nigger Babies genannt wurden, obgleich außer meiner Großmutter niemand mehr diesen Namen benutzte. Wenn sie aus ihrer Heimatstadt Winfield zu Besuch kam und wir manchmal bei Bishop's essen gingen, steckte sie mir einen Vierteldollar zu und sagte, ich solle ein paar Bonbons holen, die wir beide später lutschen könnten.

»Und vergiss nicht, ein paar **NIGGER BABIES** mitzubringen!«, schrie sie dann zu meinem peinlichen Verdruss durch das ein Quadratkilometer große, vollbesetzte Speiserestaurant, und 100 Gäste schauten auf.

Wenn ich fünf Minuten später, in dem vergeblichen Versuch, der Entdeckung zu entgehen, verstohlen an die Außenwände gedrückt, mit dem Kauf zurückkam, schrie sie, kaum dass sie mich erspähte: »Ah, da bist du ja, Billy. Hast du daran gedacht, ein paar **NIGGER BABIES** mitzubringen? Ich ess sie nun mal zu gern, die... **NIGGER BABIES!**«

»Grandma«, flüsterte ich dann wütend, »das darfst du nicht sagen.«

»Was nicht sagen – **NIGGER BABIES?**«

»Ja. Sie heißen *Lakritz*babys.«

»Nigger Baby klingt beleidigend«, erklärte ihr meine Mutter.

»Oh, tut mir leid«, sagte meine Großmutter und wunderte sich, wie etepetete die Stadtmenschen waren. Bei unserem nächsten Besuch bei Bishop's hieß es dann: »Billy, hier ist ein Quarter. Geh und hol uns ein paar – wie nennt ihr die? – **LAKRITZNIGGERS!**«

Penny-Bonbons bekam man auch bei Grund's, einem kleinen Lebensmittelladen auf der Ingersoll Avenue. Grund's war in der Stadt eines der letzten Geschäfte in Familienbesitz, auf jeden Fall das letzte in unserem Viertel. Betrieben wurde es von einem bezaubernd winzigen und unermesslich steinalten, tattrigen Paar namens Mr. und Mrs. Grund. Seit 1929 war aus dem Lagerbestand nichts ersetzt, oder recht bedacht, verkauft worden. Es gab dort Dinge, die man seit der Stummfilmzeit in der großen, weiten Welt des Einzelhandels nicht mehr gesichtet hatte – Othine-Bleichcreme, Fels Naptha-Seife, Kisten mit Wild-Root-Haarwasser mit einem Foto von Joe E. Brown aus den 1920ern vorne drauf. Alles, einschließlich Mrs. Grund, war von einer dicken Staubschicht bedeckt. Ich glaube, Mrs. Grund war schon ein paar Jahre tot. Mr. Grund dagegen war sehr lebendig und entzückt, wenn das Klingeln der Glocke über seiner Tür das Eintreten neuer Kunden verkündete, selbst wenn es immer nur Kinder waren, und selbst wenn sie nur aus einem einzigen ruchlosen Grund kamen: etwas von seinem riesigen Vorrat an alten Penny-Bonbons zu stehlen.

Es ist womöglich die beschämendste Geschichte aus meiner Kindheit, aber über 12 000 Kinder von damals hängen mit mir drin. Alle wussten, man konnte bei den Grunds etwas mitgehen lassen und wurde nie erwischt. Samstags kamen Kinder aus dem ganzen Mittleren Westen, manche in Charterbussen, wenn ich mich recht erinnere, um sich fürs Wochenende einzudecken. Mr. Grund war heiter blind gegenüber solcherlei Frevel. Man konnte ihm die Brille abnehmen, die Fliege aufbinden, ihn behutsam von seinen Hosen befreien, und er schöpfte immer noch keinen Verdacht. Manchmal kauften wir sogar eine Kleinigkeit, aber nur, damit er sich umdrehte und seine alte Registrierkasse in Bewegung versetzte und hundert Hände herausschießen, in seine übergroßen Gläser tauchen und sich noch einmal bedienen konnten. Ein paar größere Kinder nahmen einfach die Gläser. Trotzdem muss man sagen, verschönten wir ihm die Tage, bis er schließlich das Geschäft aufgeben musste.

Wenigstens waren Bonbons ein echtes Vergnügen. Die meisten Dinge, von denen es hieß, sie machten Spaß, waren nämlich in Wirklichkeit überhaupt nicht lustig. Zum Beispiel Modellbauen. Modellbauen, das ja angeblich riesigen Spaß machte, war in Wirklichkeit nur ein unerklärliches Martyrium, das man als Junge von Zeit zu Zeit durchmachen musste. Klar, die Modellbausätze sahen immer *aus*, als hätte man seinen Spaß damit. Die Illustrationen auf den Schachteln zeigten Kampfflugzeuge in wunderbaren Einzelheiten; sie spuckten rote und gelbe Flammen aus ihren Bordgeschützen und waren in lebhafte Luftkämpfe verwickelt. Im Hintergrund trudelte eine getroffene Messerschmitt zur Erde, in deren Cockpit ein betrübter Deutscher saß und bittere Flüche durch die Windschutzscheibe ausstieß. Man konnte es gar nicht abwarten, solche dynamischen Szenen dreidimensional zu erschaffen.

Doch wenn man mit dem Bastelsatz nach Hause kam und die Schachtel öffnete, war der Inhalt immer gleichförmig bleigrau oder olivgrün und bestand aus etwa 60 000 Teilen, von denen einige nicht größer als ein Proton, alle aber in irgendeiner organischen, untrennbaren Weise an Plastikstielen befestigt waren, die wie Sektquirle aussahen. Die Klebstofftuben waren im Gegensatz dazu so groß wie riesige Teigspritzen. Einerlei wie behutsam man daraufdrückte, sie sprotzten einen guten halben Liter einer klaren zähen Schmiere aus, die sich instinktiv an alles heftete, was nicht zu dem Modell gehörte – menschliche Finger, die Wohnzimmergardinen, das Fell eines vorbeilaufenden Tieres –, und dann zog sich das Ganze auch noch zu einem unendlich langen Faden.

Jeder Versuch, den Faden zu zerreißen, endete damit, dass man noch mehr Fäden erschuf und binnen Sekunden an Hunderten hängender Fäden klebte, die alle mit etwas verbunden waren, das nichts mit Modellflugzeugen oder dem Zweiten Weltkrieg zu tun hatte. Das Einzige, an dem der Kleber nicht haften blieb, waren interessanterweise die Plastikmodellteile. Dann verwandelte er sich nämlich in ein glibbriges Gleitmittel, mittels dessen zwei Teile endlos lange aufeinander herumglitschten, und das nie trocknete. Letzten Endes lief es darauf hinaus, dass nach etwa 40 Minuten intensiver, aber chaotischer Bemühungen man selbst und die unmittelbare Umgebung in ein Spinnennetz aus glänzenden Klebefäden gehüllt waren, in dessen Mitte sich ein grauer Flugzeugrumpf mit einem verkehrt herum zusammengeklebten Flügel und einem Piloten befand, der versehentlich, doch unwiderruflich, mit der Fliegerkappe an der Cockpitdecke klebte. Zu diesem Zeitpunkt war man aber glücklicherweise von dem Klebstoff so high, dass einem Pilot, Modell und alles andere vollkommen egal waren.

Das eigentlich Interessante an diesen Freizeitenttäuschungen in den Fünfzigern war indes, dass man nie damit rechnete. Weil die Anzeigen so toll waren! So gewieft wie damals waren die Werbeleute nie wieder. Sie konnten jedes mistige kleine trügerische Stück fantastisch klingen lassen. Nie vorher oder nachher klang Werbegesülz so seidenweich, verhieß einem so geschickt orgiastische Glückszustände mit ein paar simplen Materialien. Selbst jetzt noch sehe ich vor meinem geistigen Auge die Anzeigen in *Boys' Life*. Die A.C. Gilbert Company aus New Haven, Connecticut, versprach einem rundum Freude an ihren genialen Chemiekästen, Mikroskopen mit Zubehör und weltberühmten Erector-Bausätzen. Bei Letzteren handelte es sich um Spielzeug zum Zusammenschrauben; aus kleinen Stahlträgern und anderen, das maskuline Herz erfreuenden Bestandteilen konnte man alle möglichen Wunderwerke der Technik fabrizieren – Brücken, Hebekräne, Karussels, motorisierte Roboter, also nichts, das man auf Tischplatten zusammenbaute und in einer Schublade verstaute, wenn man nicht damit spielen wollte. Es waren Dinge, die ein solides Fundament und jede Menge Platz brauchten. Ich bin beinahe sicher, dass man auf einer der Anzeigen sah, wie ein Junge auf einer Sechsmeterleiter Richtfest für ein Riesenrad feierte, auf dem sein jüngerer Bruder schon eine Probefahrt machte.

Was die Anzeigen nicht sagten, war, dass nur sechs Menschen auf dem Planeten – wahrscheinlich A.C. Gilberts Enkel – ausreichend begütert waren und ausreichend geräumige Villen besaßen, um mit den Baukästen so viel Freude zu haben, wie auf den Bildern verheißen. Ich weiß noch, wie mein Vater einmal vor Weihnachten einen Blick auf das Preisschild einer riesigen, in der Spielwarenabteilung bei Younkers ausgestellten Konstruktion warf und schrie: »Also, dafür kriegt man ja praktisch einen *Buick*!« Dann hielt er willkürlich andere männliche Vorübergehende an und hatte bald einen kleinen Club erstaunter Gleichgesinnter beisammen. Ich wusste also schon von frühester Kindheit an, dass ich nie ein Erector Set bekommen würde.

Stattdessen machte ich Lobbyarbeit für einen Chemiekasten, den ich in einer ansprechenden, zweifarbigen Doppelseite in *Boys' Life* gesehen hatte. Laut dieser Anzeige konnte ich mit dem famosen, sich auf dem neuesten wissenschaftlichen Stand befindlichen Kasten aufregende Atomenergieexperimente veranstalten, die Erwachsenenwelt mit unsichtbarer Schrift verblüffen, Meister im FBI-Fingerabdrückevergleichen werden und hochbefriedigende, enorme Gestänker erzeugen (die eigentlich nicht versprochen wurden, sich aber beim Kauf eines jeden Chemiekastens von selbst verstanden).

Der Kasten, den ich am Weihnachtsmorgen öffnete, besaß die Ausmaße einer Zigarrenkiste – während der in der Zeitschrift Abgebildete die eines Überseekoffers gehabt hatte –, doch ich muss sagen, er war genial mit verheißungsvollen Dingen bestückt: Reagenzgläsern und einem praktischen Gestell, in das man sie stellen konnte, Trichter, Pinzette, Korken, etwa zwanzig kleinen Glasgefäßen mit bunten Chemikalien, von denen mehrere vielversprechend übel rochen, und einem kompakten kleinen Anleitungsbüchlein. Selbstredend stürzte ich mich sofort auf die Atomenergieseite und rechnete schon damit, dass bis zum Abendbrot eine kleine, private Pilzwolke über meiner Werkbank aufsteigen würde. Doch das Handbuch wies mich, wenn ich mich recht erinnere, darauf hin, dass alle Stoffe aus Atomen bestehen und dass alle Atome Energie haben, deshalb also *alles* Atomenergie hat. Man gieße zwei x-beliebige Dinge in ein Becherglas – wirklich egal, was –, schüttele sie einmal kräftig durch und simsalabim! hat man eine Atomreaktion.

Von der Art waren mehr oder weniger alle Experimente. Das einzige, bei dem auch nur halbwegs was passierte, hatte ich selbst ersonnen. Dazu vermischte ich alle Chemikalien aus dem Kasten mit Babbo-Scheuerpulver, Terpentin, ein wenig Backpulver, zwei Löffeln weißem Pfeffer, einem Klecks gut abgelagertem Meerrettich und einem großzügigen Spritzer Rasierwasser. Sobald diese Ingredienzen zusammenkamen, vergrößerte sich das Volumen um das Tausendfache, quoll über den Rand des Becherglases und auf unsere pfuschneue Arbeitsplatte in der Küche, wo es sofort zu zischen und sprutzeln und qualmen begann und dort, wo die Resopalplatten verfugt waren, ein rosaroter Striemen entstand, der hinfort ein ewiger Quell von Kummer und Verwunderung für meinen Vater war. »Ich versteh es einfach nicht«, sagte er immer wieder und beäugte den Rand der Arbeitsplatte. »Ich muss den Kleber falsch gemischt haben.«

Das schlechteste Spielzeug des Jahrzehnts, vermutlich das schlechteste, das je kreiert wurde, hieß elektrischer Football. Irgendwann in den 1950er Jahren mussten es einmal alle Jungs als Weihnachtsgeschenk entgegennehmen. Es bestand aus einer Schachtel mit den üblichen aufregenden und vollkommen irreführenden Illustrationen, in der sich eine Blechplatte von etwa der Größe eines Frühstückstabletts befand, die wie ein American-Football-Spielfeld bemalt war. Wenn man sie einschaltete, vibrierte sie heftig und 22 Männchen bewegten sich merkwürdig steif und hektisch. Es dauerte eine Ewigkeit, bis man ein Spiel aufgebaut hatte, weil die Männchen furchtbar schwer zu handhaben waren und sowieso immer umfielen und weil man sich in einem fort mit dem Gegner darüber stritt, welche Aufstellungen erlaubt waren und wer als Letzter seinen letzten Mann aufstellen durfte. Denn es war ein klarer Vorteil, wenn man bis zum letztmöglichen Moment warten und dann urplötzlich seinen Angriffsspieler an die Seitenlinie laufen lassen konnte, wo ihm keine Verteidiger in die Quere kamen. Immer endete das Ganze in bitteren Auseinandersetzungen, die sich zuspitzten, wenn man auslangte und – sogar mehrfach – die Lieblingsspieler des Gegners mit dem Finger umschnipste.

Dabei war es im Prinzip unerheblich, wie die Spieler beim Electric Football aufgestellt waren, denn sie liefen eh nie in die Richtung, in die sie laufen sollten. Überhaupt fiel die Hälfte von ihnen sofort um und blieb heftig zuckend liegen, als litte sie an üblen Magenkrämpfen, während die andere in so viele verschiedene Richtungen losschoss, wie Spieler auf den Beinen waren, und sich schließlich in einer Ecke zusammendrängte. Dort warfen sich die restlichen Männchen dann gegen die starren Seitenwände, als wollten sie sich aus einem brennenden Nachtclub retten, dessen Ausgang verriegelt war. Nur der Runningback verharrte zitternd fünf, sechs Minuten lang an Ort und Stelle, drehte sich dann langsam um und glitt ungehindert auf die falsche Endzone zu, bis er an der Twoyardline von seinem verzweifelten Trainer mit dem Finger umgehauen wurde, was weiteren Streit zur Folge hatte.

An diesem Punkt stellte man den Strom ab, richtete alle gefallenen Männchen wieder auf und wiederholte mit penibler

Sorgfalt die Aufstellerei. Nach dreien solcher Spiele sagte aber immer einer der Beteiligten: »He, woll'n wir rausgehen und Lumpy Kowalski mit dem Slinky eins überziehen?« Und dann schubste man das Spiel unters Bett, wo es nie wieder angerührt wurde.

Echte Aufregung war nur in Comics zu finden. Es war wirklich das goldene Zeitalter der Comics. Mitte des Jahrzehnts wurden monatlich fast 100 Millionen produziert. Man kann sich kaum noch vorstellen, was für eine zentrale Rolle sie im Leben der Jugend der Nation spielten – ja, und auch im Leben nicht weniger, die ihre Jugend schon hinter sich hatten. Eine Umfrage enthüllte, dass sage und schreibe zwölf Prozent der Lehrer im Land begeisterte Comicleser waren. (Und das waren natürlich nur die, die es zugaben.)

Als Thunderbolt Kid las ich Comics so, wie Ärzte das *New England Journal of Medicine* lesen, ich wollte fachlich auf dem Laufenden bleiben. Aber ich war ohnehin ein treuer Leser und hätte sie auch verschlungen, wenn ich daraus keinen praktischen Nutzen für mich hätte ziehen können.

Doch gerade als wir so richtige Comicfanatiker wurden, trat eine Krise ein. Steigende Produktionskosten und die Konkurrenz des Fernsehens ließen die Verkäufe stocken. Recht viele Kinder und Jugendliche schauten sich nun lieber Superman und Zorro im Fernsehen an und sahen nicht mehr ein, warum sie die Anstrengung auf sich nehmen sollten, Worte auf einer Seite zu lesen. Wir im Kiddie Corral hatten, ehrlich gesagt, nichts dagegen, wenn solch wankelmütige Fans abfielen, doch für die Branche war es ein fast tödlicher Schlag. In zwei Jahren fiel die Zahl der Comic-Titel von 650 auf gerade mal 250.

Die Hersteller von Comics unternahmen ein paar verzweifelte Schritte, um das Interesse wieder anzufachen. Heldinnen wurden auf einmal ungeniert sexy. Ich erinnere mich, dass ich eine unerwartete, doch überaus angenehme hormonelle

Erwärmung verspürte, als ich erstmals Asbestos Lady erblickte, deren Kanonenkugelbrüste und mächtige Lenden in den Satinfetzchen, mit denen ein zeichnerisches Genie sie ausgestattet hatte, kaum Platz fanden.

Für Gefühlsduselei war in diesem neuen Zeitalter kein Platz. Captain Americas halbwüchsiger Gefährte Bucky wurde in einem Heft mit einer Schusswunde ins Krankenhaus eingeliefert, und man hörte nie wieder was von ihm. Ob er starb oder als Krüppel genas und die ihm verbleibenden Jahre im Rollstuhl verbrachte, wussten wir nicht, und es interessierte uns auch nicht. Captain America aber erhielt ein langbeiniges, gertenschlankes weibliches Wesen namens Golden Girl zur Assistentin und mit Sun Girl, Lady Lotus, der Phantom Lady mit dem rabenschwarzen Haar kamen auch schon bald noch andere Damen in der Blüte ihrer Reize hinzu.

Doch alles Gute hat einmal ein Ende. Dr. Frederic Wertham, ein in Deutschland gebürtiger Psychiater aus New York, begann eine entschlossene Kampagne, um die Welt vom verderblichen Einfluss der Comics zu befreien. In einem extrem beliebten, bestürzend wirkungsvollen Buch mit dem Titel *Seduction of the Innocent* behauptete er, Comics förderten Gewalt, Folter, Kriminalität, Drogenmissbrauch und ungebremste Masturbation, wenn auch vermutlich nicht alles auf einmal. Grimmig erzählte er, ein von ihm befragter Junge habe gestanden, dass er nach Lektüre eines Comics geradezu „lust- und sexbesessen war«, und übersah die Tatsache geflissentlich, dass die Worte »Lust«, »Sex« und »besessen« für die meisten Jungs zusammengehörten – ob mit oder ohne Comics.

Wertham sah buchstäblich Sex in allen Schattierungen. Er wies darauf hin, dass auf einem Bild eines Actioncomics der Schatten auf der Schulter eines Mannes genauso aussah wie die Genitalien einer Frau; man müsse es nur schief halten, die Augen zusammenkneifen und seine Fantasie spielen lassen.

(Das stimmte. Wo er Recht hatte, hatte er Recht.) Er behauptete auch, was die meisten von uns in unserem tiefsten Inneren wussten, aber nicht gern zugeben wollten – dass viele der Superhelden keine echten Männer der Spezies waren, die heißblütig Mädchen küssten. Vor allem Batman und Robin griff er als »Wunschtraum vom Zusammenleben zweier Homosexueller« heraus. Was sollte man dagegen sagen? Ein Blick auf ihre Strumpfhosen genügte.

Wertham festigte seinen Ruhm und seinen Einfluss mit Aussagen vor einem Senatsausschuss, der die Geißel der Jugendkriminalität untersuchte. Just in dem Jahr hatte Robert Linder, ein Psychologe aus Baltimore, die These aufgestellt, dass moderne Teenager an »einer Form kollektiver Geisteskrankheit« litten, weil sie Rock 'n' Roll hörten und tanzten. Jetzt gab Wertham Comics die Schuld an ihren bedauerlichen pubertären Verirrungen.

James T. Patterson behauptet in seinem Buch *Grand Expectations*, dass »1955 13 Staaten Gesetze verabschiedeten, die die Veröffentlichung, den Vertrieb und den Verkauf von Comics einschränkten«. Alarmiert und weitere restriktive Maßnahmen befürchtend, ließ die Comic-Industrie von ihrer Vernarrtheit in kurvenreiche Bienen, Blutbäder, Schatten, die ein zweites Hinschauen von schräg unten lohnten, und allem ab, das nur irgendwie aufregend war. Es war ein herber Schlag.

Zur Bestürzung der Puristen füllte sich der Kiddie Corral mit lahmen Comics über Archie und Jughead oder Disneyfiguren wie Donald Duck und seine Neffen Tick, Trick und Track, die Hemden und Kappen, aber unter der Gürtellinie absolut nichts trugen, was doch eigentlich auch ein wenig ungehörig, aber schon gar nicht gesund war. Allmählich zog der Kiddie Corral kleine Mädchen an, die dort saßen und über die letzten Hefte von Little Lulu und Casper, den kleinen Geist, plauderten, als seien sie bei einer Teegesellschaft. Ein vollkommener Idiot legte sogar Classic Comic Books hinein, die berühmte literarische Werke in Comics verwursteten. Sie wurden natürlich gleich wieder hinausgeworfen.

Selbstverständlich vaporisierte ich Wertham, doch es war zu spät. Das Kind war in den Brunnen gefallen. Spaß war immer schwerer zu finden, und der, den wir am allernötigsten brauchten, am schwersten. Ich meine natürlich die Sinneslust. Doch das ist eine andere Geschichte und ein anderes Kapitel.

VI

Sex und anderer Zeitvertreib

London, England (AP) – In einem Verleumdungspro-
zess gegen den Londoner *Daily Mirror* sprach ein
Gericht dem Entertainer Liberace am Mittwoch Schadenersatz in Höhe von 8000 Pfund Sterling (22 400
Dollar) zu. Die Richter befanden nach dreieinhalb
Stunden Beratung, dass der *Mirror*-Journalist William
N. Connor in einem Artikel im Jahre 1956 angedeutet
hatte, der Pianist sei homosexuell. Unter den Sätzen,
die Liberace in seiner Klage zitierte, war Connors Be-
schreibung von ihm als »alles, was er, sie oder es sich
nur wünschen kann«. Er hatte den Entertainer auch als
jemanden beschrieben, der »sich gern für etwas er-
wärmt«.

Des Moines Tribune, 18. Juni 1959

*I dreamed
I went
to work
in my
maidenform* bra*

CHANSONETTE with famous 'circular-spoke' stitching

Notice two patterns of stitching on the cups of this bra? Circles that uplift and support, spokes that discreetly emphasize your curves. This fine detailing shapes your figure naturally—keeps the bra shapely, even after machine-washing. The triangular cut-out between the cups gives you extra "breathing room" as the lower elastic insert expands. In white or black: A, B, C cups. **2.00**

Other styles: Broadcloth: Cotton, "Dacron" Polyester 2.50; Lace, 3.50; with all-elastic back, 3.00; Contour, 3.00; Full-length, 3.50.

*REG. U.S. PAT. OFF. ©1964 BY **Maidenform, Inc.**, makers of bras, girdles, swimwear, and active sportswear.

Der Kinofilm *Glut unter der Asche* (nach dem Roman *Die Leute von Peyton Place*) kam im Jahr 1957 heraus. Die Nation hatte schon sehnsüchtig darauf gewartet. Der Vorfilm deutete uns unverblümt an, es sei der schärfste Film seit Jahren, woraufhin meine Schwester zu dem Schluss kam, dass sie und ich hineingehen mussten. Warum ich mit von der Partie sein sollte, weiß ich partout nicht. Vielleicht lieferte ich ein Alibi. Vielleicht konnte sie nur dann unbemerkt aus dem Haus entkommen, wenn sie mich babysittete. Ich weiß nur, das ich gesagt bekam, wir würden nach dem Mittagessen am Samstag zum Ingersoll Theater laufen und ich dürfe niemandem etwas verraten. Es war sehr aufregend.

Auf dem Weg dorthin erzählte mir meine Schwester, dass viele der Mitwirkenden in dem Film – vermutlich die meisten – Sex haben würden. Zu der Zeit war Betty, zumindest meinem Dafürhalten nach, die international führende Autorität in Sachen Sex. Ihre Spezialität war es, berühmte Homosexuelle auszumachen. Sal Mineo, Anthony Perkins, Sherlock Holmes und Dr. Watson, Batman und Robin, Charles Laughton, Randolph Scott, natürlich Liberace und ein Mann in der dritten Reihe des Lawrence-Welk-Orchesters, der mir ganz normal vorkam – meine Schwester entlarvte sie alle mit ihrem durchdringenden Blick. Schon 1959, lange bevor irgendjemand darauf gekommen wäre, erzählte sie mir, dass Rock Hudson schwul sei. Ich glaube, sie wusste, dass Richard Chamberlain schwul war, bevor er selbst es wusste. Es war unheimlich.

»Weißt du, was Sex ist?«, fragte sie mich, als wir in der Abgeschiedenheit des Wäldchens waren und im Gänsemarsch über den engen Pfad durch die Bäume liefen. Es war ein winterlicher Tag, und ich erinnere mich deutlich, dass sie einen schicken, neuen roten Wollmantel trug und eine flauschige weiße Mütze, die man unter dem Kinn zuband. Für mich sah sie sehr schick und erwachsen aus.

»Nein, ich glaube eigentlich nicht«, sagte ich oder etwas in der Richtung.

Also erzählte sie mir mit ernster Stimme und sorgfältig gewählten Worten, die klar implizierten, dass es sich um streng vertrauliche Informationen handelte, alles, was man über Sex wissen musste, obwohl sie zu der Zeit erst elf und ihr Wissen sicherlich weniger enzyklopädisch war, als ich damals annahm. Wie dem auch sei, im Prinzip ging es, wie ich es verstand, lediglich darum, dass der Mann sein Ding in ihr Ding steckte, es ein bisschen darin ließ, und dann bekamen sie ein Kind. Ich erinnere mich, dass ich vage überlegte, was diese nicht genauer benannten Dinger waren – sein Finger in ihrem Ohr? Sein Hut in ihrer Hutschachtel? Wer wusste das schon? Egal, sie machten etwas sehr Privates, nackt, und kaum hatten sie sich's versehen, waren sie Eltern.

Ehrlich gesagt, interessierte mich nicht, wie Kinder gemacht wurden. Ich war aufgeregt, weil wir ein geheimnisvolles Abenteuer bestanden, von dem unsere Eltern nichts wussten, und weil wir tatsächlich durch das Wäldchen wanderten – den mehr oder weniger endlosen, tiefen Schwarzwald, der zwischen dem Elmwood Drive und der Grand Avenue lag. Mit sechs Jahren wagte man sich von Zeit zu Zeit ein, zwei Schritte in das Wäldchen vor, spielte, die Straße stets im Blick, ein bisschen Soldat und trat nach einer Weile (normalerweise, wenn Bobby Stimson an den Giftsumach kam und in Tränen ausbrach) gern, ja, offen gestanden, erleichtert, wieder in frische Luft und Sonnenschein. Das Wäldchen war sehr angsterregend, die Luft darin dicker und erdrückender, die Geräusche anders. Man konnte ins Wäldchen gehen und kam nicht wieder heraus. Warum man auch keinesfalls erwog, es als Durchgangsweg zu benutzen. Dazu war es viel zu groß. Nun aber von einer selbstsicher drauflos marschierenden Person hindurchgeführt zu werden und dabei Informationen nur für Eingeweihte zu bekommen, wenn sie auch großteils keinerlei Sinn ergaben, war über die Maßen aufregend. Den Hauptteil der langen Wanderung staunte ich ob der majestätischen Dunkelheit des Wäldchens und hielt mit halbem Auge Ausschau nach Lebkuchenhäusern und Wölfen.

Als sei das noch nicht Aufregung genug, ging meine Schwester, als wir die Grand Avenue erreichten, mit mir über einen geheimen Pfad zwischen zwei Mietshäusern und an der Hinterseite von Bauder's Drugstore vorbei – ich war nie auf den Gedanken gekommen, dass Bauder's Drugstore eine Hinterseite *hatte* –, und wir kamen fast gegenüber dem Kino heraus. Das war so unglaublich pfiffig, dass ich es kaum fassen konnte. Weil die Ingersoll eine vielbefahrene Straße war, nahm mich meine Schwester an der Hand und brachte uns gekonnt auf die andere Seite – noch eine kaum zu bewältigende Aufgabe. Ich glaube, ich war noch nie so stolz in Begleitung eines anderen menschlichen Wesens.

Als die Kartenverkäuferin am Eintrittskartenschalter zögerte, erzählte meine Schwester ihr, dass wir einen Cousin in Kalifornien hätten, der in dem Film mitspielte, und unserer Mutter, einer vielbeschäftigten, einflussreichen Frau (»Sie ist Kolumnistin beim *Register*.«), versprochen hätten, den Film für sie anzuschauen und ihr hinterher ausführlich zu berichten. Die Geschichte entbehrte vielleicht einer gewissen Überzeugungskraft, doch meine Schwester hatte das Gesicht eines Engels, eine entschlossene Art und die flauschige unschuldige Mütze auf, und dieser Kombination musste man einfach trauen. Die Kartenverkäuferin ließ uns also nach einem Augenblick nervenkitzelnder Unsicherheit hinein. Wiederum war ich sehr stolz auf meine Schwester.

Nach diesen Abenteuern war der Film dann eher eine Enttäuschung, besonders nachdem mir meine Schwester gesagt hatte, dass wir doch keinen Cousin in dem Film und auch keinen in Kalifornien hatten. Niemand zog sich nackt aus, und es waren keine Finger in Ohren oder Zehen in Hutschachteln oder in sonst was. Nur Unmengen unglücklicher Menschen redeten mit Lampenschirmen oder Vorhängen. Ich ging zwischendurch in die Männertoilette und versperrte dort die Zellen, aber da es nur zwei gab, war auch das unbefriedigend.

Bald nach diesem Kinobesuch erlebte ich zufällig etwas, das ein wenig mehr Licht auf das Thema Sexualität warf. Ich kam eines Samstags vom Spielen nach Hause, und als ich meine Mutter nicht an den üblichen Stellen fand, beschloss ich spontan, meinen Vater aufzusuchen. Er war gerade an dem Tag von einer langen Reise an die Westküste zurückgekommen – von der World Series mit den White Sox und den Dodgers, wenn ich mich recht erinnere –, und wir hatten uns einiges zu erzählen. Ich rannte in sein Schlafzimmer, weil ich dachte, er sei dort beim Auspacken. Zu meiner Überraschung waren die Rollläden heruntergezogen und meine Eltern im Bett. Sie rangen unter dem Bettzeug. Noch erstaunlicher – meine Mutter schien zu gewinnen. Mein Vater war offensichtlich in Not. Er gab Geräusche von sich wie ein kleines Tier in einer Falle.

»Was macht ihr?«, fragte ich.

»Ach, Billy, deine Mutter sieht nur gerade meine Zähne nach«, erwiderte mein Vater rasch, aber eigentlich nicht glaubhaft.

Einen Moment lang schwiegen wir alle drei.

»Seid ihr nackt da drunter?«, fragte ich.

»Wieso? Natürlich.«

144

»Warum?«

»Also«, hub mein Vater an, als sei das nun eine längere Geschichte, »uns ist ein bisschen warm geworden. Bei der Arbeit wird einem warm, Zähne und Zahnfleisch und so weiter. Schau, Billy, wir sind hier fast fertig. Warum gehst du nicht runter, und wir kommen gleich nach.«

Angeblich soll man ja nach solchen Erlebnissen traumatisiert sein. Ich kann mich aber nicht erinnern, dass ich mich groß darum scherte. Meine Mutter ließ ich allerdings erst nach ein paar Jahren wieder in meinen Mund schauen.

Als ich es schließlich kapierte, kam es als Überraschung, dass meine Eltern miteinander schliefen – dass die eigenen Eltern Sex haben, will man ja nie glauben –, doch es war auch ein wenig tröstlich, denn in den 1950er Jahren Sex zu haben war nicht leicht. Wenn man verheiratet war, der Mann oben lag und die Frau die Zähne zusammenbiss, war es gerade noch erlaubt, doch fast alles andere war damals in den Vereinigten Staaten verboten. So gut wie jeder Bundesstaat hatte Gesetze, die alle Formen von Sex verboten, die als entfernt von der Norm abweichend betrachtet wurden: natürlich Oral- und Analverkehr, offenkundig Homosexualität, selbst normaler, höflicher Sex in gegenseitigem Einverständnis zwischen unverheirateten Paaren. In Indiana konnte man für 14 Jahre ins Gefängnis gesteckt werden, wenn man einer Person unter 21 Jahren half, »Masturbation zu betreiben«, oder sie dazu anstachelte. Die römisch-katholische Erzdiözese desselben Staates ließ etwa zur gleichen Zeit verlautbaren, dass außerehelicher Geschlechtsverkehr nicht nur eine Sünde, schmutzig und fortpflanzungsmäßig riskant sei, sondern auch den Kommunismus fördere. Wie nun genau eine Nummer im Heu den gnadenlosen Vormarsch des Marxismus förderte, wurde nie expliziert, doch es war auch völlig unerheblich. Entscheidend war, dass man, wenn einmal eine Handlung als dem Kommunismus förderlich galt, wusste, sie war für alle Zeiten verboten.

Denn die Gesetzgeber brachten es nicht über sich, diese Dinge offen zu diskutieren. Meist konnte man gar nicht erkennen, was nun eigentlich verboten war. Kansas hatte (und hat es nach allem, was ich weiß, immer noch) einen Paragraphen, dem gemäß jeder bestraft wurde, und zwar mit aller Härte, der »eines verabscheuungswürdigen, scheußlichen Verbrechens wider die Natur überführt wird, das er mit Mensch oder Tier verübt hat«. Was ein verabscheuungswürdiges, scheußliches Verbrechen wider die Natur wohl war, erfuhr man nicht einmal andeutungsweise. Einen Regenwald abholzen? Sein Maultier mit der Peitsche schlagen? Man wusste es einfach nicht.

Fast so schlimm wie Sex haben war, an Sex zu denken. Als Lucille Ball in *Typisch Lucy* fast die ganze Sendezeit 1952–53 schwanger war, durfte das Wort »schwanger« nicht benutzt werden. Es könnte ja anfällige Zuschauer dazu reizen, auf dem Sofa isometrisches Muskeltraining zu machen wie unser Nachbar Mr. Kiessler in der St. John's Road. Von Lucy hieß es, sie sei »in anderen Umständen« – offenbar ein weniger die Gefühle anregendes Wort. Bei uns in Des Moines machte die Polizei 1953 eine Razzia in Ruthie's Lounge in der Locust Street Nr. 1311 und beschuldigte die Besitzerin Ruthie Lucille Fontanini unzüchtiger Handlungen. Die Handlung war so verstörend, dass zwei Beamte von der Sitte und Polizeihauptmann Louis Volz noch einmal extra dorthin fuhren, um sie sich anzuschauen – wie allem Anschein nach irgendwann einmal die meisten Männer in Des Moines. Die Handlung, stellte sich heraus, bestand darin, dass Ruthie, wenn der Laden voll war, sich von den angeheiterten Herren zu Folgendem beschwatzen ließ: Sie stellte zwei Gläser auf ihre in einem engen Pullover steckende Brust, goß Bier in die Gläser und beförderte diese sodann, ohne etwas zu verschütten, zu einem anerkennend wartenden Tisch.

In ihrer Sturm-und-Drang-Zeit war Ruthie offenbar nicht ohne. Der frühere Reporter des *Des Moines Register*, George Mills, schrieb in seinen wunderbaren Lebenserinnerungen mit dem Titel *Looking in Windows,* dass sie »sechzehnmal mit neun verschiedenen Männern verheiratet« und eine ihrer Ehen nach gerade mal 16 Stunden beendet gewesen sei. Da war sie nämlich aufgewacht und hatte geschen, wie ihr frisch gebackener Gatte ihre Handtasche durchwühlte und den Schlüssel zu ihrem Safe suchte. Die Angewohnheit, ihren Busen als Tablett zu benutzen, kann eigentlich in einem Zeitalter, in dem Post mit einer Rakete befördert wurde, kein so dolles Kunststück gewesen sein. Aber sie wurde landesweit berühmt damit. Ein paar Berge in Korea wurden ihr zu Ehren die »Ruthies« genannt und der Hollywood-Regisseur Cecil B. De Mille besuchte Ruthie's Lounge zweimal, um die Dame in Aktion zu sehen.

Die Geschichte hat ein Happyend. Richter Harry Grund wies die Anklage auf unzüchtige Handlungen ab, und Ruthie ehelichte schließlich einen netten Mann namens Frank Bisignano und lebte forthin ruhig und zufrieden als Hausfrau. Letzten Gerüchten zufolge ist sie seit dreißig Jahren glücklich verheiratet. Ich fände es schön, wenn sie ihm allabendlich Ketchup, Senf und andere Soßen auf ihrem Busen servierte, weiß es aber natürlich nicht.*

Für diejenigen von uns, die ein Interesse hatten, nackte Frauen zu sehen, gab es die Bilder im *Playboy* und anderen Männerperiodika von geringerem Ruf, doch die legal zu er-

---

* Ruthie wurde in der Presse oft als frühere Stripperin bezeichnet. Sie dagegen behauptete, dass sie nie Stripperin war, weil sie sich nie in der Öffentlichkeit ihrer Kleidung entledigt hatte. Andererseits war sie natürlich oft ohne viel Kleidung auf die Bühne gekommen.

werben war fast unmöglich, selbst wenn man zu einem der trostloseren Lebensmittelbuden gleich im Osten der Stadt radelte, seine Stimme um zwei Oktaven herunterschraubte und dem lethargischen Verkäufer bei Gott schwor, man sei 1939 auf die Welt gekommen.

Wenn mein Vater im Drugstore mal mit dem Apotheker beschäftigt war (das einzige Mal, dass ich für die Demonstration der komplizierten isometrischen Übungen aufrichtig dankbar war), konnte ich hastig die Seiten durchblättern, doch es war ein nervenzerreißendes Unterfangen, weil der Illustriertenständer aus vielen Ecken des Ladens zu sehen war. Ja, mehr noch, er befand sich direkt neben dem Eingang und war durch ein großes Schaufenster von der Straße aus sichtbar, man stand also da mit offenen Flanken. Eine Freundin der Mutter mochte vorübergehen, einen sehen und Alarm schlagen – direkt vor dem Laden war eine Polizeinotrufbox auf einem Pfosten und wahrscheinlich nur zu dem Zweck dorthin gestellt worden. Oder ein pickliger Ladenschwengel konnte einen von hinten an der Schulter packen und mit lauter Stimme auszanken oder Dad selbst auf einmal hinter einem auftauchen, während man noch hektisch dabei war, die Seiten zu finden, auf denen Kim Novak sich auf einem flauschigen Teppich räkelte und Luft zufächelte. Auch hier war praktisch kein Vergnügen und sehr wenig Aufklärung drin. Doch vergessen Sie nicht, es war das Zeitalter, in dem man verhaftet werden konnte, weil man Bier auf seinem Busen transportierte oder ein nicht näher spezifiziertes Verbrechen wider die Natur beging, und die Konsequenzen, wenn man in einem Familiendrugstore mit Fotos nackter Frauen in der Hand erwischt wurde, waren gar nicht auszudenken. Ganz bestimmt aber würden Blitzlichtlämpchen knallen, der WHO-TV-Ü-Wagen für Verbrechensschauplätze zur Stelle sein, Balkenüberschriften in der Zeitung und viele tausend Stunden gemeinnütziger Arbeit folgen.

Im Großen und Ganzen musste man deshalb mit Unterwä-schedoppelseiten in Versandhauskatalogen oder Anzeigen in Hochglanzpostillen vorliebnehmen, was zwar nach Verzweiflung roch, aber zumindest nicht gesetzwidrig war. Maidenform, ein Büstenhalterhersteller, brachte in den 1950er Jahren eine bekannte Zeitungsanzeigenserie, in denen sich Frauen vorstellten, dass sie an öffentlichen Orten nur halb bekleidet waren. »Ich habe geträumt, ich sei in meinem Maidenform-BH in einem Juweliergeschäft gewesen«, lautete die Überschrift einer Anzeige, begleitet vom Foto einer Frau, die mit Hut, Rock, Schuhen, Schmuck und einem Maidenform-BH – kurzum, allem, nur keiner Bluse – vor einer Glasvitrine bei Tiffany's oder etwas Ähnlichem stand. Die Bilder hatten etwas zutiefst – und ich nehme an, ungesund – Erotisches. Bedauerlicherweise brachte Maidenform mit unfehlbarem Instinkt immer Mannequins in fortgeschrittenem Alter, die von vornherein schon nicht übermäßig attraktiv gewesen sein mochten. Und die BHs der Jahre sahen wie Stützapparate aus dem Sanitätshaus aus, so dass sie eher nicht zum wilden Fantasieren einluden. Es war schon eine Schande, wie da ein vielversprechendes erotisches Konzept in den Sand gesetzt wurde.

Trotz seiner Mängel wurde der Ansatz allenthalben kopiert. Sarong, ein Hersteller von Korsetts, die so robust waren, dass sie schusssicher aussahen, ging ähnlich vor mit einer Serie von Anzeigen, auf denen Frauen von überraschenden Windböen erwischt wurden und ihre Korsetts zu ihrem äußersten Bestürzen wie zum entzückten Grinsen aller männlichen Wesen in einem Umkreis von 50 Metern *in situ* zeigten. Ich habe eine Anzeige aus dem Jahr 1956 vor mir, auf der einem Northwest-Airlines-Flugzeug eine Frau entsteigt, deren Pelzmantel zur Unzeit aufgeflogen ist (offenbar wegen eines lokal extrem begrenzten Schirokkos, der irgendwo direkt unter und zwischen ihren Beinen tobt), und enthüllt, dass sie einen Strumpfbandgürtel Modell 124 aus besticktem Nylon-Marquisette-Stoff der Marke Sarong trägt (zum Preis von 13,95 Dollar in allen guten Fachgeschäften erhältlich). Doch – und das hat mich seit 1956 nicht mehr losgelassen – die Frau trägt eindeutig keinen Rock oder sonst etwas zwischen ihrem Strumpfbandgürtel und Mantel, wobei sich sofort die brisante Frage stellt, was sie denn anhatte, als sie an Bord des Flugzeugs stieg. Ist sie den ganzen Weg von (sagen wir mal) Tulsa nach Minneapolis ohne Rock geflogen, oder hat sie ihn unterwegs ausgezogen – und wenn ja, warum?

Sarong-Anzeigen erfreuten sich in meinen Kreisen einer gewissen Anhängerschaft – mein Freund Doug Willoughby war ein großer Fan –, doch ich fand sie immer merkwürdig, unlogisch und einen Hauch pervers. »Die Frau kann doch nicht ohne Rock durchs halbe Land gereist sein«, bemerkte ich wiederholt, sogar ein wenig erhitzt. Willoughby gab das auch widerspruchslos zu, bestand aber darauf, dass genau das die Sarong-Anzeigen so ansprechend mache. Trotzdem, Sie werden mir zustimmen, es ist ein trauriges Zeitalter, wenn man nichts Pikanteres findet als das Foto einer entsetzten Frau mit einem teilweise enthüllten Hüfthalter in einer Illustrierten der eigenen Mutter.

Doch wie es der Zufall so wollte, hatten wir in Des Moines die erotischste Statue der Nation. Sie gehört zu dem großen Bürgerkriegsdenkmal des Staates Iowa auf dem Gelände des Capitol, heißt »Iowa« und ist eine sitzende Frau, die ihre nackten Brüste in Händen hält, ja, sie überraschend provokativ von unten umfasst. Die Pose soll symbolisch das Anbieten von Nahrung darstellen, doch in Wirklichkeit bringt sie jeden vorbeikommenden Mann auf ganz andere Gedanken. Manchmal fuhren wir an Samstagen mit dem Fahrrad dorthin und betrachteten die Statue von unten. »Sie steht an dieser Stelle seit dem Jahre 1890«, hieß es auf einem Schild. »Und bringt so manches andere zum Stehen«, witzelten wir immer. Aber man musste ganz schön lange radeln, nur um ein Paar Kupfertitten zu sehen.

Darüber hinaus blieb uns nur die Möglichkeit, Leute zu beobachten. Ein Junge namens Rocky Koppell, dessen Familie aus Columbus nach Des Moines gezogen war, wohnte eine Zeit lang in einem Apartment im Souterrain des Commodore Hotels und entdeckte ein Loch in der Wand hinter seinem Zimmerschrank, durch das er beobachten konnte, wie sich das Zimmermädchen nebenan aus- und anzog und sich gelegentlich einem ernsthaften Austausch von Körperflüssigkeiten mit einem der Hauswarte hingab. Koppell knöpfte einem 25 Cents für einen Blick durch das Loch ab, verlor aber die meisten seiner Kunden, als sich die Nachricht verbreitete, dass das Mädchen wie Adlai Stevenson, einer der Kandidaten um die Präsidentschaft, aussah, nur weniger Haare hatte.

Wo man niemals nacktes weibliches Fleisch zu sehen bekam, war im Kino. Das wusste man. Natürlich zogen sich Frauen in Filmen von Zeit zu Zeit aus, doch sie traten dazu immer hinter einen Wandschirm oder schlenderten in ein anderes Zimmer, nachdem sie ihre Ohrringe abgenommen und gedankenzerstreut den obersten Knopf ihrer Bluse geöffnet hatten. Selbst wenn die Kamera bei der Frau blieb, machte sie stets im entscheidenden Moment einen Schwenk nach unten, so dass man nur einen Morgenmantel sah, der um Knöchel fiel, oder einen Fuß, der ins Badewasser stieg. Man kann es nicht einmal als enttäuschend beschreiben, denn man hatte ja keine Erwartungen, die enttäuscht werden konnten. Nacktheit kam einfach nicht vor.

Wer von uns einen älteren Bruder hatte, wusste von einem Film mit dem Titel *Mau Mau*, der 1955 anlief. In seiner ersten Version war es ein solider Dokumentarfilm über den Aufstand der Mau-Mau in Kenia, von dem Fernsehnachrichtenmann

Chet Huntley vollkommen sachlich geschildert. Doch die Vertriebsgesellschaft, das heißt, ein Mann namens Dan Sonney, befand, der Film sei nicht kommerziell genug. Er heuerte eine einheimische Mannschaft von Schauspielern und Kameraleuten an und ließ in einem Orangenhain in Südkalifornien zusätzliche Szenen drehen, in denen »eingeborene« Frauen oben ohne vor Männern mit Macheten flohen. Die Extraszenen wurden mehr oder weniger willkürlich in den existierenden Film montiert, um das Ganze ein wenig aufzupeppen. Heraus kam ein sensationeller Kassenerfolg, besonders bei Jungs zwischen zwölf und 15. 1955 war ich leider erst vier und verpasste so das einzige nackte Gewackel auf Zelloloid des gesamten Jahrzehnts.

Als ich ungefähr neun war, bauten wir einmal ein Baumhaus im Wäldchen – ein richtig gutes Baumhaus, denn wir benutzten ein paar erstklassige Materialien, die wir auf einer Baustelle im River Oaks Drive beschlagnahmt hatten –, und dieses Baumhaus diente uns selbstverständlich als Ort, an dem wir uns voreinander auszogen. Das war nicht weiter aufregend, da die Gruppe aus ungefähr 84 kleinen Jungs und nur einem Mädchen bestand, Patty Hefferman, die schon im Alter von sieben Jahren mehr wog als ein großes Erdräumgerät (sie sollte schließlich als Patty »Reincs Rindfleisch« bekannt werden) und beim besten Willen niemandes Vorstellung von Erotik entsprach. Sie war aber für ein paar Oreo-Kekse bereit, sich von allen Seiten und so lange, wie jemand Interesse hatte, untersuchen zu lassen, was zumindest in anthropologischer Hinsicht von Nutzen für uns war.

Das einzige Mädchen aus unserem Viertel, das wir wirklich gern nackt gesehen hätten, war Mary O'Leary. Sie war das hübscheste Kind in Abermillionen Galaxien, doch ihre Kleider zog sie nicht aus. Sie spielte wunderbar mit uns im Baumhaus, wenn es lustig und harmlos zuging, doch in dem Moment, in dem die Angelegenheit schlüpfrig wurde, kletterte sie die Leiter hinunter, blieb unten stehen und schimpfte zornbebend und den Tränen nahe, wir seien widerwärtig und abscheulich. Weswegen ich sie sehr bewunderte, ja wirklich sehr, und oft auch hinunterging (denn ehrlich gesagt, konnte ich Patty Hefferman immer nur in gewissen Mengen genießen, wenn ich das von meiner Mutter gekochte Essen hinterher noch verzehren wollte) und Mary nach Hause begleitete, nicht ohne sie überschwänglich für ihre Tugend und Sittsamkeit zu loben.

»Die Jungs sind wirklich fies«, sagte ich, geflissentlich die Tatsache übergehend, dass ich für gewöhnlich dazugehörte.

Ihre Weigerung mitzumachen war eigenartigerweise das Allerprickelndste an der ganzen Übung. Ich liebte Mary O'Leary inniglich und betete sie an. Wenn ich neben ihr auf ihrem Sofa saß und wir fernsahen, betrachtete ich heimlich ihr Gesicht. Es war das Perfekteste, was ich je gesehen hatte – so weich, so sauber, so bereit zu lächeln, so voller rosigen Lichts. In der ganzen Schöpfung gab es nichts derartig Vollkommenes und Herrliches wie ihr Gesicht in dem Sekundenbruchteil, bevor sie lachte.

Im Juli jenes Jahres fuhr ich mit meiner Familie am Unabhängigkeitstag zu meinen Großeltern, wo ich die übliche niederdrückende Erfahrung machte, zuzugucken, wie Onkel Dee normales Essen in fliegende Gipsbröckchen verwandelte. Noch schlimmer, der Fernseher meiner Großeltern war kaputt, und das betreffende Ersatzteil nicht erhältlich. Denn der fröhlich debile, ortsansässige Fernsehtechniker sah sich außer Stande zu der Einsicht, dass es vielleicht nicht verkehrt war, einen Vorrat an Ersatzbildröhren bereitzuhalten – ein Versäumnis, für das er selbstverständlich mit einer Dosis ThunderVision karbonisiert wurde. Ich war jedenfalls gezwungen, das lange Wochenende in der bescheidenen Bibliothek meines Großvaters zu verbringen, die in der Hauptsache aus den gekürzten

153

Büchern von Reader's Digest, ein paar seichten Romanen von Warwick Deeping und einem großen Pappkarton mit *Ladies' Home Journals* bis zurück ins Jahr 1942 bestand. Es war ein anstrengendes Wochenende.

Als ich zurückkam, warteten Buddy Doberman und Arthur Bergen vor unserem Haus. Sie grüßten meine Eltern nur flüchtig und nahmen mich gleich zur Seite. Atemlos erzählten sie mir, dass Mary O'Leary während meiner Abwesenheit ins Baumhaus gekommen sei und sich ausgezogen habe – splitterfasernackt. Sie habe es freiwillig getan, ja sogar in regelrecht träumerischer Selbstverlorenheit.

»Sie war wie in Trance«, sagte Bergen liebevoll.

»Einer *glücklichen* Trance«, fügte Buddy hinzu.

»Es war wirklich schön«, sagte Bergen, in Erinnerungen schwelgend.

Natürlich weigerte ich mich, auch nur ein Wort davon zu glauben. Sie mussten ein Dutzend Mal bei Gott und auf einem Stoß Bibeln beim Leben ihrer Mütter und einigem anderem ähnlich Ernsthaftem schwören, bevor mein berechtigter Unglaube auch nur ein wenig schwand. Vor allem mussten sie mir jeden einzelnen Moment des Ereignisses schildern, doch dazu war Bergen mit bemerkenswerter Klarheit in der Lage. (Er hatte, wie er in späteren Jahren prahlte, ein pornografisches Gedächtnis.)

»Na, gut«, sagte ich so eifrig, wie Sie sich denken können, »holen wir sie und versuchen es noch mal.«

»O nein«, erklärte Buddy. »Sie hat gesagt, sie würde es nicht noch mal machen. Wir mussten schwören, wir würden sie nie mehr fragen. Das war die Bedingung.«

»Aber«, stotterte ich entsetzt, »das ist ungerecht.«

»Das Komische ist«, fuhr Bergen fort, »dass sie gesagt hat, sie hätte es sich schon länger überlegt, aber lieber gewartet, bis du mal nicht da wärst, weil sie dich nicht traurig machen wollte.«

»Mich traurig machen? Traurig? Ist das euer Ernst? Meint ihr das ernst?«

Die Delle auf dem Bürgersteig, gegen den ich die nächsten 14 Stunden den Kopf schlug, ist immer noch zu sehen. Und Mary O'Leary hielt Wort. Sie kam nicht einmal mehr in die Nähe des Baumhauses.

In einem Moment der Erleuchtung zog ich kurz danach alle Schubladen aus der Geheimkommode meines Vaters, um zu sehen, ob und was darin versteckt war. Zweimal im Jahr, im Frühling und Herbst, wenn er zum Frühjahrstraining und zur World Series fuhr, nahm ich ohnehin sein Zimmer auseinander und suchte verloren geglaubte Zigaretten, herrenloses Kleingeld und Beweise, dass ich wirklich vom Planeten Electro stammte – vielleicht einen Brief von King Volton oder dem Kongress von Electro, in dem eine fette Belohnung versprochen wurde, wenn man mich heil großzog und sicherstellte, dass alle meine Wünsche erfüllt wurden.

Da ich diesmal mehr Zeit als sonst hatte, zog ich die Schubladen ganz heraus, um zu sehen, ob etwas dahinter oder darunter war und fand meines Vaters bescheidenen Vorrat an Pornoheften, der aus zwei Explaren bestand; das eine hieß *Dude*, das andere *Nugget*. Sie waren extrem geschmacklos. Die Frauen darin sahen aus wie Pat Nixon oder Mamie Eisenhower – Frauen, bei denen man eher zahlen würde, wenn man sie *nicht* nackt sehen musste. Ich war entsetzt und erstaunt, nicht, weil mein Vater Männermagazine besaß – das war natürlich eine sehr willkommene Entwicklung, die man auch mit allen verfügbaren Mitteln fördern sollte –, sondern weil er eine so klägliche Auswahl getroffen hatte. Es schien auf tragische Weise typisch für ihn, dass sich sein krankhafter Geiz sogar hier bemerkbar machte.

Trotzdem waren sie besser als nichts und zeigten auf jeden Fall unbekleidete Frauen. Ich nahm sie mit ins Baumhaus, wo sie in Abwesenheit von Mary O'Leary sehr geschätzt wurden. Als ich sie, kurz bevor mein Vater etwa zehn Tage später vom Frühjahrstraining zurückkam, wieder an ihren Platz legte, waren sie auffallend abgegriffen. Ja, es war schwer, nicht zu bemerken, dass sich eine größere Leserschaft daran delektiert hatte. Von dem einen fehlte das Titelblatt, und fast alle Bilder trugen nun in den vielfältigsten jungen Handschriften am Rand Kommentare und Sprechblasensprüche, meist freimütigen Charakters. In den folgenden Jahren habe ich mich oft gefragt, was mein Vater sich wohl bei diesen beherzten Nachbesserungen gedacht hat, doch aus irgendeinem Grunde ergab sich nie der rechte Moment zum Fragen.

VII

Rums!

Mobile, Ala. (AP) – Das Oberste Gericht in Alabama bestätigte gestern die Todesstrafe für einen Gelegenheitsarbeiter, den Neger Jimmy Wilson, 55, der im letzten Jahr 1,95 Dollar aus dem Haus von Mrs. Esteele Barker gestohlen hat. Mrs. Barker ist weiß.

Raub ist in Alabama zwar ein Kapitalverbrechen, doch es ist in dem Staat noch nie jemand wegen eines Diebstahls von weniger als fünf Dollar exekutiert worden. Ein Gerichtssprecher vermutet, das Gericht habe sich möglicherweise davon beeinflussen lassen, dass Mrs. Barker aussagte, Wilson habe in respektlosem Ton mit ihr gesprochen.

Ein Sprecher für die National Association for the Advancement of Colored People nannte das Todesurteil ›eine Schande für die ganze Nation‹, sagte aber, die Organisation sei nicht in der Lage, dem verurteilten Mann zu helfen, weil sie in Alabama verboten sei.

Des Moines Register, 23. August 1958

Um 7.15 Uhr Ortszeit am 1. November 1952 brachten die Vereinigten Staaten im Pazifik, auf dem zu den Marshallinseln zählenden Eniwetok-Atoll (oder Enewetak-Atoll – der Name variierte sehr) die erste Wasserstoffbombe zur Explosion, wenn es auch eigentlich keine Bombe war, da man sie in keinerlei Hinsicht transportieren konnte. Nur wenn sich ein Feind zuvorkommend daneben gestellt hätte, als wir eine Achtzigtonnenkühlanlage für die Unmengen flüssigen schweren und überschweren Wasserstoffs bauten, mehrere Meilen Kabel damit verbanden und Dutzende elektrische Zündkapseln anbrachten, nur dann hätten wir die Möglichkeit gehabt, ihn damit in die Luft zu jagen. Da man auch 11 000 Soldaten und Zivilisten brauchte, um den Sprengsatz dazu zu bringen, auf Eniwetok zu explodieren, hätte man das Ganze wohl kaum auf dem Roten Platz errichten können, ohne Verdacht zu erregen. Korrekt ausgedrückt, war es ein »thermonuklearer Sprengsatz«. Und er verfügte über eine gewaltige Kraft.

Da man dergleichen noch nie zuvor ausprobiert hatte, wusste niemand, wie groß der Knall sein würde. Selbst nach vorsichtigsten Schätzungen – immerhin konnte eine Detonation von fünf Megatonnen heftigere Zerstörungen anrichten als sämtliche Feuerkraft, die von allen Beteiligten im Zweiten Weltkrieg eingesetzt worden war – und nach Meinung mancher Kernphysiker dachte man, die Explosion könne bis zu 100 Megatonnen erreichen, was so außerhalb des Messbereichs war, dass die Wissenschaftler die Konsequenzen nur erraten konnten. Unter anderem vermuteten sie, dass der gesamte Sauerstoff in der Atmosphäre entzündet werden könnte. Aber wer wagt, der gewinnt im Vernichtungswettbewerb, mag sich das Pentagon gedacht haben. Und so hielt am Morgen des 1. November jemand ein Streichholz an die Zündschnur, nahm – wie ich es mir immer gern ausmale – die Beine in die Hand und rannte davon.

Die Detonation erreichte eine Stärke von etwas mehr als zehn Megatonnen, vergleichsweise kontrollierbar, doch immer noch so machtvoll, dass man eine tausendmal so große Stadt wie Hiroshima hätte auslöschen können. Eine so große Stadt gibt es natürlich nicht auf der Erde. Binnen Sekunden erhob sich über Eniwetok eine Feuerkugel von fünf Meilen Höhe und vier Meilen Durchmesser, die zu einer Pilzwolke anschwoll, die 30 Meilen über der Erde über die Stratosphäre hinausstieß, sich über 1000 Meilen in jede Richtung ausbreitete und einen staubigen Ascheregen ausspie, der alles verdunkelte, bevor sie sich langsam auflöste. Es war das größte Gebilde jedweder Art, das je von Menschen kreiert worden war. Neun Monate später überraschten die Sowjets die Westmächte, als sie ihrerseits einen thermonuklearen Sprengsatz zur Explosion brachten. Das Rennen um die Auslöschung des Lebens hatte begonnen – und zwar rasant. Nun waren wir wirklich der Tod, der Zerstörer von Welten.

Es ist also nicht verwunderlich, dass ich in der Zeit, als das geschah, in Des Moines, Iowa, saß und mir still in die Hosen machte. Ich hatte keine Wahl. Ich war zehn Monate alt.

Furcht erregend an der Entwicklung der Bombe war nicht so sehr die Entwicklung der Bombe als vielmehr die Leute, die für die Entwicklung der Bombe zuständig waren. Denn nur wenige Wochen nach dem Test auf Eniwetok überlegten die Großkopfeten im Pentagon wahrhaftig, wie sie dieses Goldstück zur Anwendung bringen konnten. Sie erwogen allen Ernstes, einen Sprengsatz irgendwo nicht weit von der Front in Korea zu bauen, eine große Zahl nordkoreanischer und chine-

160

sischer Truppen zu verlocken, mal einen Blick darauf zu werfen, und ihn dann zu zünden.

Das Mitglied des Repräsentantenhauses für Pennsylvania, James E. Van Zandt, ein maßgeblicher Befürworter der Verwüstung, versprach uns bald einen Sprengsatz von mindestens 100 Megatonnen – der vielleicht alle unsere atembare Luft verzehren würde. Gleichzeitig träumte Edward Teller, der halb durchgeknallte Physiker aus Ungarn, eines der führenden Genies hinter der Entwicklung der H-Bombe, von aufregenden Verwendungen für nukleare Sprengsätze in Friedenszeiten. Teller und seine Gefolgsleute bei der Atomenergiebehörde wollten H-Bomben bei gewaltigen Bauvorhaben in einer Größenordnung einsetzen, die bis dahin unvorstellbar gewesen war: Man wollte Tagebaubergwerke anlegen, wo sich einmal Berge erhoben hatten, den Lauf von Flüssen zu unseren Gunsten ändern (und damit zum Beispiel sicherstellen, dass die Donau nur kapitalistischen Ländern zugutekam) sowie lästige Hindernisse für Handel und Schifffahrt in die Luft jagen wie zum Beispiel das australische Great Barrier Reef. Begeistert berichteten sie, dass man nur 26 Bomben in einer Reihe über der Meerenge von Panama hochgehen lassen müsste und mehr oder weniger sofort einen größeren, besseren Panamakanal ausgehoben hätte – und obendrein noch ein wunderhübsches Schauspiel geboten bekäme. Sie meinten sogar, man solle mit Nuklearsprengköpfen das Wetter auf der Erde verändern, indem man die Menge des Staubes in der Atmosphäre regulierte und damit auf Dauer den Winter aus dem Norden der Vereinigten Staaten verbannte und ihn für immer und ewig in die Sowjetunion schickte. Fast beiläufig schlug Teller vor, wir sollten den Mond als gigantisches Ziel zum Sprengköpfetesten benutzen. Die Explosionen wären durch Ferngläser von der Erde aus zu beobachten und würden Millionen Menschen nette Unterhaltung bieten. Kurzum, die Schöpfer der Wasser-

stoffbombe wollten die Welt in unvorhersehbare Strahlungs-
mengen hüllen, ganze Ökosysteme vernichten, das Antlitz der
Erde verheeren sowie unsere Feinde bei jeder Gelegenheit pro-
vozieren und gegen uns aufbringen – und davon träumten sie
in *Friedens*zeiten!

Im Grunde war es ihr Ehrgeiz, eine megagrauenhafte, trans-
portable Bombe zu bauen, die wir auf die Köpfe von Russen
und anderem geistesverwandtem Gesindel fallen lassen konnten, wann immer es uns beliebte. Der Traum wurde am ersten
März 1954 zur entzückenden Realität, als die Vereinigten Staaten 15 Megatonnen Knallzeug aus Gründen der Experimen-
tierlust über dem ebenfalls zu den Marshallinseln zählenden
Bikini-Atoll detonieren ließen (einem so wunderschönen Ort,
dass wir sogar ein Damenbekleidungsstück danach benannt
haben). Die Explosion übertraf die Hoffnungen bei weitem.
Man sah den Blitz in Okinawa, 2600 Meilen entfernt. Radioaktiver Niederschlag ging sichtbar über einem Gebiet von
mehr als 7000 Quadratmeilen nieder. Und alles schwebte
nicht in die vorhergesagte Richtung, sondern in die genau
entgegengesetzte. Wir wurden nicht nur gut darin, richtig gigantische Explosionen auszulösen. Wir schafften es auch noch,
Konsequenzen hervorzurufen, die unsere Fähigkeit, sie zu be-
herrschen, haushoch überstiegen.

Ein Soldat, der auf dem Kwajalein-Atoll stationiert war,
schrieb in einem Brief nach Hause, dass er gedacht habe, die
Explosion werde seine Kaserne wegpusten.»Plötzlich erstrahlte
der Himmel in einem leuchtenden Orangeton und blieb – so
kam es einem vor – minutenlang so … Wir hörten sehr lautes
Grollen, das wie Donner klang. Dann begannen die Kasernen
von oben bis unten zu zittern, als gäbe es ein Erdbeben. Dann
folgte ein sehr starker Wind« und alle Anwesenden sahen sich
fix nach etwas Festem um und hielten sich daran fest. Und
dabei war dieser Ort fast 200 Meilen vom Explosionsort ent-

fernt, weiß der Himmel, was die, die näher dran waren, erlebten – und das waren nicht wenige, unter anderem die ahnungslosen Bewohner der in der Nähe gelegenen Insel Rongelap, denen man gesagt hatte, sie sollten kurz vor sieben Uhr morgens mit einem hellen Blitz und einem lauten Knall rechnen, die aber ansonsten keine Warnungen erhalten hatten, keine Hinweise darauf, dass schon der Knall ihre Häuser umpusten und sie für immer taub machen konnte, und schon gar keine Anleitungen, wie sie mit den Nachwirkungen umgehen sollten. Als die radioaktive Asche auf sie herniederregnete, kosteten die verblüfften Inselbewohner davon, um zu sehen, woraus sie bestand – offenbar Salz – und bürsteten sie sich aus dem Haar.

Binnen Minuten fühlten sie sich dann aber gar nicht mehr wohl und niemand, der der Strahlung ausgesetzt gewesen war, hatte an dem Morgen noch Appetit auf Frühstück. Binnen Stunden litten viele an schwerer Übelkeit und bekamen, wo immer die Asche ihre bloße Haut berührt hatte, üppige Blasen. In den nächsten Tagen fiel ihnen das Haar büschelweise aus, und manche begannen innerlich zu verbluten.

Von dem Fallout wurden auch 23 nichts ahnende Fischer auf einem japanischen Schiff erwischt, das – eine Ironie, die niemandem entging – ›Glücklicher Drache‹ hieß. Als sie nach Japan zurückkehrten, fühlten sich die meisten Mannschaftsmitglieder hundeelend. Ihr Fang wurde von anderen Männern ausgeladen und auf den Markt gebracht, wo er unter den Tausenden anderer Ladungen verschwand, die an dem Tag in japanische Häfen gebracht worden waren. Weil man jetzt nicht mehr erkennen konnte, welche Fische kontaminiert waren und welche nicht, ließen die japanischen Konsumenten wochenlang die Finger von Fisch und ruinierten fast den ganzen Erwerbszweig.

Das japanische Volk insgesamt war nicht besonders glück-

lich über die ganze Sache. Innerhalb eines Zeitraums von nicht
einmal zehn Jahren hatte es die unerwünschte Ehre, sowohl
das erste Opfer der Atombombe als auch das erste der Wasserstoffbombe zu sein, und da regte man sich natürlich ein bisschen auf und wollte eine Entschuldigung. Den Gefallen taten
wir den Japanern natürlich nicht. Lewis Strauss, ein früherer
Schuhverkäufer, der den Aufstieg zum Vorsitzenden der Atom-
energiebehöre geschafft hatte (so waren die Zeiten), konterte
mit der Andeutung, dass die japanischen Fischer in Wirklichkeit Sowjetspione gewesen seien.

Die Vereinigten Staaten verlagerten ihre Tests aber dann
zunehmend nach Nevada, wo die Menschen sie, wie wir ja
schon gehört haben, wesentlich mehr zu schätzen wussten. Wir
führten im Übrigen nicht nur auf den Marshallinseln und in
Nevada Tests durch. In den ersten Jahren zündeten wir auch
auf den Weihnachtsinseln und dem Johnston-Atoll im Pazifik
Atombomben, über und unter dem Wasser im Südatlantik und
in New Mexico, Colorado, Alaska und (aus welchen Gründen
auch immer) in Hattiesburg, Mississippi. Zwischen 1946 und
1962 zündeten die Vereinigten Staaten knapp über 1000 atomare Sprengköpfe, darunter etwa 300 im Freien, wobei unzäh-
lige Tonnen radioaktiven Staubs in die Atmosphäre geschleudert wurden. Auch die UdSSR, China, Großbritannien und
Frankreich zündeten Dutzende.

Es stellte sich heraus, dass Kinder mit ihren hübschen,
kleinen Körpern und ihrer Vorliebe für Milchgetränke beson-
ders geschickt waren, Strontium 90 – die wichtigste radioaktive
Substanz im Niederschlag – aufzunehmen und zu speichern.
So umstandslos nahmen wir das Strontium auf, dass 1958 das
Durchschnittskind – das heißt, ich und 30 Millionen andere
Menschlein – zehnmal mehr Strontium 90 im Körper hatte
als noch ein Jahr zuvor. Wir glühten geradezu von dem Zeugs.

Also verlagerte man die Tests unter die Erde, was oft aber

nicht sonderlich gut funktionierte. Im Sommer 1962 zündeten Wissenschaftler im Dienste des Verteidigungsministeriums eine Wasserstoffbombe, die sie tief unter der Wüste von Frenchman Flat in Nevada begraben hatten. Die Explosion war so deftig, dass das Land darum herum sich um etwa 100 Meter hob, aufplatzte wie ein sehr schlimmes Furunkel und ein Krater von circa 250 Metern Durchmesser entstand. Überall flog Explosionsmüll hin. »Um vier Uhr nachmittags«, schrieb der Historiker Peter Goodchild, »war über Ely, Nevada, 200 Meilen vom Zentrum der Explosion entfernt, die radioaktive Wolke so dicht, dass die Straßenbeleuchtung eingeschaltet werden musste.« Sichtbarer Niederschlag schwebte auf sechs Staaten im Westen und zwei kanadische Provinzen hernieder, doch keiner gab das Fiasko offiziell zu, und es ergingen keine öffentlichen Warnungen an die Bevölkerung, in denen ihr geraten wurde, keine frische Asche zu berühren und die Kinder davon fernzuhalten. Ja, umgekehrt, die Einzelheiten des Vorfalls blieben zwei Jahrzehnte lang geheim, bis ein neugieriger Journalist sich auf das Recht des freien Zugangs zu Informationen berief, Klage einreichte und dann herausfand, was an dem Tag geschehen war.*

Während wir darauf warteten, dass uns die Politiker und das

---

* Das Testen von Atombomben erreichte einen rauschenden Höhepunkt, als die Sowjets im Oktober 1961 einen Fünfzigmegatonnensprengsatz im arktischen Norden ihres Landes detonierten. (50 Megatonnen entsprechen 50 Millionen Tonnen TNT – mehr als die 3000fache Sprengkraft der Bombe von Hiroshima 1945, durch die letztendlich 200 000 Menschen umkamen.) Die Anzahl der Atomwaffen betrug auf dem Höhepunkt des Kalten Krieges 65 000. Heute gibt es etwa 27 000, auf womöglich bis zu neun Länder aufgeteilt und alle unendlich gewaltiger als die Bomben, die 1945 auf Japan fielen. Das Bikini-Atoll ist übrigens mehr als 50 Jahre nach den ersten Atomtests immer noch unbewohnbar.

Militär einen echten Dritten Weltkrieg bescherten, boten uns die Comics mit Gusto einen imaginären. Auf dem Markt erschienen allmonatlich Titel wie *Atomic War!* und *Atom-Age Combat* und wurden bei den Kennern im Kiddie Corral sehr begehrt. Die visionären Verfasser der Comics nahmen, raffiniert, wie sie waren, den Generälen und anderen hohen Tieren die Atomwaffen weg und legten sie in die Hände gemeiner Infanteristen, die dergestalt unerschöpfliche Horden vorrückender chinesischer und russischer Truppen mit Atomraketen, Atomkanonen, Atomgranaten und sogar Atomgewehren mit Atomkugeln wegpusten konnten! Atomkugeln! Was für eine herrliche Idee! Was für ein packendes Blutbad. Bis die Asbestos Lady sich in mein Leben schlich und mein junges Herz und meine zuckenden Lenden eroberte, waren die Atomkriegscomics für mich die befriedigenste Form der Unterhaltung, die es gab.

Eigentlich aber mussten die Menschen sich in den 1950er Jahren über viel schlimmere Dinge Sorgen machen als über atomare Vernichtung. Nämlich über Kinderlähmung, darüber, dass sie sich das Gleiche leisten konnten wie die Nachbarn, darüber, dass Neger ins Viertel zogen, über Ufos. Vor allem aber über Teenager. Jawohl. Teenager wurden in den Fünfzigern ein Hauptgrund zur Sorge für die amerikanischen Bürger.

Natürlich gab es seit unvordenklichen Zeiten unausstehliche, halb erwachsene menschliche Wesen mit unreiner Haut. Doch als gesellschaftliches Phänomen war die Pubertät brandneu. (Das Wort Teenager wurde erst 1941 geprägt.) Als Teenager also sichtbar auf der Bildfläche erschienen, und zwar eher wie Mutantengeschöpfe in einem der vielen hervorragenden Science-Fiction-Filme des Jahrzehnts, wurde den Erwachsenen blümerant. Teenager rauchten, gaben Widerworte und machten auf Autorücksitzen Petting. Sie redeten Ältere mit respektlosen Namen an wie »Pops« und »Daddy-o«. Sie grinsten süffisant. Sie kurvten in endlosen Runden um alle günstig gelegenen Geschäftsviertel. Sie kämmten sich bis zu vierzehn Stunden am Tag. Sie hörten Rock 'n' Roll, eine energiegeladene Musik, die eindeutig nur dazu erdacht war, Halbwüchsige zu animieren, Unzucht zu treiben und Haschisch zu rauchen. »Wir wissen, dass viele Halbstarke Kiffer sind«, schrieben die Autoren des populären Buchs *USA Confidential*, stolz ihre Beherrschung des Straßenjargons demonstrierend. »Viele andere sind Rote oder Linke oder untergraben sonstwie Sitte und Anstand.«

Filme wie *Der Wilde*; *Denn sie wissen nicht, was sie tun*; *Die Saat der Gewalt*; *Mit siebzehn am Abgrund*; *Teenage Crime Wave*; *Mannstoll und gefährlich* und (wenn ich mir erlauben darf, einen persönlichen Favoriten zu nennen) *Teenagers from Outer Space* erweckten den Eindruck, dass die gestörte Jugend der Nation aus unerklärlichen Gründen nur noch Randale machte. Die *Saturday Evening Post* bezeichnete die Jugendkriminalität als »Schande Amerikas«. *Time* und *Newsweek* brachten beide Titelgeschichten zu den neuen jungen Rowdys. Unter Vorsitz von Estes Kefauver hielt der Senatsunterausschuss für Jugendkriminalität eine Reihe aufwühlender Anhörungen ab über das Zunehmen von Straßenbanden und das damit einhergehende ungebührliche Betragen.

In Wirklichkeit waren junge Menschen nie so brav oder so eifrig konservativ gewesen. Mehr als die Hälfte von ihnen glaubte laut Umfragen, wie J. Ronald Oakley in *God's Country: America in the Fifties* schrieb, dass Masturbation Sünde sei, Frauen zu Hause bleiben sollten und man der Evolutionstheorie nicht trauen dürfe – Ansichten, denen viele ihrer älteren Mitbürger aus tiefstem Herzen Beifall gespendet hätten. Außerdem arbeiteten Teenager hart und trugen mit Wochenend- und Freizeitjobs erheblich zum Wohlstand der Nation bei.

167

1955 verfügte der typische US-amerikanische Teenager über so viel Einkommen wie eine durchschnittliche vierköpfige Familie 15 Jahre zuvor. Insgesamt trugen die Geschmähten jährlich zehn Milliarden Dollar zum Bruttosozialsprodukt bei. Einerlei, wie man es betrachtete, Teenager waren keine schlechten Menschen. Von heute aus beurteilt, steht es allerdings außer Frage, dass man sie hätte einschläfern sollen.

Nur eines war in den 1950er Jahren fast genauso bedrohlich wie die Teenager, und das war natürlich der Kommunismus. Sich wegen des Kommunismus Sorgen zu machen war in dieser Dekade eine anstrengende, anspruchsvolle Tätigkeit. Die Rote Gefahr lauerte überall – in Büchern und Zeitschriften, in Regierungsstellen, im Schulunterricht, an allen Arbeitsplätzen. Besonders verdächtig war die Filmindustrie.

»Sehr viele Kinofilme, die aus Hollywood kommen, haben kommunistische Tendenzen«, trug 1947 der Kongressabgeordnete J. Parnell Thomas aus New Jersey, der Vorsitzende des Ausschusses für Unamerikanische Umtriebe des Repräsentantenhauses, mit ernster Miene vor und alle nickten zustimmend, auch wenn niemandem bei genauerem Nachdenken ein Hollywoodfilm eingefallen wäre, der auch nur im Geringsten mit marxistischem Gedankengut sympathisierte. Parnell nannte nie die Filme, die er im Kopf hatte, aber er hatte auch kaum noch Zeit dazu, dann er wurde schon bald überführt, große Summen Regierungsgelder veruntreut zu haben, indem er Löhne an fiktive Angestellte zahlte. Er wurde zu 18 Monaten Haft in einem Gefängnis in Connecticut verurteilt, wo er das unerwartete Vergnügen hatte, mit zweien der Leute einzusitzen, die sein Ausschuss dorthin gebracht hatte. Lester Cole und Ring Lardner junior hatten sich geweigert, vor dem Ausschuss auszusagen.

Walt Disney dagegen ließ sich nicht lumpen und behauptete

vor dem Ausschuss, dass die Cartoonistengewerkschaft in Hollywood von überzeugten Roten und ihren Sympathisanten angeführt werde und 1941 versucht habe, während eines Streiks sein Studio zu übernehmen und Mickymaus zum Kommunisten zu machen. Auch er legte nie Beweise vor, denunzierte aber einen seiner früheren Angestellten als Kommunisten, weil er nicht zur Kirche ging und einst Kunst in Moskau studiert hatte.

Wahnsinnige fanden in dieser Zeit ganz besonders leicht Gehör. Der Wanderprediger Billy James Hargis, ein pummeliger Rüpel aus Sapulpa, Oklahoma, warnte die Nation in wöchentlichen, schweißtreibenden Predigten, dass die Kommunisten sich in die Bundesaufsicht der US-Banken eingeschlichen, ja, sie praktisch übernommen hätten wie auch das Erziehungsministerium, den Nationalen Kirchenrat und fast alle anderen nur denkbaren, landesweit agierenden Organisationen. Seine Verkündigungen wurden von 500 Radio- und 250 Fernsehsendern übertragen und gewannen eine riesige Anhängerschaft, wie auch seine vielen Bücher, die Titel hatten wie *Communism: The Total Lie* und *Is the Schoolhouse the Proper Place to Teach Raw Sex?*

Obwohl Hargis keinerlei Schulabschlüsse besaß (er war sogar vom Ozark Bible College geflogen – was ihm erst mal einer nachmachen musste), gründete er mehrere Ausbildungsanstalten, darunter die Christian Crusade Anti-Communist Youth University. (Die Unihymne hätte ich gern gehört!) Als Hargis gefragt wurde, was an seinen Bildungsstätten gelehrt werde, erwiderte er: »Antikommunismus, Antisozialismus, Antisozialstaat, Anti-Russland, Anti-China, die wörtliche Interpretation der Bibel und die Rechte der Bundesstaaten.« Hargis brachte sich schließlich selbst zu Fall, als herauskam, dass er in Momenten göttlicher Inbrunst mit mehreren seiner Studenten, männlichen wie weiblichen, Sex gehabt hatte. Der *Economist* berichtete, dass ein Paar diese Entdeckung machte, als es einander in der Hochzeitsnacht errötend diese Fehltritte beichtete.

Auf dem Höhepunkt der Roten Gefahr gab es in 32 der 48 Staaten Verpflichtungen zu Treueeiden der einen oder anderen Art. In New York, schreibt Oakley, musste man einen Treueeid leisten, wenn man einen Angelschein haben wollte. In Indiana vereidigte man Profiringer. Der Communist Control Act von 1954 erklärte es zur strafbaren Handung in allen Bundesstaaten, kommunistische Gedanken zu verbreiten, einerlei, mit welchen Mitteln, auch nicht mit Signalmasten. In Connecticut verstieß man gegen das Gesetz, wenn man die Regierung kritisierte oder schlecht über die Armee oder die amerikanische Flagge sprach. In Texas konnte man für zwanzig Jahre hinter Gitter wandern, wenn man Kommunist war. In Birmingham, Alabama, war es schon fast gesetzwidrig, im Gespräch mit einem Kommunisten gesehen zu werden.

Der Ausschuss für Unamerikanische Umtriebe gab Millionen Flugblätter heraus, die den Titel trugen »Einhundert Dinge, die du über den Kommunismus wissen solltest« und im Einzelnen auflisteten, auf was man im Verhalten der Nachbarn, Freunde und Familie achten sollte. Der angesehene Wanderprediger Billy Graham erklärte, dass über 1000 anständig klingende amerikanische Organisationen in Wirklichkeit Deckadressen für kommunistische Organisationen seien. Rudolf Flesch, Autor des Bestsellers *Why Johnny Can't Read*, behauptete, dass man die Demokratie unterminiere und dem Kommunismus den Weg ebne, wenn man in den Schulen nicht mit der phonetischen Methode alphabetisiere. Westbrook Pegler, Kolumnist gleich mehrerer Zeitungen, schlug vor, jeden, den man überführt habe, irgendwann in seinem Leben einmal Kommunist gewesen zu sein, ohne viel Federlesens ins Jenseits zu befördern. Die Befindlichkeiten waren derart, sagt David Halberstam, dass General Motors einem neu eingestellten russischen Autodesigner namens Zora Arkus-Duntov in Pressemitteilungen eine »belgische Abstammung« bescheinigte, was vollkommen frei erfunden war.

Keiner beutete die Angst erfolgreicher aus als Joseph R. McCarthy, der republikanische Senator aus Wisconsin. 1950 behauptete er in einer Rede in Wheeling, West Virginia, er habe eine Liste von 205 Kommunisten in der Tasche, die im Außenministerium arbeiteten. Am nächsten Tag behauptete er, er habe noch eine Liste mit 57 Namen. In den nächsten vier Jahren wedelte McCarthy mit vielen Listen, auf denen angeblich immer wieder eine andere Anzahl kommunistischer Agenten stand. Mit seinem feurigen Gefasel half er, das Leben vieler Menschen zu zerstören, zeigte aber keine einzige der versprochenen Listen. Keine Beweise vorzulegen wurde zum Trend.

Andere brachten weitere Vorurteile ins Spiel. John Rankin, lang gedienter Kongressabgeordneter aus Mississippi, gab zu bedenken: »Vergessen Sie nicht, der Kommunismus ist jüddisch. Soweit ich weiß, sind alle Mitglieder des Politbüros um Stalin entweder jüddisch oder mit Juden verheiratet, einschließlich Stalin selbst.« Im Vergleich zu solchen Männern wirkte McCarthy beinahe moderat und einigermaßen zurechnungsfähig.

Es herrschte eine derartige Hysterie, dass man nicht einmal etwas getan haben musste, um Ärger zu kriegen. 1950 veröffentlichten drei ehemalige FBI-Agenten ein Buch mit dem Titel *Red Channels: The Report of Communist Influence in Radio and Television*, in dem sie 151 berühmte Persönlichkeiten – unter anderem Leonard Bernstein, Lee J. Cobb, Burgess Meredith, Orson Welles, Edward G. Robinson und die Stripperin Gypsy Rose Lee – der verschiedensten aufwieglerischen Umtriebe beschuldigten. Zu den skandalösen Missetaten, derer die Künstler angeklagt wurden, gehörte, dass sie öffentlich gegen religiöse Intoleranz gesprochen hatten, den Faschismus ablehnten und für den Weltfrieden und die Vereinten Nationen waren. Keiner hatte irgendeine Verbindung zur Kommunistischen Partei oder je Sympathien für den Kommunismus bekundet. Trotzdem konnten viele von ihnen noch Jahre danach keine Arbeit finden, wenn sie sich nicht (wie Edward G. Robinson) doch noch bereit erklärten, als beflissener Zeuge vor dem Ausschuss zu erscheinen und Namen zu nennen.

Überhaupt irgendetwas zu tun, das Kommunisten half, war im Prinzip illegal. 1951 durfte Dr. Ernest Chain, ein eingebürgerter Brite, der sechs Jahre zuvor den Nobelpreis erhalten hatte, weil er an der Entwicklung des Penicillins beteiligt gewesen war, nicht mehr in die Vereinigten Staaten einreisen, weil er kurz zuvor mit der Weltgesundheitsorganisation in der Tschechoslowakei gewesen war, wo mit Hilfe der WHO eine Penicillinfabrik errichtet werden sollte. Humanitäre Hilfe war offenbar nur dann erlaubt, wenn die, die gerettet wurden, an die freie Marktwirtschaft glaubten. Auch amerikanische Staatsbürger stellten fest, dass ihnen das Reisen verboten wurde. Linus Pauling, immerhin zweifacher Nobelpreisträger, wurde am Flughafen Idlewild in New York daran gehindert, das Flugzeug nach Großbritannien zu besteigen, wo er von der Royal Society geehrt werden sollte. Sein Pass wurde eingezogen, weil er ein-, zweimal einen liberalen Gedanken geäußert hatte.

Diejenigen, die keine gebürtigen US-Amerikaner waren, traf es noch schlimmer. Nachdem Beamte der Einwanderungsbehörde erfahren hatten, dass ein in Finnland geborener Bürger namens William Heikkilin in seiner Jugend kurze Zeit der Kommunistischen Partei angehört hatte, spürten sie ihn in San Francisco auf, verhafteten ihn auf dem Weg von der Arbeit nach Hause und packten ihn in ein Flugzeug nach Europa mit nichts als einem Dollar Kleingeld und den Kleidern, die er am Leibe trug. Erst als sein Flugzeug am nächsten Tag gelandet war, teilten sie seiner verzweifelten Frau mit, dass ihr Mann abgeschoben worden war. Sie weigerten sich ihr zu sagen, wohin.

In der vielleicht surrealsten Episode des Ganzen sagte man dem Dramatiker Arthur Miller – dem eine Rüge des Kongresses und mögliche Gefängnishaft bevorstanden, weil er Freunde und Theaterkollegen nicht verraten wollte –, dass man die Anklagen gegen ihn fallen lassen werde, wenn er es ermögliche, dass Francis E. Walter, der Vorsitzende des Ausschusses, mit Millers berühmter, appetitlicher Frau Marilyn Monroe fotografiert werde.

1954 machte McCarthy sich endlich selbst den Garaus. Er klagte General George Marshall, den Mann hinter dem Marshall-Plan und von unumstrittener Rechtschaffenheit, des Landesverrats an, aber der Vorwurf stellte sich rasch als grotesk heraus. Dann legte er sich mit der gesamten Armee der Vereinigten Staaten an und drohte Dutzende subversive höhere Offiziere zu entlarven, die die Armee wissentlich, behauptete er, in ihren Reihen schütze. In mehreren vom Fernsehen übertragenen Anhörungen, die sich über 36 Tage im Frühjahr 1954 hinzogen und als die ›Army-McCarthy-Anhörungen‹ bekannt wurden, entlarvte er sich als schurigelnder, polternder Narr erster Güte, der nicht den Fetzen eines Beweises gegen irgendjemanden hatte – aber so war er ja schon immer gewesen. Der Großteil der Nation brauchte eben nur lange, um das zu begreifen.

Ende des Jahres wurde er vom Senat streng getadelt – eine ungeheure Demütigung. Drei Jahre später starb er in Ungnade. Tatsache aber ist: Wäre er auch nur ein winziges bisschen klüger oder liebenswürdiger gewesen, hätte er gut und gern Präsident werden können. Mit McCarthys Fall kam der Feldzug gegen den Kommunismus indes nicht zum Stillstand. Immerhin arbeiteten 1959 immer noch 400 Agenten in dem New Yorker Büro des FBI Vollzeit daran, Kommunisten im

Leben der Vereinigten Staaten aufzustöbern, schreibt Kenneth O'Reilly in *Hoover and the Un-Americans*.

Dank unserer maßlosen Angst vor Kommunismus im Inneren und Äußeren wurden wir der erste Staat in der modernen Geschichte, der in Friedenszeiten eine Kriegswirtschaft aufbaute. Die jährlichen Ausgaben für die Verteidigung betrugen in den fünfziger Jahren zwischen 40 und 53 Milliarden – mehr als die gesamten Regierungsausgaben zu Beginn der Dekade. Während der acht Jahre der Präsidentschaft Eisenhowers blätterten die Vereinigten Staaten insgesamt 350 Milliarden Dollar für die Verteidigung hin. Darüber hinaus bestanden 90 Prozent unserer Entwicklungshilfe in Ausgaben für das Militär. Wir wollten nicht nur uns selbst bewaffnen, sondern sicherstellen, dass auch alle Freunde und Verbündeten bewaffnet waren.

Allerdings musste man oft nur unseren wirtschaftlichen Interessen in die Quere kommen, um sich unsere Feindschaft zuzuziehen und eine Menge Ärger aufzuhalsen. 1950 wählte Guatemala eine Regierung, die Reformen durchsetzen wollte – »die demokratischste Regierung, die Guatemala je hatte«, sagt der Historiker Howard Zinn – und an deren Spitze Jacobo Arbenz stand, ein gebildeter Großgrundbesitzer mit guten Absichten. Seine Wahl war ein Schlag für die United Fruit Company, die Guatemala seit dem 19. Jahrhundert wie ihren Feudalbesitz regierte. Das Unternehmen besaß fast alles, was im Land wichtig war – die Häfen, die Eisenbahn, das Nachrichten- und Kommunikationsnetz, die Banken, die Läden und etwa 550 000 Morgen Ackerland –, bezahlte wenig Steuern und konnte sich stets auf die Unterstützung einer Reihe strenger Diktatoren verlassen.

Etwa 85 Prozent ihres Landes ließ die United Fruit mehr oder weniger ständig brachliegen. Dadurch blieben die Obstpreise hoch und die Guatemalteken arm. Arbenz, der Sohn

Schweizer Einwanderer und in gewisser Weise ein Idealist, fand das ungerecht und beschloss, das Land demokratischer zu machen. Er führte freie Wahlen ein, beendete die Rassendiskriminierung, unterstützte eine freie Presse, setzte die Vierzigstundenwoche durch, legalisierte die Gewerkschaften und machte der Korruption in Regierung und Verwaltung ein Ende.

Selbstverständlich liebten die meisten Menschen ihn. Bei dem Versuch, die Armut zu verringern, erarbeitete er einen Plan zur Verstaatlichung eines Großteils des brachliegenden Ackerlandes zu einem fairen Preis – einschließlich der 1700 Morgen, die ihm selbst gehörten. Das Land sollte in kleinen Parzellen an 100 000 landlose Bauern verteilt werden. Zu diesem Zweck enteignete Arbenz' Regierung 400 000 Morgen Land der United Fruit und bot als Entschädigung die Summe, die das Unternehmen als Wert bei der Steuererklärung angegeben hatte – 1 185 000 Dollar.

Da kam United Fruit flugs zu dem Schluss, das Land sei eigentlich 16 Millionen Dollar wert, doch diese Summe konnte die guatemaltekische Regierung natürlich nicht aufbringen. Als Arbenz die Forderung nach einer höheren Entschädigungssumme der United Fruit Company ablehnte, beschwerte sich die Firma bei der US-amerikanischen Regierung, die prompt einen Putsch unterstützte.

1954 floh Arbenz aus seinem Heimatland und ein neuer, gefügigerer Mann names Carlos Castillo wurde eingesetzt. Um ihm den Anfang zu erleichtern, gab ihm der CIA eine Liste mit 70 000 »fragwürdigen Individuen« – Lehrern, Ärzten, Regierungsangestellten, Gewerkschaftsfunktionären, Priestern –, die an den Reformen in dem Glauben mitgearbeitet hatten, dass Demokratie etwas Gutes sei. Tausende von ihnen wurden nie wieder gesehen.

Und in dieser ernüchternden Stimmung wollen wir lieber

wieder in die Welt des Kindes zurückkehren, deren Bewohner vielleicht klein und oft ungeheuer dumm sind, aber vergleichsweise zivilisiert.

VIII

Schulzeit

Der Schüler Edward Mulrooney wurde im kalifornischen Pasadena verhaftet, nachdem er eine Bombe auf das Haus seines Psychologielehrers geworfen und einen Zettel hinterlassen hatte, auf dem stand: »Wenn Sie nicht wollen, dass Ihr Haus bombardiert oder Ihre Fenster rausgeschossen werden, zensieren Sie gerecht und schreiben Sie die Aufgaben an die Tafel – oder ist das zu viel verlangt?«

Time, 16. April 1956

Die Greenwood School, meine Grundschule, war ein wunderbares, für ein kleines Kind riesiges altes Gebäude, eine Burg aus Backsteinen. 1901 erbaut, befand sie sich am Ende einer Seitenstraße der Grand Avenue mit außergewöhnlich großen, eleganten Häusern. Das gesamte Viertel roch angenehm nach altem Geld.

Der erste Gang in die Greenwood war für mich als Fünfjährigen sowohl die furchteinflößendste als auch die aufregendste Erfahrung meines Lebens. Die Eingangstüren wirkten etwa zwanzigmal höher als normale Türen, und innen war alles in ähnlich imposantem Maßstab gebaut, einschließlich der Lehrer. Die Schule mit allem Drum und Dran war einschüchternd und faszinierend zugleich.

Ich glaube, es war die hübscheste Grundschule, die ich je gesehen habe. Alles dort, der kühle Keramiktrinkbrunnen, die blank gebohnerten Gänge, die Garderoben mit ihren uralten, hübsch in regelmäßigen Abständen voneinander angebrachten Kleiderhaken, die riesigen klackernden Heizkörper mit ihren kunstvollen, eingeprägten Mustern wie Eisenadern, die Schränke mit den Glasscheiben, alles knirschte altehrwürdig schön, war solide, funktional und stilvoll. Die Schule war zu einer Zeit von Handwerkern erbaut und eingerichtet worden, als Qualität noch zählte und Generationen von lernbegierigen Kindern die Atmosphäre prägten. Wenn ich nicht so viel Zeit damit hätte verbringen müssen, Lehrer zu vaporisieren, hätte ich die Schule geliebt.

Trotzdem, ich mochte das Gebäude. An dieser uralten, längst untergegangenen Welt um die Mitte des 20. Jahrhunderts war ja so herrlich, dass für Kinder gedachte Einrichtungen oft nur kleinere Versionen derjenigen aus der Erwachsenenwelt waren. Sie können sich nicht vorstellen, wie viel toller sie dadurch wurden. Unser Little-League-Baseballfeld war zum Beispiel ein richtiges Spielfeld mit Haupttribüne und Getränkestand, Pressekabine und echten, tiefer gesetzten Spielerbänken. (Und was machte es schon, dass sich jedes Mal, wenn es regnete, große Pfützen bildeten und die kleineren Spieler nicht über den Rand schauen konnten und deshalb häufig zum falschen Zeitpunkt jubelten?) Wenn man die drei abgetretenen Stufen hoch aufs Spielfeld rannte, konnte man sich wirklich vorstellen, man sei im Yankee Stadium. Je besser die Ausstattung, desto reicher die Fantasien, glauben Sie mir. Greenwood hatte alles im Übermaß.

Zum Beispiel eine Aula, die wie ein richtiges Theater war, mit Bühne und Vorhängen und Scheinwerfern und dahinter den Künstlergarderoben. Die Schulaufführungen konnten also noch so schlecht sein – und unsere waren grottenschlecht, teils, weil wir kein Talent hatten, und teils, weil Mrs. De Voto, unsere schon betagte Musikerlehrerin, gern am Klavier einschlummerte –, man hatte trotzdem stets das Gefühl, an einem wohlgeordneten professionellen Unternehmen beteiligt zu sein. (Selbst wenn man dastand und endlos lange einen Ton hielt, weil man darauf wartete, dass Mrs. De Votos Kinn auf der Tastatur aufschlug, wonach sie stets wieder putzmunter wurde und mit mitreißender Begeisterung genau an der Stelle weitermachte, an der sie ein, zwei Minuten zuvor aufgehört hatte.)

Greenwood hatte auch die schönste Turnhalle der Welt. Sie war oben an der Rückseite der Schule, was ihr etwas hübsch Unerwartetes verlieh. Man öffnete die Tür, erwartete ein normales Klassenzimmer dahinter zu finden und stand stattdessen – he! Donnerwetter! – in einem gigantischen kubischen Gewölbe aus blankpoliertem Holz. Eine wahre Augenweide: Der

Raum hatte Fenster wie eine Kathedrale, eine Decke, die ein Ball niemals erreichte, Quadratmeilen lackierten Holzbodens, der von quietschenden Turnschuhen und zarten Tröpflein kindlichen Schweißes in Jahrzehnten einen weichen honigfarbenen Schimmer bekommen hatte, und eine so klasse hallende Akustik, dass es jedes Mal klang, als seien die einherspringenden Bälle echt sportlich und geschickt geschlagen worden. Wenn das Wetter gut war und wir aus der Turnhalle zum Spielen nach draußen geschickt wurden, führte uns der Weg zum Platz zuerst auf eine beängstigende, doch zugleich in erhabenen Höhen befindliche, klapprige Feuerleiter. Der Blick von dort hoch oben reichte über Meilen von Dächern und sonnenbeschienener Landschaft praktisch bis Missouri – so kam es einem jedenfalls vor.

Doch weil draußen fast immer Winter war, spielten wir meist in der Halle. Damals waren Winter natürlich wie alle Kindheitswinter viel länger, schneereicher und kälter als heute. Wir hatten stets bis zu dreieinhalb Meter Schnee auf einen Schlag – ja, selten weniger – und wochenlanges arktisches Wetter, so bitterkalt, dass man Eiszapfen pullern konnte.

Und da das Schulgebäude immer bis zur Temperatur eines Töpferbrennofens aufgeheizt wurde, befanden sich sowohl Schüler als auch Lehrer in einem Zustand permanenter, wehrloser Schläfrigkeit. Gleichzeitig machte die stickige Wärme alles köstlich heiter und gemütlich. Selbst Lumpy Kowalkskis Hose roch nicht ganz so schlimm. Andererseits waren die Heizkörper so heiß, dass man sich die Haut verschmorte, wenn man sich leichtsinnigerweise mit dem Ellenbogen darauf stützte. Eine berüchtigte Tradition war es, auf die Heizkörper in den Jungstoiletten zu pieseln. Da entstand ein überaus scharfer durchdringender Gestank, der tagelang ganze Gebäudeflügel durchzog und den man auch durch noch so viel Schrubben oder Lüften nicht loswurde. Jeder, der beim Pinkeln auf die Heizung erwischt wurde, wurde standrechtlich erschossen.

Die Schultage selbst verbrachte man großteils damit, Kleidung abzulegen oder anzuziehen. Ein zähes, anstrengendes Prozedere. Fast den ganzen Morgen dauerte es, die Kleidung für draußen auszuziehen, und fast den ganzen Nachmittag, sie wieder anzuziehen, immer unter der Voraussetzung, dass man irgendwas davon in dem kunterbunt durcheinanderliegenden, rutschigen Kleiderhaufen wiederfand, der den Boden der Garderoben bis zu einem Meter hoch bedeckte. Wenn wir uns umkleideten, entstanden Szenen wie im Flüchtlingslager und stets irrten mindestens drei Kinder umher und weinten bittere Tränen, weil sie nur einen Schuh oder gar keine Handschuhe mehr hatten. Lehrer sah man in solchen Momenten nie.

Schuhe hatten damals eigentümliche, unkooperative Verschlüsse, die wahrhaftig gleichzeitig kniffen und blutige Wunden rissen und besonders, wenn die Hände taub vor Kälte waren, manch interessante Verletzung verursachten. Die Hersteller hätten auch gleich Rasierklingen verwenden können. Weil die Verschlüsse so gefährlich waren, ließ man sie schließlich offen, was männlicher war, aber auch gewaltige Schneemassen hereinließ, so dass man einen Großteil des Tages in triefnassen Socken verbrachte, die dreimal länger als die Füße wurden. Und da die Kleidung ständig feucht war und sich die Wärme in den Kinderkörpern staute, lief uns von Oktober bis April die Nase, was die meisten aber als flüssigen Nahrungsspender betrachteten.

Greenwood hatte keine Cafeteria, zum Mittagessen mussten wir nach Hause gehen, was bedeutete, dass wir uns an jedem Schultag viermal an- beziehungsweise auszogen – und wenn der Lehrer so dumm war, irgendwann eine Pause an der frischen Luft anzuordnen, sechsmal. Mein guter, geistig minderbemittelter Freund Buddy Doberman brauchte sein Leben lang immer so viel Zeit beim Umziehen, dass er oft die Übersicht verlor und mich fragen musste, ob wir jetzt die Mützen an- oder aufsetzten. Doch für jedwede Hilfe war er stets sehr dankbar.

Von den vielen tausend Dingen, die Mütter nie verstehen – wie männlich Grasflecken sind, wie befriedigend ein richtig guter Rülpser oder ein Ausstoß sonstiger gasiger Substanzen ist und wie nötig man es von Zeit zu Zeit findet, durch Strohhalme nicht zu saugen, sondern zu blasen –, ist Winterkleidung tragischerweise vielleicht das Augenfälligste. In den Fünfzigern lebten alle Mütter in der Furcht vor Kaltfronten, die sich aus Kanada hereinmogelten, und sie bestanden darauf, dass ihre Kinder mindestens sieben Monate im Jahr enorme Mengen an wärmespendender Kleidung trugen. Im Allgemeinen in Form von Unterwäsche – Baumwollunterwäsche, Flanellunterwäsche, lange Unterwäsche, Rheumaunterwäsche, gesteppte Unterwäsche, Feinrippunterwäsche, Unterwäsche mit Schulterpolstern und womöglich noch mehr; an Unterwäsche mangelte es in den Vereinigten Staaten in den 1950er Jahren nicht – denn auch, wenn man nur zehn Minuten am Tag an der frischen Luft war, hätte man ja erfrieren können.

Dabei berücksichtigten die Mütter leider nicht, dass man von der zusätzlichen Kleidung derart mumifiziert war, dass man Arme und Beine überhaupt nicht mehr beugen konnte, und wenn man hinfiel, nie wieder auf die Beine kam, falls einem nicht jemand half, worauf aber nicht immer Verlass war. Die vielen Schichten Unterwäsche machten auch Toilettengänge zu einer nervenaufreibenden Herausforderung. Die Hersteller versahen zwar jedes Teil mit winkelförmigen Schlitzen, aber die lagen nie richtig übereinander, und wenn der Penis nur die Größe einer knospenden Eichel hat, ist es ohnehin viel verlangt, ihn durch sieben, acht Lagen Unterwäsche zu fädeln und trotzdem noch richtig im Griff zu behalten. Bei jedem Besuch der Toilette hörte man zumindest einen panikartigen Schrei von jemandem, der mittendrin den Zugriff verloren hatte und nun hektisch nach dem verschütt gegangenen Anhängsel kramte.

Die Mütter begriffen auch nicht, dass man in bestimmter Kleidung in bestimmten Lebensphasen verprügelt wurde. Zum Beispiel, wenn man mit über sechs Jahren noch Schneehosen trug. Auch wenn man eine Mütze mit Ohrenklappen oder schlimmer noch, mit einem Band unter dem Kinn aufhatte, konnte man mit einer Tracht Prügel beziehungsweise auf jeden Fall mit ein paar Händen voll Schnee im Nacken rechnen. Das Schlappschwänzigste, Allerdümmste aber war, Gummiüberschuhe zu tragen. Galoschen waren stil- und nutzlos allemal, und sogar der Name klang dämlich und unentrinnbar demütigend. Wenn einen die Mutter zwang, zu irgendeinem Zeitpunkt des Jahres Galoschen zu tragen, war das das Todesurteil. Ich kannte Jungs, die zum Jahresabschlussball der Highschool kein Mädchen kriegten, weil sich jedes Mädchen, das sie fragten, erinnerte, dass sie in der dritten Klasse Galoschen getragen hatten.

Ich war kein Schüler, der bei den Lehrern beliebt war. Nur Mrs. De Voto mochte mich, doch sie mochte alle Kinder, hauptsächlich, weil sie nicht wusste, wer überhaupt wer war. Sie schrieb »Billy singt mit Begeisterung« auf alle meine Zeugnisse, nur ein-, zweimal »Bobby singt mit Begeisterung«. Aber das verzieh ich ihr, denn sie war gütig und wohlwollend und roch gut.

Die anderen Lehrer – alles Frauen, alle unverheiratet – waren groß, massig, misstrauisch, frustriert, autoritär und nicht gütig. Sie rochen auch merkwürdig – nach einer Mischung aus Kampher, Mentholpfefferminzbonbons und der kuriosen Auffassung (die sehr wohl zu ihrem Unverheiratetsein beigetragen haben mochte), dass sich großzügig Einpudern so gut wie ein Bad sei. Manche bepuderten sich seit Jahren, doch glauben Sie mir, es hatte keinen Zweck.

Mit konstanter Bosheit wollten sie immer komische Sachen von einem wissen, was ich verwirrend fand. Wenn man fragte, ob man zur Toilette könne, wollten sie wissen, ob man klein oder groß müsse, und diese Neugierde kam mir irgendwie krankhaft vor. Außerdem benutzten wir bei uns zu Hause diese Begriffe nicht. Bei uns zu Hause ging man entweder pieseln oder hatte Stuhlgang, ›Es-Te‹, doch meist ging man einfach »zur Toilette« und verkündete seine Absichten nicht öffentlich. Als ich also das erste Mal um die Erlaubnis bat zu gehen, hatte ich keinen blassen Schimmer, was die Lehrerin meinte, als sie mich fragte, ob ich klein oder groß müsse.

»Ich weiß nicht«, erwiderte ich freimütig und mit klarer Stimme, »wahrscheinlich richtigen Es-Te. Es könnte noch größer als groß sein.«

Für diese Antwort wurde ich in die Garderobe geschickt. Ich wurde oft in die Garderobe geschickt, häufig aus Gründen, die ich nicht recht verstand, aber es störte mich eigentlich nie. Schließlich war es eine merkwürdige Bestrafung, dass man wohin geschickt wurde, wo man mit den Pausenbroten und dem persönlichen Eigentum aller seiner Klassenkameraden allein war und niemand sah, was man damit anstellte. Man konnte die Zeit auch wunderbar nutzen, um sich seiner Privatlektüre zu widmen.

Intellektuell tat ich mich nicht sonderlich hervor. Auf meinem ersten Zeugnis für das erste Halbjahr der ersten Klasse stand eine einzige Bemerkung der Lehrerin. »Billy spricht leise.« Das war's. Nichts über meinen Charakter oder mein Verhalten, meine wunderbaren Fortschritte beim Lesen und Schreiben, mein gewinnendes Lächeln oder meine stets zuversichtliche Haltung (»Das packen wir schon.«), nur ein knappes, rätselhaftes »Billy spricht leise.«. Es war nicht einmal deutlich, ob es sich um eine Rüge oder lediglich eine Bemerkung handelte. Nach dem zweiten Halbjahr stand in dem Zeugnis: »Billy redet immer noch leise.« In meinen sämtlichen anderen Zeugnissen war die Spalte für die allgemeine Beurteilung leer – wirklich jedes Mal, außer wenn Mrs. De Voto getreulich Bericht über mein begeistertes Liederschmettern erstattete. Es war, als sei ich gar nicht da. Was auch oft der Fall war.

Die Vorschule, in der ich schon mit Greenwood Bekanntschaft gemacht hatte, dauerte nur einen halben Tag lang. Man ging entweder morgens oder nachmittags hin. Ich wurde in die Nachmittagsgruppe gesteckt, was Glück war, denn damals stand ich selten vor Mittag auf. (Bei uns zu Hause waren wir alle Nachteulen.) Eines meiner allerersten Erlebnisse in der Vorschule war, dass ich mittags voller Tatendrang ankam und mit den Fingerfarben loslegen wollte und stattdessen angewiesen wurde, mich zum Mittagsschläfchen auf einen kleinen Teppich zu legen. Ausruhen mussten wir uns in den fünfziger Jahren viel; aus irgendeinem Grunde war es, glaube ich, mit der Annahme verbunden, man beuge damit Kinderlähmung vor. Doch ich war gerade erst aufgestanden, da schien es mir ein wenig extravagant, mich schon wieder hinzulegen. Im nächsten Jahr war es schlimmer, denn da mussten wir morgens um Viertel vor neun da sein, nicht unbedingt eine Zeit, zu der ich freiwillig aktiv wurde.

Am wohlsten fühlte ich mich am späteren Abend. Ich sah immer gern die Zehn-Uhr-Nachrichten mit Russ Van Dyke, dem weltbesten Fernsehnachrichtenmann überhaupt (sogar noch besser als Walter Cronkite), dann *Abenteuer unter Wasser* (irgendein genialer Kopf bei KRNT-TV war der Meinung, dass halb elf abends eine gute Zeit für eine bei Kindern beliebte Sendung sei, und es stimmte ja auch), und danach machte ich es mir mit einem größeren Stapel Comics gemütlich. Vor Mitternacht schlief ich selten, wenn mich meine Mutter also morgens rief, passte mir das normalerweise gar nicht. Wenn ich es irgend vermeiden konnte, ging ich also nicht zur Schule.

Vermutlich wäre ich niemals gegangen, wenn es nicht Matritzen gegeben hätte. Von all den tragischen Verlusten seit den fünfziger Jahren ist der Verlust der Matritzen vielleicht der größte. Mit ihrer hinreißend duftenden, süß aromatischen blassblauen Tinte waren sie buchstäblich berauschend. Zwei tiefe Züge von einem frisch aus dem Abzugsapparat kommenden Arbeitsblatt und ich war bis zu sieben Stunden lang williger Sklave des Erziehungssystems. Gehen Sie zu einem x-beliebigen Drogentreffpunkt und fragen Sie die Leute dort, wo ihre Suchtprobleme begannen, und sie erzählen Ihnen unter Garantie: mit den Matritzenabzügen in der zweiten Klasse. Montagmorgens sprang ich aus dem Bett, weil das der Tag war, an dem frische, von Matritzen abgezogene Arbeitsblätter ausgeteilt wurden. Ich drapierte sie mir übers Gesicht und entschwebte an einen geheimen Ort, wo die Felder grün waren, alle barfuß liefen und leise Klänge von Panflöten durch die Luft schwebten. Doch die restliche Woche trudelte ich entweder am frühen Vormittag ein oder kam überhaupt nicht. Ich fürchte, die Lehrer nahmen es persönlich.

Sie hätten mich sowieso nie gemocht. Etwas an mir – dass ich so verträumt und rettungslos vergesslich und überhaupt nicht niedlich war und außerdem ständig eine Miene gequälten Zweifelns mit mir herumtrug – ging ihnen gegen den Strich. Sie hassten natürlich alle Kinder, besonders kleine Jungen, doch von den Kindern, die sie nicht mochten, war ich, glaube ich, ihr ganz besonderer Favorit. Ich machte immer alles falsch. Ich vergaß, amtliche Formulare unterschrieben und pünktlich zurückzubringen. Ich vergaß, Kekse zu Klassenfesten oder Weihnachts- und Valentinskarten zu den dazugehörigen Festivitäten mitzubringen. Ich kam immer mit leeren Händen zum »Show and tell«-Unterricht, wenn wir einen Gegenstand mitbringen und erklären mussten. Ich weiß noch, dass ich in der Vorschule in meiner Verzweiflung mal meine Finger gezeigt und erklärt habe.

Wenn wir einen Ausflug machten, hatte ich unweigerlich nie die schriftliche Einwilligung von zu Hause dabei, obwohl man mich wochenlang täglich daran erinnert hatte. Am Tag des Ausflugs mussten also alle missvergnügt stundenlang im Bus sitzen, während die Schulsekretärin versuchte, meine Mutter zu erwischen und ihre Einwilligung telefonisch einzuholen. Meine Mutter war aber immer Kaffeetrinken. Die ganze verdammte Frauenredaktion war immer Kaffeetrinken. Und wenn sie nicht Kaffee trank, war sie beim Mittagessen. Ehrlich gesagt, ist es ein Wunder, dass ihre Seiten jemals fertig wurden. Schlussendlich schenkte mir die Sekretärin ein trauriges Lächeln, und wir mussten uns beide der Tatsache stellen, dass ich nicht mitfahren konnte.

Der Bus fuhr also ohne mich ab, und ich verbrachte den Tag in der Schulbücherei, was mich aber keineswegs störte. Schließlich verpasste ich ja keinen Trip zum Grand Canyon oder nach Cape Canaveral. Wir waren in Des Moines. Ausflüge in Des Moines hatten nur zwei Ziele: Entweder die Wonder-Bread-Fabrik an der Ecke Second Avenue/University Avenue, wo man beobachten konnte, wie frisch gebackene Teigwaren auf Fließbändern unter sehr lässiger Überwachung durch lustlose Nichtstuer mit Papierhüten durch einen riesigen Raum fuhren (und man durchaus auf den Gedanken kommen konnte, Zweck der Schulausflüge sei, den Nichtstuern was zum Anstarren zu bieten). Oder man fuhr zum Museum der Iowa State Historical Society, das stillste und unaufregendste Gebäude der Welt, wo man entdeckte, dass in Iowa eigentlich nie viel passiert war – gar nichts, wenn man die Eiszeit außer Acht ließ.

Mit schlimmer Regelmäßigkeit wurde ich gedemütigt, wenn ich vergaß, Geld für Sparmarken mitzubringen. Sparmarken waren wie Sparschuldverschreibungen, allerdings mit kleinen Beträgen. Man gab der Lehrerin 20 oder 30 Cents (zwei Dollar, wenn der Vater Anwalt, Chirurg oder Kieferorthopäde war), und sie gab einem eine entsprechende Anzahl patriotisch aussehender Marken – für zehn Cent eine –, die man anleckte und in ein Sparmarkenbuch auf sparmarkengroße Quadrate klebte. Wenn man ein Buch vollgeklebt hatte, hatte man zehn Dollar gespart und die Vereinigten Staaten waren um einiges besser gerüstet, den Kommunismus zu schlagen. Ich sehe die Marken noch vor mir: Sie waren rosarot mit dem Bild eines Freiwilligen aus dem Amerikanischen Unabhängigkeitskrieg, mit Dreispitz, Muskete und entschlossener Miene. Es war heilige patriotische Pflicht, solche Marken zu kaufen.

Einmal wöchentlich – ich könnte Ihnen heute nicht sagen, an welchem Tag, und hätte es Ihnen natürlich auch damals nicht sagen können – verkündete Miss Miesepetrig oder Miss Lesbos oder Miss Kompakte Kleine Fettwalze, heute werde wieder das Geld für die US Savings Stamps eingesammelt, und jedes Kind im Klassenzimmer außer mir langte sofort in sein Pult oder seine Schultasche, holte einen weißen Umschlag mit Geld heraus und stellte sich in einer Schlange vor dem Lehrerpult auf. Für mich war es jede Woche ein Wunder, dass alle anderen Schüler nicht nur *wussten*, an welchem Tag sie das Geld mitbringen sollten, sondern sich obendrein auch noch daran *erinnerten*. Derartig auf Zack zu sein, war von einem Bryson zu viel verlangt.

In einem Jahr hatte ich vier Marken in meinem Buch (zwei davon verkehrt herum eingeklebt), in allen anderen Jahren keine. Meine Mutter und ich hatten beide zusammen kein einziges Mal daran gedacht. Die Butter-Jungs hatten mehr Marken als ich. Jedes Jahr hielt die Lehrerin mein jämmerlich nacktes Büchlein hoch, um meinen Mitschülern zu zeigen, wie jemand sein Land im Stich ließ, und alle lachten – das eigenartige wiehernde Lachen, das man nur hört, wenn Erwachsene Kinder auffordern, sich auf Kosten eines anderen Kindes zu amüsieren. Es ist das grausamste Lachen der Welt.

Trotz dieser selbstverschuldeten Härten gefiel mir die Schule nicht schlecht, besonders das Lesen. Wir lernten es mit Dick-und-Jane-Büchern, soliden, in strapazierfähiges rotes oder blaues Leinen gebundenen Büchern. Darin gab es kurze Sätze in großen Buchstaben und hübsche Aquarellzeichnungen mit einer glücklichen, wohlhabenden, gut aussehenden, gesetzestreuen, doch interessant seltsamen Familie. In den Dick-und-Jane-Büchern hieß Vater immer Vater, niemals Vati oder Papa, und trug immer einen Anzug, sogar sonntagmittags zum Essen – ja sogar, wenn die Familie zu einem Ausflug zu Großvaters und Großmutters Farm fuhr. Mutter war immer Mutter. Sie hatte stets alles im Griff und machte mit ihrer sauberen Rüschenschürze einen sehr gepflegten Eindruck. Die Familie hatte keinen Familiennamen. Sie wohnte in einer netten Straße in einem hübschen Haus mit Palisadenzaun, hatte aber kein Radio, keinen Fernseher und kein Klo im Badezimmer. (Probleme mit groß und klein gab es in diesem Hause also nicht.) Die Kinder – Dick, Jane und die kleine Sally – besaßen nur die schlichtesten Spielsachen, einen Ball, einen Bollerwagen, einen Drachen zum Fliegenlassen und ein Holzsegelschiff.

Niemals schrie einer oder blutete oder weinte hemmungslos. Niemals brannte Essen an, wurden Getränke verschüttet (oder machten betrunken). Es sammelte sich kein Staub an. Immer schien die Sonne. Der Hund machte nie auf den Rasen. Es gab keine Atombomben, keine Butter-Jungs, keine Zikadenkiller. Alle waren stets sauber, gesund, stark, zuverlässig, hart arbeitend, US-Amerikaner und weiß.

Jede Dick-und-Jane-Geschichte enthielt eine schlichte, aber wichtige Lektion – achte deine Eltern, lerne zu teilen, sei höflich, ehrlich, hilfreich und vor allem: arbeite hart. »Arbeit« war das 18. neue Wort, das wir lernten – so nachzulesen in einem Buch über die fünziger Jahre, *Growing Up with Dick and Jane* von Carole Kismaric und Marvin Heiferman. Erstaunlich, dass das Wort so spät kam. In unserer Welt arbeitete man doch von Anfang an.

Ich fand die Familie von Dick und Jane hinreißend. Sie waren wunderbar, faszinierend anders als meine Familie. Ich erinnere mich besonders an eine Illustration, in der alle Mitglieder der Dick-und-Jane-Familie zum Spaß auf einem Bein stehen, das andere gerade ausstrecken und versuchen, sich an einen Zeh des ausgestreckten Fußes zu fassen, ohne das Gleichgewicht zu verlieren und umzufallen. Sie amüsieren sich königlich. Ich konnte das Bild noch so lange betrachten, doch mir war klar, dass man unter keinen Umständen – auch nicht mit vorgehaltener Waffe –, die Mitglieder meiner Familie dazu hätte bringen können, dergleichen gemeinsam zu versuchen.

Weil an der Greenwood-Schule unsere Dick-und-Jane-Bücher zehn, fünfzehn Jahre alt waren, bildeten sie eine untergegangene Welt ab. Autos und Busse waren altmodisch und solche Läden, in denen die Familie einkaufte, gab es nicht mehr – Tierhandlungen mit Welpen im Schaufenster, Spielzeugläden mit Holzspielsachen, Lebensmittelläden, in denen ein fröhlicher Mann mit weißer Schürze die Waren einzeln herbeiholte. Ich fand das alles bezaubernd. In Dicks und Janes Welt gab es keinen Schmutz und keinen Schmerz. Sie gingen sogar in Großvaters stinkenden Hühnerstall, ohne zu würgen und in Panik zu geraten, wenn sie an einem Klecks Hühnerdreck festklebten. Eine wunderbare Welt, eine perfekte Welt, freundlich, hygienisch, heil, zu schön, um wahr zu sein. Nur eines war an den Dick-und-Jane-Büchern sehr komisch.

Wann immer eine der Figuren sprach, klang sie nicht wie ein Mensch.

»Hier sind wir auf dem Bauernhof«, sagte Vater zum Beispiel, als er (nicht zufällig im braunen Anzug) aus dem Auto sprang und dann ein wenig roboterhaft hinzufügte: »Hallo, Großmutter. Hier sind wir auf dem Bauernhof.«

»Hallo«, erwiderte Großmutter. »Schaut, wer da ist. Es ist meine Familie. Schaut, schaut! Hier ist meine Familie.«

»Ah, schaut! Hier sind wir auf dem Bauernhof«, sagte auch Dick, nicht minder erstaunt, sich in ländlicher Umgebung wiederzufinden, wo Verwandte wohnten. Auch bei ihm war die Nadel im Hirn offenbar hängen geblieben. »Hier sind wir auf dem Bauernhof«, fuhr er fort. »Hier ist auch Großvater! Hier sind wir auf dem Bauernhof.«

Und so war es auf jeder Seite. Alle redeten wie gehirnamputiert. Mich verstörte es nachhaltig. Denn in dieser Phase meines Lebens stand ich besonders unter dem Einfluss des Furcht erregenden Films *Die Dämonischen*, den ich sehr überzeugend fand, ja mehr oder weniger für real hielt. Etwa drei Jahre lang beobachte ich mit Adleraugen, ob meine Eltern irgendwelche verräterischen Anzeichen zeigten, dass sie von außerirdischen Lebensformen übernommen worden waren, musste aber schließlich einsehen, dass ich es ohnehin nicht hätte erkennen können, ja, dass eigentlich der erste Hinweis darauf, dass sie sich in Schotenmenschen verwandelten, darin bestanden hätte, dass sie *normaler* wurden. Ich fragte mich allerdings auch lange, ob die Familie von Dick und Jane (na, eigentlich die Schöpfer der Familie von Dick and Jane; so dämlich war ich nun auch wieder nicht) gekapert worden war und nun versuchte, *uns* auf ein Verschoten vorzubereiten. Denkbar wäre es gewesen.

Ich liebte die Dick-und-Jane-Bücher so sehr, dass ich sie mit nach Hause nahm und behielt. (In der Garderobe gab es ganze Stapel überzähliger Exemplare.) Ich habe sie heute noch und schaue sie von Zeit zu Zeit an. Und bin immer noch auf der Suche nach einer Familie, die gemeinsam versucht, ihre Zehen anzufassen.

Als ich die Dick-und-Jane-Bücher erst einmal zu Hause hatte und sie bei einer Schüssel Eiskrem oder mit halbem Auge auf dem Fernseher in aller Ruhe lesen konnte, sah ich keine große Notwendigkeit mehr, zur Schule zu gehen. Und ging auch nicht mehr oft. In der zweiten Klasse verweigerte ich mich schon routinemäßig den inständigen Bitten meiner Mutter morgens aufzustehen. Sie ärgerte sich zwar immer so sehr, dass sie zwei schwere Seufzer und ein paar wortlose Unmutslaute ausstieß – wütender wurde sie einfach nicht –, doch ich begriff schon sehr früh, dass ich nur vollkommen schlaff und reglos liegen bleiben, eine nassersackartige Unwilligkeit zur Kooperation zeigen und mich von Zeit zu Zeit ein wenig rühren und murmeln musste, mir sei speiübel und ich brauchte Ruhe, und sie würde zum Schluss resigniert weggehen und sagen: »Dein Dad wäre *wütend*, wenn er jetzt hier wäre.«

Aber er war nicht hier. Er war in Iowa City oder Columbus oder in San Francisco oder Sarasota. Er war immer irgendwo. Folglich erfuhr er von diesen Vorkommnissen zweimal im Jahr, wenn ich ihm mein Zeugnis zum Lesen und Unterschreiben gab. Das waren dann allerdings stets Situationen, in denen meine Mutter ebenso Ärger bekam wie ich.

»Wie kann er 26¼ fehlende Tage in einem Halbjahr haben?«, sagte er traurig und entsetzt. »Und, wenn man es recht bedenkt, wie kriegt man einen Viertel-Fehltag hin?« Dann schaute er meine Mutter noch trauriger und entsetzer an. »Schickst du manchmal nur ein Stück von ihm zur Schule? Behältst du seine Beine zu Hause?«

Meine Mutter reagierte immer mit kleinen gereizten Lauten, sagte aber eigentlich nichts Verständliches.

»Ich kapier's nicht«, fuhr mein Vater fort und starrte das

Zeugnis an, als handle es sich um eine Rechnung für völlig unbegründete Schadenersatzforderungen. »Das ist gar nicht mehr witzig. Und die einzige Lösung, glaube ich nun wirklich, ist die Militärakademie.«

Mein Vater war von der besonderen Schulform der *military academy* eigenartig und zutiefst angezogen. Die Vorstellung von permanenter, systematischer Strafe sprach eine gewisse dunkle Seite seines Charakters an. Auf den letzten Seiten der *National Geographic* warb eine große Anzahl dieser Institutionen mit Anzeigen – warum dort, entzieht sich meiner Kenntnis –, und ich stellte oft fest, dass er diese Seiten mit einem Lesezeichen versehen hatte. In den Anzeigen sah man immer einen verstört dreinschauenden Schuljungen in grauer Soldatenkluft, ein viel zu großes Gewehr auf der Schulter und darüber die Botschaft, die etwa lautete:

Militärakademie mit allen Schikanen eines Lagers
WIR LEHREN JUNGS ZU TÖTEN – SEIT 1867
Spezialität: Charakterbildung und Austreibung von
Waschlappeneigenschaften
Weitere Informationen erhalten Sie unter
Postfach 1
Hähnchenmagen, Tennessee

Es wurde nie was draus. Mein Vater bestellte eine Broschüre – er war ein fanatischer Sammler von Gratisbroschüren und -katalogen aller Art – und stellte fest, dass die Gebühren so hoch wie der Preis für einen Austin-Healey-Sportwagen oder eine Reise nach Europa waren, und dann ließ er den ganzen Plan fallen wie eine heiße Kartoffel. Ich wiederum fand Militärakademien so übel nicht. Die Vorstellung, in einer Schule zu sein, in der Gewehre, Bajonette und Sprengstoffe den Kern des Lehrplans bildeten, besaß ihre Reize.

Einmal im Monat hatten wir eine Luftschutzübung in der Schule. Dann ertönte eine Sirene – eine besonders eindringliche Sirene, die zum Ausdruck brachte, dass es sich hier nicht um einen Probe-Feueralarm oder eine Sturmwarnung handelte, sondern um einen Atombombenangriff von Agenten der dunklen Mächte des Kommunismus –, und alle krabbelten von ihren Plätzen und krochen unter die Tische, die Hände über dem Kopf gefaltet; das war die Schutzhaltung bei nuklearen Angriffen. Ich muss mehrfach gefehlt haben, denn als das erste Mal die Sirene während meiner Anwesenheit ertönte, hatte ich keinen blassen Schimmer, was los war, und blieb fasziniert auf meinem Platz sitzen, als sich alle um mich herum zu Boden warfen und wie kleine Autos unter ihren Tischen parkten.

»Was ist los?«, fragte ich Buddy Dobermans Hinterteil, denn das war alles, was von ihm noch zu sehen war.

»Atombombenangriff«, erwiderte er mit leicht erstickter Stimme. »Aber keine Bange. Es ist wahrscheinlich nur eine Übung.«

Ich weiß noch, wie bass erstaunt ich war, dass irgendjemand meinen konnte, ein kleiner Holztisch sei ein sicherer Zufluchtsort, falls eine Atombombe auf Des Moines herniederginge. Aber offenkundig nahmen alle die Sache ernst, denn auch die Lehrerin, Miss Kompakte Kleine Fettwalze, hatte sich unter ihr Pult gezwängt – zumindest so viel von sich, wie darunterpasste, nicht mal die Hälfte. Kaum hatte ich freilich begriffen, dass mich niemand beobachtete, beschloss ich, nicht teilzunehmen. Denn wie man unter einen Tisch kommt, wusste ich und war außerdem überzeugt, dass das keine Fähigkeit war, die jemals aufgefrischt werden musste. Und überhaupt, wie hoch standen die Chancen, dass die Sowjets Des Moines bombardieren würden? Also, bitte.

Ein paar Wochen später ließ ich mich über diesen Punkt gegenüber meinem Vater aus, als wir bei einem unserer gelegentlichen Wochenendausflüge zusammen im Jefferson Hotel in Iowa City speisten. Er reagierte mit einem komischen Kichern und informierte mich, dass sich in Omaha, nur 80 Meilen westlich von Des Moines, das Hauptquartier des strategischen Luftkommandos befinde und im Kriegsfalle von dort aus alle US-amerikanischen Operationen geleitet würden. Das Hauptquartier würde von allem getroffen werden, was die Sowjets nur zur Hand hatten, natürlich einer ganzen Menge. Wir in Des Moines, erzählte mir mein Vater, würden – wenn der Wind von Westen kam – binnen 90 Minuten bis zur Halskrause in radioaktiver Strahlung stecken. »Du wärst noch vor dem Schlafengehen tot«, sagte er frohgemut. »Wir alle.«

Ich weiß nicht, was ich beunruhigender fand – dass ich in einem Ausmaß, von dem ich nichts geahnt hatte, in ernster Gefahr war oder dass mein Vater die Aussicht auf unser Ableben amüsant fand –, so oder so aber bestätigte es mich in meiner Überzeugung, dass Atomkriegsübungen sinnlos seien. Das Leben war zu kurz, und wir wären ohnehin sofort alle tot. Besser man verbrachte seine Zeit damit, unter vielerlei Entschuldigungen, aber beharrlich Mary O'Learys knospende Brust zu berühren. Ich jedenfalls verweigerte mich den Übungen.

Da traf es sich einen Hauch unglücklich, dass am Morgen meiner dritten oder vierten Übung Mrs. Unnatürlich Enormer Busen, die Direktorin, in Begleitung eines uniformierten Mannes von der Nationalgarde Iowas (Luftschutz) eine Inspektionstour durch die Schule machte und meiner ansichtig wurde, wie ich da allein an meinem Tisch saß und mir einen Abenteuercomic mit der Menschlichen Fackel und der wohlgestalten wilden Hummel Asbestos Lady zu Gemüte führte – inmitten eines Zimmers voller verlassener Schultische, unter denen jeweils ein Paar nach hinten schauender Füße und ein Kinderarsch hervorlugten.

Junge, kriegte ich Ärger. Ja, mehr als einfach nur Ärger. Zum einen kriegte auch Miss Kompakte Kleine Fettwalze Ärger, weil sie ihre Aufsichtspflichten vernachlässigt hatte, und wurde und blieb stink-, stinksauer auf mich.

Zum anderen war meine eigene Schande praktisch unermesslich. Ich hatte Schande über die Schule gebracht. Ich hatte der Direktorin Schande gemacht. Ich hatte Schande über mich selbst gebracht. Ich hatte meine Nation beleidigt. Sich nicht auf einen Atomkrieg vorzubereiten war kein Kavaliersdelikt und nur einen halben Schritt von Landesverrat entfernt. Im Grunde war ich ein hoffnungsloser Fall. Ich sprach nicht nur leise, fehlte ständig in der Schule, kaufte keine Sparmarken und tauchte gelegentlich in Kleinmädchen-Caprihosen auf, sondern ich kam auch eindeutig aus einem bolschewistischen Haus. Den Rest meiner Grundschulzeit verbrachte ich mehr oder weniger in der Garderobe.

IX
Die arbeitende Bevölkerung

In Washington, DC, sagte der bewaffnete Kriminelle John A. Kendrick aus, man habe ihm für den Mord an Michael Lee 2500 Dollar angeboten, er habe den Job aber abgelehnt, weil »wenn ich da drauf noch die Steuern bezahlt hätte, was wäre mir da geblieben?«

Time, 7. Januar 1953

MARY McGUIRE
Kennzeichen: Schreibmaschine läuft heiß…
unentwegt am Schreiben und mit Abgabeter-
minen beschäftigt… Zierde des D Clubs an
der Drake… winzig, knittriges Lächeln…
Mr. McGuires Geschenk an den Journalismus.

Wenn man einmal alle Jobs beiseitelässt, bei denen Menschen Fäkalien oder Erbrochenes ansehen, berühren oder sich sonstwie damit beschäftigen müssen – Kanalarbeiter und Bettpfannensaubermacher im Krankenhaus und so weiter –, war der Job eines Zeitungsjungen, der die Abendzeitungen austrug, in den 1950er- und 60er-Jahren vermutlich der schlimmste in der Geschichte der Menschheit. Zunächst einmal musste man diese Blätter an sechs Tagen in der Woche, von Montag bis Samstag, austragen und dann noch sonntags vor Morgengrauen aufstehen und die Sonntagszeitungen zustellen. Und zwar, damit die regulären Zeitungsboten einen Tag in der Woche frei hatten. Warum sie einen Ruhetag brauchten und wir nicht, war eine Frage, die sich – außer den Abendzeitungsjungs – offenbar nie jemand stellte.

Wie dem auch sei, als solcher Sieben-Tage-die-Woche-Fronknecht konnte man niemals Übernachtungbesuche oder was ähnlich Lustiges machen, ohne dass man jemanden fand, der die Tour für einen lief, und das bedeutete immer unendlich viel mehr Scherereien, als die Sache wert war, denn der Ersatzmann bediente unweigerlich die falschen Häuser, vergaß zu kommen oder verlor einfach auf halbem Wege das Interesse und stopfte die letzten dreißig Zeitungen in den großen Post-Briefkasten an der Ecke 37th Street/St John's Road. Dann bekam man natürlich Ärger mit den Kunden, dem Vertriebsleiter des *Register* und der *Tribune* und der US-amerikanischen Postbehörde – und das alles nur, weil man nach 160 Tagen den ersten freien Tag hatte genießen wollen. Eine schreiende Ungerechtigkeit.

Ich fing mit elf als Zeitungsjunge an. Eigentlich bekam man erst nach seinem zwölften Geburtstag eine Tour, doch mein Vater, erpicht darauf, dass ich in der Welt vorankam und mir noch vor der Pubertät einen Leistenbruch zuzog, ließ bei der Zeitung seine Beziehungen spielen und besorgte mir schon früher eine Tour. Und zwar eine im reichsten Viertel der Stadt, um die Greenwood School herum, einen Bezirk, in dem es von weitläufigen, prächtigen Stadtvillen strotzte.* Es klang nach Traumjob und wurde mir auch von dem Tourenleiter Mr. Mc-Tivity, einem Mann mit geringer Moral und viel Körpergeruch, so präsentiert, doch Stadtvillen haben natürlich die längsten Auffahrten und die größten Rasenflächen, und es dauerte Minuten – in manchen Fällen viele, viele Minuten –, eine einzige Zeitung loszuwerden. Und damals wogen Abendzeitungen eine Tonne.

Außerdem war ich zerstreut. Schon damals lebte ich nicht immer in der realen Welt, doch das Zusammenwirken von langen Laufwegen, frischer Luft und Mangel an Abwechslung machte mich äußerst anfällig für alle möglichen Spintisiereien und Gedankenspiele. Zum Beispiel dachte ich manchmal eine klitzekleine Weile lang über die Bizarro World nach. Bizarro World war ein Planet, der in manchen *Superman*-Heften vorkam. Die Bewohner von Bizarro World machten alles verkehrt herum – sie gingen rückwärts, fuhren rückwärts, stellten

---

* Und was für noble Häuser es waren. Das so genannte Wallace-Haus war ein enormer Backsteinkasten an der Ecke 37th Street/John Lynde Road und das Heim Henry A. Wallace' gewesen, des Vizepräsidenten der Vereinigten Staaten von 1941 bis 1945. Unter den vielen Berühmtheiten, die dort genächtigt hatten, waren zwei amtierende Präsidenten, Theodore Roosevelt und William Howard Taft, und der reichste Mann der Welt, John D. Rockefeller. Damals kannte ich es nur als Haus von Leuten, die zu Weihnachten ein mehr als bescheidenes Trinkgeld gaben.

den Fernseher aus, wenn sie gucken, und an, wenn sie nicht gucken wollten, fuhren bei Rot und hielten bei Grün und so weiter. Bizarro World ließ mir keine Ruhe, weil es so wahnsinnig widersprüchlich war. Die Leute sprachen zum Beispiel nicht von hinten nach vorn, sondern redeten in Höhlenmenschensprache »Ich nicht mag er«, was beileibe nicht das Gleiche wie rückwärts war. Aber wie sollte Rückwärtsleben überhaupt funktionieren? Wenn man an der Tankstelle Benzin aus den Autos herausholte statt einfüllte – wie konnten die Autos dann fahren? Essen hätte bedeuten müssen, Kacke in den Anus zu saugen, durch den Körper zu schicken und in mundgroßen Klumpen auf Gabel und Löffel wieder auszuspucken. Also, das haute ja wohl im wahrsten Sinne des Wortes hinten und vorne nicht hin.

Wenn ich das Thema erschöpft hatte, widmete ich mich im Allgemeinen längere Zeit »Was, wenn«-Fragen. Was ich tun würde, wenn ich mich unsichtbar machen könnte (zur Badezeit in Mary O'Learys Haus gehen), oder wenn die Zeit anhalten würde und ich das einzige Wesen auf Erden wäre, das sich noch bewegen könnte (eine Menge Geld aus einer Bank holen und dann zu Mary O'Learys Haus gehen), oder wenn ich alle Menschen auf der Welt hypnotisieren könnte (dito) oder eine Wunderlampe fände und zwei Wünsche frei hätte (dito), oder was weiß ich sonst noch alles. Alle Fantasien führten letztendlich zu Mary O'Leary.

Dann beschäftigte ich mich manchmal mit Dingen, auf die es keine klare Antwort geben konnte. Woher wissen wir, dass wir alle dieselben Farben sehen? Vielleicht sehen Sie das, was ich als grün sehe, als blau. Wer kann das mit Sicherheit sagen? Und wenn die Wissenschaftler behaupten, Hunde und Katzen seien farbenblind (oder nicht – ich konnte nie behalten, was nun), woher wissen sie es denn? Welcher Hund erzählt es ihnen? Woher wissen Zugvögel, wem sie folgen sollen? Was, wenn der Leitvogel einfach nur mal allein sein will? Und wenn man zwei Ameisen sieht, die aufeinander zulaufen, stehen bleiben und sich abtasten – was für Informationen tauschen sie da aus? – »Hey, hübsche Fühler!«, »Keine Panik, aber der Junge, der uns beobachtet, hat Streichhölzer und Feuerzeugbenzin« –, und woher wissen sie, was sie tun sollen – egal, in welcher Situation. *Etwas* sagt ihnen doch, loszumarschieren und ein Blatt oder ein Sandkörnchen mit nach Hause zu nehmen – aber wer und wie?

Bei diesen und ähnlichen Überlegungen merkte ich meist urplötzlich, dass ich mich an keines der letzten 47 Anwesen erinnern konnte, die ich aufgesucht hatte, und nun nicht wusste, ob ich eine Zeitung dort gelassen hatte oder nur zur Tür gelatscht, dort einen Moment wie ein schlecht funktionierender Automat stehengeblieben war, mich umgedreht hatte und wieder abgezogen war.

Es ist nicht leicht, das Gefühl der Enttäuschung von sich selbst zu beschreiben, das sich ausbreitet, wenn man das Ende der Tour erreicht hat und feststellt, daß man 16 nicht zugestellte Zeitungen in der Tasche und keinen blassen Dunst, absolut keinen, hat, wer sie hätte bekommen müssen. Ich verbrachte einen Großteil der Jahre meines Heranwachsens damit, zuerst eine unendlich lange Zustelltour zu laufen und dann große Teile davon noch einmal. Und manchmal sogar ein drittes Mal.

Als sei sieben Tage die Woche Zeitungen Austragen nicht genug, musste man auch noch das Abo-Geld einkassieren. An mindestens drei Abenden in der Woche ging man also, statt die Füße hochzulegen und *Combat* oder *The Outer Limits* zu schauen, noch einmal raus und versuchte, undankbaren Kunden ein bisschen Geld abzuschwatzen. Das war bei weitem am schlimmsten. Und das Allerschlimmste vom Allerschlimmsten war, das Geld bei Mrs. Vandermeister einzutreiben.

Mrs. Vandermeister war 700 Jahre alt, womöglich 800, und dauerhaft an eine Aluminiumgehhilfe angeschlossen. Sie ging sehr gebeugt, war winzig klein, vergesslich, gletscherhaft langsam, interessant übelriechend, praktisch taub. Einmal am Tag tauchte sie aus ihrem Haus auf, um in einem Auto von der Größe eines Flugzeugträgers in den Supermarkt zu fahren. Von ihrem Haus ins Auto brauchte sie zwei Stunden und dann noch einmal zwei, um das Auto aus der Einfahrt auf die Straße zu kriegen. Das lag einerseits daran, dass sie nie einen Gang fand, der ihr genehm war, und andererseits, dass sie sich beim Vor- und Zurückmanövrieren nic mehr als einen knappen Zentimeter auf einmal bewegte und nur soeben der Notwendigkeit bewusst zu sein schien, dass man gelegentlich das Steuer drehen musste. Alle in der kleinen Straße wussten, dass man zwischen zehn und zwölf Uhr besser nicht versuchte, irgendwohin zu fahren, denn Mrs. Vandermeister holte ihr Auto raus.

Weitreichendere Berühmtheit erlangte sie, wenn sie erst einmal die Straße erobert hatte. Obwohl es bis Dahl's nur etwas über einen Kilometer war, sorgte ihre Fahrweise für Szenen, die an das jährliche Stiertreiben durch die Straßen von Pamplona gemahnten. Sowohl Motorisierte als auch Fußgänger stoben in panischer Angst vor ihr zur Seite. Und es stimmte ja auch: Wenn Mrs. Vandermeisters Auto auf der Straße auf einen zufuhr, war das ein beängstigender Anblick. Zunächst einmal sah es aus, als sei das Fahrzeug führerlos, so extrem winzig war sie, und es fuhr ja auch wie führerlos, denn es bewegte sich selten in seiner Gänze auf der Fahrbahn, besonders dann nicht, wenn es um Kurven holperte. Normalerweise schlugen unter ihrem Fahrwerk auch recht umfängliche Gegenstände Funken – ein Motorrad, eine Mülltonne, ihre Gehhilfe –, die sie unterwegs aufgesammelt hatte und nun auf allen ihren Wegen mitnahm.

Das Geld bei Mrs. Vandermeister einzutreiben war ein nicht enden wollender Alptraum. In ihrer Haustür war ein kleines Fenster, durch das man ungehindert in den Flur bis zum Wohnzimmer schauen konnte. Wenn man eine Stunde und zehn Minuten lang alle fünfzehn Sekunden auf ihre Türklingel drückte, bemerkte sie, das wusste man, normalerweise endlich, dass jemand an der Tür war. Dann schrie sie nämlich »Na, wer zum Teufel ist denn das?« in sich hinein und begann mit dem abendfüllenden Programm, sich von ihrem Sessel zur Haustür zu begeben, eine Strecke von siebeneinhalb Metern, auf der sie ihre Gehhilfe vor sich herstieß und -schubste. Nach circa 20 Minuten erreichte sie den Flur und kam mit etwa der Geschwindigkeit, in der Eis schmilzt, zur Haustür. Manchmal vergaß sie, wo sie hinwollte, und schickte sich an, einen Umweg über die Küche oder die Toilette zu machen, und dann musste man wie ein Berserker klingeln, um sie wieder auf Kurs zu bringen. Wenn sie endlich an der Tür angekommen war, galt es, sie in einer zusätzlichen halben Stunde davon zu überzeugen, dass man kein Mörder war.

»Ich bin der Zeitungsjunge, Mrs. Vandermeister!«, schrie man ihr durch die kleine Glasscheibe zu.

»Billy Bryson ist mein Zeitungsjunge!«, schrie sie zurück.

»Ich bin Billy Bryson! Schauen Sie mich durchs Fenster an, Mrs. Vandermeister! Hier oben, schauen Sie! Sie können mich sehen, wenn Sie hier hochschauen, Mrs. Vandermeister!«

»Billy Bryson wohnt drei Häuser weiter!«, schrie dann Mrs. Vandermeister. »Das ist das falsche Haus! Warum bist du denn hierhergekommen?«

»Mrs. Vandermeister, ich sammle das Zeitungsgeld ein! Sie schulden mir drei Dollar und 60 Cents!«

Wenn man sie endlich dazu gebracht hatte, die Tür aufzuzerren, war sie immer überrascht, dass man da stand. »Ach Billy! Du hast mir aber einen Schrecken eingejagt!«, sagte sie, und dann dauerte es wieder eine kleine Ewigkeit, in der sie, die Alzheimer-Erkennungsmelodie vor sich hin summend, erneut losschlurfte und wackelte, um ihre Geldbörse zu suchen, noch eine halbe Stunde, in der sie zurückkam und fragte: »Wie viel noch mal?«, in ihrer Vergesslichkeit noch einen Umweg über Toilette oder Küche versuchte, und ganz zum Schluss verkündete, sie habe nicht so viel Bargeld da und man solle bei späterer Gelegenheit noch einmal vorbeikommen.

»Du solltest nicht so lange damit warten!«, schrie sie. »Es sind nur ein Dollar 20 alle zwei Wochen. Erzähl das Billy, wenn du ihn siehst.«

Wenigstens konnte Mrs. Vandermeister zu ihrer Entlastung vorbringen, dass sie uralt und nicht mehr im Vollbesitz ihrer geistigen Kräfte war. Was mich auf die Palme brachte, war, wenn normale Leute mich wieder wegschickten, meist, weil sie keine Lust hatten, ihre Geldbörsen zu holen. Je reicher die Leute waren, desto eher schickten sie einen wieder weg – immer mit einer Ausrede und einem weltentrückten Lächeln – »Ach, kannst du mir das jemals verzeihen?«

»Schon gut, schon gut, meine Dame. Ich schleppe mich gern am kältesten Abend des Jahres die zweieinhalb Kilometer durch den hohen Schnee hierher und gehe mit leeren Händen, weil Sie Muffins in Ihrem verdammten Ofen haben und Ihr Nagellack trocknet. Kein Problem!«

Natürlich sagte ich nie dergleichen, aber ich begann Bußgelder zu erheben. Ich erhöhte die Zahlbeträge reicher Kunden um 50 oder 60 Cents und sagte ihnen, der Monat habe an einem Mittwoch begonnen und man müsse eine zusätzliche halbe Woche mit einberechnen. Auf ihrem Küchenkalender konnte man ihnen zeigen, dass am Anfang oder Ende des Monats ein paar weitere Tage waren, und das funktionierte immer, besonders bei Männern, die ein, zwei Cocktails getrunken hatten, und das hatten sie ja für gewöhnlich.

»Heiliges Kanonenrohr«, sagten sie und schüttelten verwundert den Kopf, während man ihr Extrageld einsackte.

»Wissen Sie, vielleicht zahlt Ihnen Ihr Chef nicht jeden Monat die richtige Summe«, sagte ich manchmal liebenswürdig.

»Ja – hey, *ja!*«, sagten sie dann und sahen richtig beunruhigt aus.

Die andere Gefahr bei reichen Leuten waren ihre Hunde. Ich habe die Erfahrung gemacht, dass arme Leute fiese Hunde haben und es wissen. Reiche Leute haben fiese Hunde und weigern sich, es zu glauben. Damals gab es ohnehin Tausende von Hunden, auf jedem Grundstück wohnte einer – große Hunde, grantige Hunde, dumme Hunde, klitzekleine, bissige lästige Flitzer, die man am allerliebsten in einen lebenden Hackysack verwandelt hätte, Hunde, die an einem riechen wollten, Hunde, die auf einem sitzen wollten, Hunde, die alles anbellten, was sich bewegte. Und es gab Dewey. Dewey war ein schwarzer Labrador und gehörte einer Familie namens Haldeman im Terrace Drive. Dewey war ungefähr so groß wie ein Schwarzbär und hasste mich. Bei allen anderen Menschen war er ein großes, weiches sabberndes Bündel. Doch mich wollte er aus Gründen, die er nicht enthüllte und wahrscheinlich auch selbst nicht kannte, nicht lebendig, sondern tot sehen. Er hatte was gegen mich und damit basta. Die Haldemans wiesen die Vorstellung, dass Dewey fies sein könne, lachend von sich und hörten heiteren Sinnes auch auf keinerlei Vorschläge, wie zum Beispiel, dass er angekettet sein sollte, wie es von Gesetzes wegen eigentlich erforderlich war. Sie waren Republikaner – Nixon-Republikaner – und deshalb nicht der Meinung, dass Gesetze für alle Menschen gleich gelten.

Ich hatte besondere Angst vor den Sonntagmorgen, wenn es dunkel war, denn Dewey war schwarz und bis auf seine Zähne unsichtbar, und nur er und ich trafen aufeinander, während alle anderen schliefen. Dewey schlief, wo immer ihn Bewusstlosigkeit übermannte, manchmal auf der vorderen Veranda, manchmal auf der hinteren, manchmal in einem alten Zwinger neben der Garage, manchmal auf dem Weg, aber immer draußen. Er war also stets da und stets angriffsbereit. Ich brauchte immer Stunden, um mit angehaltenem Atem den vorderen Eingang und die fünf breiten, stets quietschbereiten Holzstufen zur überdachten Tür der Haldemans hinaufzuschleichen und ganz, ganz leise die Zeitung auf die Matte zu legen, immer gewärtig, dass ich im Moment, in dem ich das tat, von irgendwo aus der Nähe ein tiefes, dunkles, drohendes Knurren hören, aber das dazugehörige Tier nicht sehen konnte. Das Knurren währte so lange, bis ich mich, im Rückwärtsgang verzogen hatte, nicht ohne mich in einem fort respektvoll zu verbeugen. Hin und wieder – eben genauso oft, dass ich ewig in Angst und Panik war – kam Dewey, bösartig bellend, angestürmt, und ich musste, wimmernd und die Hände schützend über mein Hinterteil gelegt, quer über den Hof rasen, auf mein Fahrrad springen und wie wild von dannen radeln, wobei ich gegen Hydranten und Laternenpfähle krachte und meist viel schlimmere Verletzungen davontrug, als wenn ich zugelassen hätte, dass Dewey mich zu Boden warf und ein Weilchen an mir herumknusperte.

Das Ganze war zu schrecklich, um es in Worte zu fassen. Schlimmer, als angegriffen zu werden, war eigentlich nur, auf den nächsten Angriff *zu warten*, und positiv war einzig die überwältigende Erleichterung, wenn es vorüber war, wenn ich wusste, dass ich Dewey in den nächsten 24 Stunden nicht wieder begegnen musste. Bomberpiloten, die von einem gefährlichen Einsatz zurückkehren, kennen das Gefühl.

Eines knackig kalten, glitzernden Märzmorgens ging ich derart erleichtert meines Weges und brachte eine Zeitung zu einem Haus ein Stück weiter, als Dewey – plötzlich doppelt so groß wie sonst und mit nun erst recht unbegründeter Aggressivität – im Affenzahn um McManuses Haus hinter mir herkam. Ich weiß noch, dass ich in der Tausendstelsekunde, die mir zum Denken blieb, dachte, wie unfair das mal wieder sei. Es war nicht recht. Ich war doch eben noch so glücklich gewesen.

Bevor ich auch nur in irgendeiner sinnvollen Weise reagieren konnte, biss mich Dewey beherzt ins Bein, direkt unter der linken Pobacke, und warf mich zu Boden. Er zerrte mich ein bisschen hin und her – ich weiß noch, dass meine Finger durch Gras streiften – und gab mich dann abrupt frei, stieß ein verwirrtes, spielerisches, dumpfes Bellen aus und raste zurück in das Randbeet mit den Büschen, von wo er gekommen war. Wütend und gründlich durchzaust, watschelte ich zur nächsten Laterne an der Straße und zog mir die Hosen herunter, um den Schaden zu begutachten. Meine Jeans waren zerrissen und in dem fleischigen Teil meines Oberschenkels war ein kleines Loch mit einem winzigen Tröpfchen Blut. Es tat eigentlich nicht sehr weh, wuchs sich aber am nächsten Tag zu einem wunderbar purpurfarbenen blauen Fleck aus, den ich in der Jungentoilette einem zahlreichen, anerkennenden Publikum zeigte, einschließlich Mr. Groober, dem merkwürdigen, stummen Schulhausmeister, der mit an Sicherheit grenzender Wahrscheinlichkeit von einem Ort mit hohen Mauern entkommen und noch niemals bei irgendetwas so freudig erregt gewesen war. Nach der Schule musste ich zum Arzt, wo ich eine Tetanusspritze bekam, was ich, wie Sie sich vorstellen können, weniger zu schätzen wusste.

Obwohl meine Wunde der Beweis war, weigerten sich die Haldemans immer noch, zu glauben, dass mich ihr Köter gebissen hatte. »Dewey?«, lachten sie. »Dewey tut doch keiner Fliege was zuleide, Herzchen. Und wenn es dunkel ist, verlässt er auch gar nicht das Grundstück. Der hat doch Angst vor seinem eigenen Schatten.« Und dann lachten sie wieder. Mich, behaupteten sie steif und fest, habe ein anderer Hund gebissen.

Nur gut eine Woche später attackierte Dewey Mrs. Haldemans Mutter, die aus Kalifornien zu Besuch war. Er warf sie zu Boden und war kurz davor, ihr das Gesicht vom Schädel zu reißen, was meinem Fall sehr nützlich gewesen wäre. Zum Glück kam Mrs. Haldeman gerade noch rechtzeitig, um ihre Mutter zu retten, und begriff die erschreckende Wahrheit über ihr geliebtes Haustier. Dewey ward in einem Lieferwagen weggebracht und nie wieder gesehen. Ich glaube, eine solche Genugtuung habe ich nie wieder empfunden. Eine Entschuldigung hörte ich nie. Dafür klebte ich ihnen jeden Tag heimlich einen Popel in die Zeitung.

Reiche Leute zogen aber wenigstens nicht weg, ohne einem Bescheid zu sagen. Mein Freund Doug Willoughby hatte eine Zeitungstour am weniger noblen Ende der Grand Avenue, die zur Hauptsache aus komisch riechenden Mietshäusern bestand, in der lauter Habenichtse, chronisch Kranke und Menschen wohnten, die durch die Wände und nicht immer freundlich miteinander kommunizierten. Dougs Häuser waren alle düster und ohne Teppiche und die Flure stets so lang und schlecht beleuchtet, dass man ihr Ende nicht sehen konnte und deshalb nie wusste, was einen dort erwartete. Man brauchte Mut und Willensstärke, schon um die Gebäude nur zu betreten. Regelmäßig entdeckte Willoughby, dass ein Kunde ausgezogen (oder in Handschellen abgeführt worden) war, ohne dass er das Abo-Geld bekommen hatte, und dann musste der arme Kerl den Differenzbetrag aus eigener Tasche bezahlen. Der *Register* musste grundsätzlich nie draufzahlen, nur der Zeitungsjunge. Willoughby erzählte mir einmal, dass er in seiner besten Woche vier Dollar verdient hatte, und da waren die Trinkgelder zu Weihnachten schon mit drin.

Ich hingegen prosperierte, besonders wenn ich meine Sonderzulagen miteinberechnete. Kurz vor meinem zwölften Geburtstag war es so weit: Ich konnte 102,12 Dollar in bar –

eine enorme Summe, schon rein praktisch, denn es dauerte minutenlang, die hauptsächlich kleinen Münzen an der Kasse vorzuzählen – für einen tragbaren RCA-Schwarz-Weiß-Fernseher mit einer Klappantenne hinlegen. Es war ein neues schlankes Modell aus weißlich grauem Plastik mit den Reglerknöpfen oben – eine aufregende Novität – und extrem elegant. Ich trug ihn in mein Zimmer hoch, schloss ihn an, schaltete ihn ein und wurde nur noch selten im übrigen Haus gesehen.

Von nun an nahm ich jeden Abend mein Essen auf einem Tablett mit in mein Zimmer und sah meine Eltern, außer bei besonderen Anlässen wie Geburtstagen oder Thanksgiving, kaum mehr. Von Zeit zu Zeit trafen wir uns natürlich zufällig im Flur und an heißen Sommerabenden setzte ich mich bisweilen zu einem Glas Eistee zu ihnen auf die Veranda, doch meist gingen wir getrennte Wege. So gesehen glich unser Haus weniger dem Heim einer Familie als einer Pension – einer freundlichen Pension, in der die Leute gut miteinander auskamen, aber Wert auf ihre Privatsphäre legten und die der anderen achteten.

Für mich war das alles vollkommen normal. Wir waren nie eine eng zusammengluckende Familie, wenn ich jetzt so zurückdenke. Jedenfalls nicht im traditionellen Sinn. Meine Eltern waren freundlich, sogar liebevoll, doch irgendwie immer leicht zerstreut und mit den Gedanken woanders. Meine Mutter war ewig und drei Tage damit beschäftigt, Flecken an Kragen zu bearbeiten oder Kartoffeln von den Ofenwänden zu kratzen – irgendwas versuchte sie immer abzuscheuern –, und mein Vater war entweder weg, um für die Zeitung von einem Sportereignis zu berichten, oder er war in seinem Zimmer und las. Sehr selten gingen sie ins Kino – im Varsity Theater wurden von Zeit zu Zeit Filmkomödien mit Peter Sellers gezeigt, die sie insgeheim liebten – oder zur Bibliothek. Meist blieben sie einfach glücklich und zufrieden zu Hause und hielten sich in verschiedenen Zimmern auf.

Jeden Abend gegen elf Uhr oder ein wenig später hörte ich, wie mein Vater nach unten ging und sich in der Küche einen Happen zu essen machte. Die Happen zu essen meines Vaters waren legendär. Die Zubereitungszeit betrug mindestens 30 Minuten, und alle möglichen Zutaten, die er penibel vor sich aufbaute, kamen zum Einsatz – Ritz-Cracker, ein großes Glas Senf, Weizenkeime, Radieschen, zehn Hydrox-Kekse, ein riesiger Becher Schokoladeneis, mehrere Scheiben Frühstücksfleisch, frisch gewaschene Salatblätter, Cheez Whiz, Erdnussbutter, Erdnusskrokant, ein, zwei hartgekochte Eier, ein kleines Schälchen Nüsse, Wassermelone, wenn es sie gab, vielleicht eine Banane. Alles wurde hübsch geschält, geputzt, in Scheiben und in Würfel geschnitten, gestapelt oder geschichtet, je nachdem, ansprechend arrangiert auf einem großen braunen Tablett und weggetragen, um während der nächsten Stunden konsumiert zu werden. Keiner von diesen Happen hatte weniger als 12000 Kalorien und mindestens 80 Prozent davon steckten in Cholesterin und gesättigten Fettsäuren, doch mein Vater nahm nie auch nur ein Gramm zu.

Noch etwas war bemerkenswert, wenn mein Vater sich seine Happen machte. Er bereitete sie mit nacktem Hinterteil zu. Nicht, möchte ich schnell hinzufügen, weil er meinte, die Happen würden besser, wenn man bei der Zubereitung seinen Allerwertesten entblößte, sondern er kam schon mit nacktem Po herunter. Eine seiner kleinen Marotten war nämlich, dass er von der Taille abwärts nackt schlief. Er fand es bequemer und gesünder, die untere Körperhälfte nachts freizulegen und trug im Bett nur ein ärmelloses T-Shirt. Und wenn er hinunterging, um einen Happen zu komponieren, war er eben immer derart bekleidet (oder unbekleidet). Weiß der Himmel, was Mr. und Mrs. Bukowski nebenan dachten, wenn sie die Vorhänge zuzogen und (unter Garantie) auf der anderen Seite des Zauns sahen, wie mein Vater mit bloßem Hinterteil in seiner Küche herumtappte, hoch in Regale langte und die Rohstoffe für sein nächtliches Festmahl zusammenstellte.

Im Nachbarhaus mochte es Bestürzung hervorrufen, doch in unserem Haus merkte man gar nichts davon, denn alle schliefen schon tief und fest in ihren Betten (oder lagen im Dunkeln und sahen sehr leise fern, wie ich). Doch eines Freitags ungefähr im Jahre 1963 ging mein Vater spätabends nach unten, wo meine Schwester, was er nicht wusste, Gäste hatte. Genauer: Sie und ihre Freundinnen Nancy Ricotta und Wendy Spurgin lagerten mit ihren Freunden im Wohnzimmer, sahen im Dunkeln fern und putzten einander ihre Luftröhren mit den Zungen (habe ich mir jedenfalls immer vorgestellt), da wurden sie plötzlich von einem Licht im Flur des ersten Stocks und den Geräuschen meines Vaters aufgeschreckt, der die Treppe herunterkam.

Wie in den meisten amerikanischen Häusern war das Wohnzimmer in unserem Haus mit den Räumen dahinter durch eine türlose Öffnung verbunden, einen Bogendurchgang, der ungefähr 1,80 Meter breit war, was bedeutete, dass man dort praktisch nicht für sich war und der Klang herannahender Erwachsenenschritte ernst genommen werden musste. Die sechs jungen Menschen nahmen sofort schickliche Positionen ein und schauten gerade rechtzeitig zu dem Durchgang, um meines Vaters leicht wackelnde, vom gespenstischen Flackern des Fernsehers schwach illuminierte Pobacken zu sehen, die sich durch den Flur und weiter in die Küche bewegten.

25 Minuten saßen sie mucksmäuschenstill da, zu peinlich berührt, als dass sie hätten reden können, denn sie wussten ja auch, dass mein Vater den gleichen Weg zurückgehen und diesmal die Begegnung frontal sein würde.

Zum Glück (insofern man hier ein solches Wort verwenden

kann) hatte mein Vater sie offenbar im Vorbeigehen aus den Augenwinkeln heraus gesehen oder Stimmen oder Keuchen oder sonst etwas gehört – als er jedenfalls mit seinem Tablett zurückkam, war er in den flotten beigefarbenen Regenmantel meiner Mutter gewandet, womit er den Eindruck erweckte, dass er nicht nur ganz schön abartig, sondern nächtens auch ein Transvestit war. Im Vorbeigehen entbot er der versammelten Gesellschaft ein schüchternes, aber freundliches »Guten Abend« und verschwand die Treppe hinauf nach oben.

Ich glaube, es dauerte sechs Monate, bis meine Schwester wieder mit ihm sprach.

Interessanterweise merkte ich just zu der Zeit, in der ich meinen Fernseher erstand, dass ich Fernsehen eigentlich gar nicht mochte – oder, um es genauer auszudrücken, dass ich das, was es im Fernsehen gab, nicht sehr mochte. Den Fernseher an sich hatte ich gern: Ich mochte die ständige Abfolge von Geschwätz und hirnlosem Gelächter. Deshalb ließ ich es meist wie einen geistig zurückgebliebenen Verwandten in der Ecke vor sich hin brabbeln und las. Ich war nun in einem Alter, in dem ich viel las, stets und ständig. Ein- oder zweimal die Woche stieg ich hinunter ins Wohnzimmer, wo es zu beiden Seiten des Fensters nach hinten hinaus zwei riesige (so schien es mir jedenfalls) Einbaubücherschränke gab. Die waren voll mit den Büchern meiner Eltern, meist gebundenen Exemplaren, meist aus dem Buch-des-Monats-Buchclub, meist aus den 1930ern und 1940ern, und ich suchte mir drei oder vier aus und ging wieder nach oben in mein Zimmer.

Ich war unbekümmert willkürlich in meiner Auswahl, denn ich hatte kaum eine Ahnung, welche Bücher von der Kritik anerkannt und welche populärer Mist waren. Neben vielem anderen las ich *Trader Horn. Abenteuer an der Elfenbeinküste; Die Brücke von San Luis Rey; Our Hearts Were Young and Gay;*

Manhattan Transfer, You Know Me, Al; Die treue Nymphe; Der verlorene Horizont, die Kurzgeschichten von Saki, mehrere witzige Anthologien von Bennett Cerf, einen aufregenden Bericht über das Leben auf der Teufelsinsel mit dem Titel *Dry Guillotine* und mehr oder weniger das Gesamtwerk von P. G. Wodehouse, S. S. Van Dine und Philo Vance. Eine besondere Schwäche hatte ich für – und ich glaube, ich war der letzte Mensch, der es las – *Der grüne Hut* von Michael Arlen und seine wunderbaren, unvergleichlichen Namen: Lady Pynte, Venice Pollen, Hugh Cypress, Hauptmann Victor Duck und – unübertrefflich! – Trehawke Tush.

Bei einem dieser Sammeltrips stieß ich auf einem unteren Regal auf ein Jahrbuch der Drake University von 1936. Als ich es durchblätterte, entdeckte ich zu meinem höchsten, vollkommenen Erstaunen, dass meine Mutter in dem Jahr die Homecoming-Queen beim Ehemaligenfest gewesen war. Auf einem Bild steht sie auf einem Festzugswagen, strahlt vor Glück, ist jugendlich schlank und trägt ein glitzerndes Diadem. Ich ging mit dem Buch in die Küche, wo ich meinen Vater beim Kaffeekochen fand. »Wusstest du, dass Mom die Homecoming-Queen an der Drake war?«, fragte ich.

»Natürlich.«

»Wie kam das denn?«

»Na, sie wurde von ihren Kommilitonen gewählt! Deine Mom war nämlich eine wahre Augenweide.«

»Echt?« Ich war noch nie auf den Gedanken gekommen, dass meine Mutter anders als mütterlich aussah.

»Ist sie natürlich immer noch«, fügte er galant hinzu.

Ich fand es verblüffend, ja, eigentlich nicht angebracht, dass andere Menschen meine Mutter attraktiv oder begehrenswert fanden. Dann erwärmte ich mich allmählich für die Vorstellung. Meine Mutter war eine Schönheit gewesen. Sieh mal einer an!

Ich stellte das Buch zurück. Gleich daneben im Regal waren noch acht oder neun Bücher mit dem Titel *Beste Sportgeschichten 1950* und so weiter für fast jedes Jahr bis zur damaligen Gegenwart und jedes enthielt dreißig, vierzig der besten Artikel des jeweiligen Jahres über Sportereignisse, die von jemand Berühmtem wie zum Beispiel Red Barber ausgewählt worden waren. Und in jedem dieser Bände stand ein Artikel – manchmal sogar zwei – von meinem Vater. Oft war er der einzige Journalist aus der Provinz, der vertreten war. Ich setzte mich auf die Fensterbank zwischen den Bücherschränken und las ein paar Artikel gleich an Ort und Stelle. Sie waren wunderbar. Waren sie wirklich. Einfach eine kluge Zeile nach der anderen. In einem Artikel, erinnere ich mich, wurde berichtet, wie der Footballtrainer der University of Iowa, Jerry Burns, entsetzt an den Seitenlinien auf und ab lief, während sein glückloses Team zuließ, dass Ohio State die Touchdowns nach Lust und Laune gelangen. »It was a case of the defence *fiddling while Burns roamed*«, schrieb er*, und ich staunte, welcher sprühenden Geistesblitze der närrische alte Nacktarsch fähig war.

Angesichts dieser ermutigenden Entdeckungen modifizierte ich die Thunderbolt-Kid-Geschichte unverzüglich. Ich *war* der leibliche Abkömmling meiner Eltern, doch ja – und freute mich darüber. Ihr genetisches Material war mein genetisches Material, da gab's kein Vertun. Nach nun reiflicherer Überlegung stellte sich heraus, dass mein *Vater*, nicht ich, vom Planeten Electro zur Erde geschickt worden war, um die Interessen King

---

* Und die Übersetzerin zitiert den Satz im Original, weil er ein gar zu schönes Wortspiel enthält, das aber unübersetzbar ist. Die Wendung »fiddle while Rome burns« besagt, dass man sich mit Kleinigkeiten abgibt, während Rom brennt, also eine große Katastrophe geschieht. Hier nun tändelte die Verteidigung herum, während Trainer Burns vor Verzweiflung hin und her rannte.

Voltons und seines dem Untergang geweihten Geschlechts zu wahren und zu vertreten. Und wenn ich es recht bedachte, war das auch viel einleuchtender. Gab es denn einen Ort mit einem schöner klingenden Namen als Winfield, Iowa, in dem ein Superheld aufwachsen konnte?

Leider, begriff ich nun auch, war aber die Raumkapsel meines Vaters unsanft gelandet und mein Vater hatte eine heftige Gehirnerschütterung erlitten, nach der er alle diesbezüglichen Erinnerungen verloren und ein, zwei leicht seltsame Gewohnheiten angenommen hatte – hauptsächlich, einem krankhaften Geiz zu frönen und nach Einbruch der Dunkelheit nicht gern Unterhosen zu tragen. Auch war er sich tragischerweise sein ganzes Leben lang nicht bewusst, dass er die angeborene Fähigkeit besaß, Superkräfte in sich zu mobilisieren. Das zu entdecken blieb seinem jüngsten Sohn überlassen. Die Spezialkleidung, in der ich meine Electro-Kräfte spielen ließ, benötigte ich, weil ich durch Geburt Erdling war und die Superfähigkeiten nicht auf natürlichem Wege bekam. Dazu brauchte ich eben den Heiligen Pullover von Zap.

Natürlich, jetzt ergab alles einen Sinn. Und die Geschichte, die wurde einfach nur immer besser.

X
Auf dem Lande

Mason City, Iowa – Eine hübsche blonde, junge Ehe-
frau kitzelte am Dienstag früh ihren Ehemann aus
Spaß, damit er aufstand und die Kühe molk, und das
führte im Handumdrehen zu einer Tragödie. Mrs.
Jennie Becker Brunner, 22, sagte, in Tränen aufgelöst,
später am selben Tag in einer Zelle des Cerro-Gordo-
Bezirksgefängnisses, dass sie ihren Ehemann Sam
Brunner, 26, mit seinem .45-Kaliber-US-Army-Colt
erschossen habe. Mrs. Brunner sagte, sie und ihr Mann
seien in Streit geraten, nachdem sie ihn unter dem Arm
gekitzelt habe, um ihn aus dem Bett zu kriegen.

Des Moines Register, 19. November 1953

Abgesehen von dem einen oder anderen kitzligen Mord war Iowa traditionell ein friedlicher, erfreulich gewaltfreier Staat. In den etwa 160 Jahren seines Bestehens ist auf seinem Boden offiziell nur ein Schuss im Zorn abgegeben worden, und selbst da war der Zorn nicht sehr heftig. Im Bürgerkrieg feuerte eine Gruppe Unionssoldaten aus Gründen, die meines Wissens heute vollkommen vergessen sind, eine Kanonenkugel über die Staatsgrenze nach Missouri ab. Sie landete auf einem Feld auf der anderen Seite und kullerte aus, ohne Schaden anzurichten. Ich wäre nicht überrascht, wenn die Nachbarn aus Missouri sie auf einen Wagen geladen und zurückgebracht hätten. Jedenfalls kam niemand zu Schaden. Das war nicht nur der Höhepunkt in der Militärgeschichte Iowas, sondern damit erschöpfte sie sich auch.

Iowa hat bei allem, was es tat, stets stolz den Mittelweg beschritten. Es befindet sich in der Mitte des Kontinents, zwischen den beiden mächtigen größten Flüssen, dem Missouri und dem Mississippi, und während meiner ganzen Kindheit rangierte es auch bei sonst allem immer genau in der Mitte – in der Flächenausdehnung, der Bevölkerungszahl, beim Wahlverhalten, bei der Reihenfolge des Beitritts zu den Vereinigten Staaten. Wir waren ein wenig wohlhabender, um vieles gesetzestreuer und besser ausgebildet und gebildet als der Durchschnitt der Nation und aßen auch mehr Jell-O (viel mehr – und um ganz ehrlich zu sein: Wir aßen *allen* Wackelpeter!). Doch ansonsten taten wir uns durch rein gar nichts hervor. Während andere Bundesstaaten des Mittleren Westens einen mehr oder weniger kontinuierlichen Strom von Weltklasseberühmtheiten hervorbrachten – Mark Twain, Abraham Lincoln, Ernest Hemingway, Thomas Edison, Henry Ford, F. Scott Fitzgerald, Charles Lindbergh –, schenkte Iowa der Welt Donna Reed, Wyatt Earp, Herbert Hoover und den Typen, der Fred Mertz in *Typisch Lucy* spielte.

Iowas Haupterwerbszweige waren immer die Landwirtschaft und das Freundlichsein, und in beidem sind wir besser als irgendjemand sonst, auch wenn Eigenlob stinkt. Iowa ist ein typischer Agrarstaat. Alles an ihm ist ideal zum Dinge Wachsenlassen. Es besitzt gerade einmal 1,6 Prozent der Fläche der Vereinigten Staaten, aber 25 Prozent des Mutterbodens allererster Güte. Dieser Mutterboden ist an den meisten Stellen fast einen Meter tief, was offenbar sehr tief ist. Schlendern Sie über das Feld einer Farm in Iowa, und Sie haben ein Gefühl, als könnten Sie bis zur Taille darin versinken. Auf jeden Fall sinken Sie bis zu den Knöcheln ein. Es ist, als spaziere man auf einem sehr großen Backblech mit Brownies herum. Auch das Klima ist ideal, wenn es einem nichts ausmacht, im Winter tonnenweise Schnee zu schippen und sich den ganzen Sommer vor Tornados zu verstecken. Gemessen an den Maßstäben der restlichen Welt sind Dürren im Wesentlichen unbekannt und Regenfälle verteilen sich mit fast unheimlicher Mildtätigkeit – wenn es nottut, so heftig, dass alles einmal kräftig nass wird, doch nicht so heftig, dass Setzlinge weggespült oder Nährstoffe ausgewaschen werden. Die Sommer sind lang und angenehm sonnig, aber selten herrscht sengende Hitze. Nirgendwo wachsen Pflanzen lieber als in Iowa.

Folglich ist es eines der landwirtschaftlich am meisten genutzten Gebiete der Erde. Jemand hat einmal ausgerechnet, dass in Iowa Platz für 225 000 Farmen mit einer Fläche von jeweils 160 Morgen (angeblich die optimale Größe für eine Farm) wäre. 1930, dem Spitzenjahr hinsichtlich der Anzahl der Farmen, gab es 215 361 im Staat – also nicht viel unter dem absoluten Maximum. Heute ist die Zahl wegen des gnadenlosen Drucks zur Zusammenlegung viel, viel geringer, doch 95 Prozent des Landes in Iowa ist immer noch landwirtschaftliche Nutzfläche. Der restliche kleine Teil entfällt auf Highways, Wälder, ein paar vereinzelte Seen und Flüsse, massenhaft kleine Städte, ein paar kleinere Großstädte und ungefähr zwölf Millionen Wal-Mart-Parkplätze.

Ich erinnere mich, dass ich einmal auf der State Fair, der großen Landwirtschaftsausstellung Iowas, gelesen habe, dass die Farmen Iowas mehr an Wert produzierten als alle Diamantenminen der Welt zusammen – und diese Tatsache erfüllt mich noch heute mit Stolz. Iowa bleibt die Nummer eins der Nation bei der Erzeugung von Mais, Eiern, Mastschweinen und Sojabohnen und steht an zweiter Stelle, was den Wert der gesamten landwirtschaftlichen Produktion in den USA betrifft. Übertroffen wird es nur von Kalifornien, das flächenmäßig aber dreimal so groß ist. Iowa erzeugt ein Zehntel der gesamten Nahrungsmittel der Vereinigten Staaten und ein Zehntel des Maises auf der ganzen Welt. Hurra!

Und als ich aufwuchs, lief all das so gut wie nie zuvor und nie danach. Die 1950er Jahre sind oft als das letzte goldene Zeitalter für die Familienfarmen in den Vereinigten Staaten bezeichnet worden, und kein Staat war goldener als Iowa, und kein Fleckchen glitzerte hübscher als Winfield, die adrette, fröhliche kleine Stadt in der Südwestecke des Staates, nicht weit vom Mississippi, wo mein Vater aufwuchs und meine Großeltern lebten.

Mir gefiel alles an Winfield – seine hübsche Hauptstraße, seine unerschütterliche Ruhe, seine wogenden Maisfelder, ringsum der gesunde Geruch nach Land. Selbst der Name war solide und passte genau. Viele Städte in Iowa haben Namen, die ein wenig abgelegen und einsam und vielleicht einen Hauch inzüchtig klingen – Mingo, Pisgah, Tingley, Diagonal, Elwood,

Coon Rapids, Ricketts –, doch in dieser grüngoldenen Ecke des Staates waren die Namen allesamt brav und gediegen: Winfield, Mount Union, Columbus Junction, Olds, Mount Pleasant und, nicht zu überbieten, das strahlende Morning Sun.

Mein Großvater war von Beruf Landbriefträger, doch er besaß eine kleine Farm am Rand der Stadt. Er verpachtete das Land an andere Farmer und behielt drei, vier Morgen für Obstbäume und Gemüse. Zu dem Anwesen gehörten eine große rote Scheune und, schien es mir, riesige Rasenflächen auf allen Seiten. Die Rückseite des Hauses wurde von einer gewaltigen Eiche mit einer weißen Bank darum herum beherrscht. Man hatte den Eindruck, dass in den oberen Ästen immer eine Brise speziell für sie wehte. Es war das kühlste Fleckchen im Umkreis von 150 Kilometern. Hier saß man an den ruhigen Abenden vor oder nach dem Essen zum Erbsenpulen und Grüne-Bohnen-Schnibbeln oder drehte eine Kurbel, um Eiskrem herzustellen.

Das Haus meiner Großeltern war sehr ordentlich und klein – mit nur zwei Schlafzimmern, einem oben, einem unten –, aber extrem behaglich, und es kam mir immer geräumig vor. Als ich Winfield Jahre später einmal wieder besuchte, war ich überrascht, wie winzig es in Wirklichkeit war.

Aus sicherer Entfernung sah die Scheune aus, als könne man an keinem Ort der Welt besser und unterhaltsamer spielen. Sie wurde schon seit langem nur noch zum Aufbewahren alter Möbel und von Krimskrams benutzt, den niemand mehr brauchte. Es gab Türen, an denen man schaukeln konnte, geheime Lagerräume und Leitern, die zu dunklen Heuböden führten. Eigentlich aber war die Scheune meines Großvaters schrecklich, denn sie war schmutzig und dunkel und lebensgefährlich und jeder Zentimeter roch. Man konnte keine fünf Minuten darin verbringen, ohne sich die Schienbeine am unflexiblen Teil einer Maschine zu stoßen, sich den Arm an einer alten Messerklinge aufzuratschen, mit mindestens drei verschiedenen Sorten Tierkot (alle Jahre alt, aber immer noch weich in der Mitte) in Kontakt zu kommen, mit dem Kopf an einem nagelgespickten Balken anzuecken und dann in eine klebrige Spinnwebmasse zurückzuprallen, sich vom Nacken bis zum Po in einem Ballen Stacheldraht zu verheddern oder sich von oben bis unten mit zahnstochergroßen Splittern zu spicken. Die Scheune war ideal für ein Ganzkörpertraining des Immunsystems.

Am meisten hatte man Angst davor, dass eine der schweren Türen hinter einem zuschlagen und man für immer und ewig in der übel stinkenden Dunkelheit gefangen sein würde, zu weit vom Haus entfernt, als dass dort die jämmerlichen Schreie vernommen würden. Ich stellte mir immer vor, dass meine Familie am Abendbrottisch saß und einer sagte: »Hm, was ist wohl aus dem alten Billy geworden? Wie lange ist es jetzt her? Fünf Wochen? Sechs? Na, der Auflauf würde ihm ganz bestimmt schmecken, meint ihr nicht? Ich jedenfalls nehme mir noch etwas, wenn ich darf.«

Noch Furcht einflößender waren die Maisfelder, die sich von allen Seiten herandrängten. Mais wächst nicht mehr so hoch wie früher, weil er zu einer kompakten Idealform gezüchtet worden ist, doch als ich klein war, schoss er wie Bambus hoch und erreichte Höhen von 2,50 Metern oder mehr und gegen Ende des eher trockenen Spätsommers erklang auf den 56 290 Quadratmeilen des Landes von Iowa überall sein gespenstisches, bedrohliches Rascheln. Keine Umgebung ist – insbesondere für ein dummes, kleines Menschlein – so anonym, labyrinthisch und beunruhigend wie ein Feld mit unendlich langen, hohen und identisch aussehenden Maispflanzenreihen, von denen jede – einschließlich der diagonal verlaufenden – den Eindruck grenzenloser pflanzlicher Feindseligkeit machte.

Schon wenn man bloß am Rand stand und hineinspähte, wusste man: Wagte man sich je mehr als ein paar Meter in ein Maisfeld hinein, so fand man nie wieder heraus. Rollte einem beim Spielen der Ball hinein, ließ man ihn darin liegen, schrieb ihn ab, ging ins Haus und sah fern.

Ich spielte in Winfield aber nicht viel allein, sondern verbrachte viel Zeit damit, hinter meinem Großvater herzutrotten. Er mochte es offenbar, wenn ich ihm Gesellschaft leistete. Wir verstanden uns sehr gut. Mein Großvater war ein stiller Mann, erklärte aber immer gern, was er tat, und freute sich, wenn er jemanden hatte, der ihm eine Ölkanne oder einen Schraubenzieher anreichte. Er hieß Pitt Foss Bryson, und den Namen fand ich spitze. Nach Ernie Banks war er der netteste Mann der Welt.

Er baute immer etwas zusammen – einen kaputten Rasenmäher oder eine Waschmaschine; irgendwas mit Keilriemen und Klingen und vielen rasend schnell surrenden Teilen – und er schnitt sich immer spektakulär. Irgendwann nämlich zündete er den Motor des Geräts, langte hinein, um etwas geradezubiegen, rief beinahe sofort »Dammich!« und zog eine blutige, angeschredderte Hand heraus. Die hielt er eine Weile lang vor sich in die Höhe und wackelte mit den Fingern, als erkenne er sie gar nicht mehr richtig.

»Ohne Brille kann ich nichts sehen«, sagte er schließlich. »Wie viele Finger hab ich hier?«

»Fünf, Grandpa.«

»Na, dann ist es ja gut«, erwiderte er. »Ich hätte einen verlieren können.« Dann ging er und suchte sich einen Verband oder einen Lappen.

Irgendwann nachmittags steckte meine Großmutter den Kopf in die Hintertür und sagte: »Dad, du musst in die Stadt fahren und mir ein paar Steckrüben besorgen.« Sie nannte ihn immer Dad, obwohl er den wunderbaren Namen hatte und nicht ihr Vater war. Das verstand ich nie. Und er musste ihr immer Steckrüben besorgen. Das verstand ich auch nie, denn ich erinnere mich nicht, dass irgendwem von uns mal Steckrüben aufgetischt wurden. Vielleicht war es ein Codewort für Präservative.

Mit ihm in die Stadt zu fahren war immer etwas ganz Besonderes. Es war nicht mal ein halber Kilometer bis dahin, doch wir beide gingen nie zu Fuß, und wenn man auf dem hohen Sitz im Chevy meines Großvaters saß, fühlte man sich wie ein König. Das Stadtzentrum in Winfield bestand aus der Hauptstraße, an der sich zwischen drei Querstraßen ein ruhiges Geschäftsleben abspielte mit einer Post, zwei Banken, ein paar Tankstellen, einer Gaststätte, einer kleinen Zeitungsredaktion, zwei kleinen Lebensmittelläden, einem Billardsalon und einem Kramladen.

Den letzten Halt bei jeder Einkaufstour machten wir in einem Lebensmittelladen an einer Ecke. Er hieß Benteco's und hatte eine Eingangstür mit Fliegengitter, die immer ein zutiefst befriedigendes, dumpfes *Kerboing* von sich gab und jedes Eintreten zum Ereignis machte. Bei Benteco's durfte ich mir stets zwei Flaschen NeHi-Sprudel aussuchen – eine zum Abendessen, eine für danach, wenn wir Karten spielten oder *Bilko** oder Jack Benny im Fernsehen sahen. NeHi war die Limonade der Kleinstädte – warum, weiß ich nicht –, und sie hatte den intensivsten Geschmack und die quirligsten Farben, die je ein Produkt hatte, das von den Lebensmittelkontrollbehörden für den menschlichen Verzehr freigegeben worden ist. Es gab NeHi in sechs ausgewählten Geschmacksrichtungen – Pampelmuse, Erdbeer, Orange, Kirsch, Limette-Zitrone (nie

---

* Ich weiß, es hieß nie *Bilko*. Es hieß *You'll Never Get Rich* und später *The Phil Silvers Show*. Wir nannten es aber *Bilko*. Alle nannten es so. Es lief nur vier Jahre.

»Zitrone-Limette«) und Root Beer, und sie waren alle so machtvoll aromatisch, dass einem die Augen tränten wie ein unbe-
aufsichtigter Sprinkler, und mit derart viel Kohlensäure ver-
setzt, dass es sich anfühlte, als schlucke man tausend winzige
Rasierklingen. Es war wunderbar.

Das NeHi bei Benteco's wurde in einem großen blauen, sehr
eisigen Kühlgerät aufbewahrt, das aussah wie eine Tiefkühltruhe; die Flaschen waren in Reihen am Hals aufgehängt. Um
an eine bestimmte Flasche zu kommen, meinetwegen die letzte
Flasche Pampelmuse, bedurfte es meist viel komplizierten Ma-
növrierens, und man musste die Flaschen von einer Reihe in
eine andere verschieben. (Pampelmuse war die Geschmacks-
richtung, von der man tatsächlich Halluzinationen kriegte; ich
habe nach dem Genuss von NeHi-Pampelmuse einmal bis
zum Rand des Universums gesehen.) Sich die Flaschen selbst
in der Kühltruhe auszusuchen, besonders an einem heißen
Tag, wenn man sich in der feuchten kalten Luft aalen konnte,
machte großen Spaß. Musste man jedoch warten, bis sich ein
anderes Kind etwas ausgesucht hatte, war es die reinste Folter.

In Winfield sah ich übrigens sehr viel fern. Meine Großeltern hatten den besten Fernsehsessel – einen verstellbaren
beigefarbenen Lehnstuhl aus Kunstleder, teils Karusellsitz,
teils Kapitänssitz in einem Raumschiff, und absolut bequem.
Es war ein Gegenstand von einzigartiger Schönheit und Nütz-
lichkeit. Wenn man an dem Hebel zog, wurde man so tief nach
hinten heruntergelassen – nein, geschleudert –, dass es so gut
wie unmöglich war, sich wieder zu erheben. Doch das machte
nichts, weil man sagenhaft bequem lag und sich ohnehin nicht
bewegen wollte. Man lag einfach da und sah durch seine ge-
spreizten Füße fern.

Meine Großeltern kriegten sieben Sender auf ihrem Apparat
(wir in Des Moines nur drei), doch nur, wenn man die Dach-
antenne verstellte, was man mit Hilfe einer Kurbel an der Au-

ßenwand hinter dem Haus bewerkstelligte. Wollten wir also zum Beispiel KTVO aus Ottumwa empfangen, musste mein Großvater hinausgehen und die Kurbel ein wenig in eine Richtung drehen, wollten wir WOC aus den Quad Cities sehen, in die andere Richtung und bei KWWI aus Waterloo noch einmal anders, doch jedes Mal brauchte er dazu Anweisungen, die wir ihm durch das Fenster zuriefen. Wenn es windig oder die Sonnenaktivität hoch war, musste er während einer Sendung bisweilen acht- oder neunmal hinausgehen. Und wenn es sich um eine der geliebten Sendungen meiner Großmutter handelte wie *Jung und leidenschaftlich* oder *Queen for a Day*, blieb er meist gleich draußen für den Fall, dass ein Flugzeug vorüberflog und in einem entscheidenden Augenblick nur noch Wellen über den Bildschirm waberten. Er war der geduldigste Mensch, der je gelebt hat.

Ich schaute damals überhaupt viel fern. Wir alle schauten viel fern. 1955 hatte das US-amerikanische Kind im Durchschnitt 5000 Stunden ferngesehen – gegenüber null Stunden fünf Jahre zuvor. Meine Lieblingssendungen waren (nicht unbedingt in dieser Reihenfolge): *Zorro, Bilko, The Jack Benny Show, Dobie Gillis, Alle lieben Bob, Abenteuer unter Wasser, I Led Three Lives, Corky und der Zirkus, Sugarfoot, Dezernat M, Polizeibericht, Vater ist der Beste, Wenn man Millionär wär, Rauchende Colts, Robin Hood, Die Unbestechlichen, What's My Line, I've Got a Secret, Route 66, Topper* und *77-Sunset-Strip*, doch eigentlich schaute ich alles.

Meine allerliebste Lieblingssendung war die *Burns and Allen Show* mit George Burns und Gracie Allen. Ich war von der Sendung nicht nur vollkommen bezaubert, weil ich die Charaktere und ihre Namen so mochte – Blanche Morton, Harry Von Zell –, sondern auch, weil ich fand, dass George Burns und Gracie Allen das witzigste Komikerpaar aller Zeiten waren. George verzog nie eine Miene, und Gracie kriegte immer alles in den falschen Hals. Außerdem hatte George ein Fernsehgerät in seiner Bude, auf dem er beobachten konnte, was seine Nachbarn trieben, ohne dass sie es wussten, und das fand ich eine geradezu brillante Idee, die auch so manche eigene Fantasie anregte. Er trat oft aus der Inszenierung heraus und sprach direkt mit dem Publikum über das, was da vor sich ging. Das Ganze war seiner Zeit um Jahre voraus. Ich habe noch nie einen Menschen getroffen, der sich daran erinnert, ganz zu schweigen davon, dass er es auch so liebte.

Fast jeden Sommerabend in Winfield gingen wir kurz vor sechs zu Fuß in die Stadt (alle Bewegungen auf das Zentrum zu waren als »in die Stadt gehen« bekannt). Auf dem schattigen Rasen an einer Kirche nahmen wir an einem riesigen Abendessen teil, zu dem jeder was mitbrachte. Es wurde von Heerscharen stattlicher, kichernder Frauen veranstaltet, die unglaublich schlaffe Arme und Hälse hatten, an denen die Haut wie nasse Säcke herunterhing. Alle hießen sie Mabel, litten sehr unter der Hitze, beschwerten sich aber nie, sondern lachten in einem fort und waren fröhlich. Außerdem waren sie unentwegt damit beschäftigt, mit Bratenwendern Fliegen vom Essen zu verscheuchen (wobei sie ihre alten Arme auf eine hypnotisierende Weise zum Wabbeln brachten), sich lose Haarsträhnen aus dem Gesicht zu blasen und dafür zu sorgen, dass kein menschliches Wesen in einem Umkreis von 50 Metern ohne einen Pappteller dastand, auf dem ein Haufen herzhaften, aber zutiefst merkwürdigen Essens lag – und Gerichte in den 1950er Jahren, lassen Sie mich das sagen, waren wirklich merkwürdig. Der Hauptgang bei diesen Abendessen bestand fast immer aus einer Auswahl an Hackbraten, alle ungefähr von der Größe eines V8-Motors, alle mit einer glänzenden Soße und gespickt mit einer atemberaubenden Menge kurioser Zutaten, die Namensgeber dieser Kreationen waren – Erdnusskrokant-'n'-

Cheez-Whiz-Frühstücksfleischbraten, gestürzt, und dergleichen. Fast alle hatten an irgendeiner Stelle mindestens ein »'n'« und »gestürzt« im Namen. Und es gab immer ungefähr 20 davon. Der treibende Gedanke war offenbar, dass kein Gericht zu süß oder zu seltsam war und alles Essen automatisch leckerer wurde, wenn man es gestürzt servierte.

»He, Dwayne, komm her und probier mal diesen scharfen Leber-'n'-kandierter-Mais-Schmortopf, gestürzt«, sagte wohl eine der Mabels. »Mabel hat ihn gemacht. Köstlich!«

»Gestürzt?«, erwiderte Dwayne todernst, was anzeigte, dass eine witzige Bemerkung folgen würde. »Was ist passiert – hat sie ihn fallen lassen?«

»Na, ich weiß nicht, vielleicht«, erwiderte Mabel kichernd. »Willst du Schokoladenbratensoße dazu oder Kekssoße oder Ernussbutter-'n'-Maissplitter-Soße?«

»Na, wie wär's mit einem bisschen von allem?«

»Sofort.«

Die Beilagen zu den Hauptgängen bestanden aus einem Tisch voll kunterbunter Wackelpuddinge, der typischen Frucht des Staates, die noch mehr fantasievolle Zutaten enthielten – Marshmallows, Salzbretzelchen, Obststücke, Rice Krispies, Maischips, alles, was unter Druck die Form wahrte –, und von all denen musste man auch etwas nehmen. Aber das wollte man natürlich auch, weil alles so appetitlich aussah. Auf zwei weiteren großen Tischen standen Wannen und Platten mit buttertriefendem Kartoffelpüree, in Baked Beans schwimmendem Speck, Gemüse in Sahnesoße, kleingehackten, scharf gewürzten Eiern, Maisbrot, Muffins, Trumms von Keksen und Krautsalat in einem Dutzend Variationen. Wenn man all das auf den Pappteller gehäuft hatte, wog der zwölf Pfund und sah deutlich postoperativ aus, wie mein Vater immer sagte. Doch den hartnäckigen Überredungskünsten der vielen Mabels konnte man einfach nicht widerstehen.

Die Leute strömten zu diesen Abendessen aus den entferntesten Landstrichen herbei. Die Glaubenszugehörigkeit der Kirche spielte keine Rolle. Alle kamen. In der Stadt waren ohnehin alle Methodisten, selbst die Katholiken. (Nur um es gesagt zu haben: Meine Großeltern waren Lutheraner.) Es ging auch nicht um Religion; es ging um Essen in Gesellschaft und in großen Mengen.

»Vergiss bloß nicht, Platz für den Nachtisch zu lassen«, sagte eine Mabel immer, wenn man mit seinem Teller davontaumelte. Doch daran musste man nicht erinnert werden, denn die Desserts waren fantastisch und berühmt, einfach unübertroffen. Es handelte sich im Wesentlichen um die gleichen Gerichte, wie vorher beschrieben, nur ohne das Fleisch.

An den wenigen Abenden, an denen wir nicht bei einem Gemeindefest waren, vertilgten wir bei meinen Großeltern an einem häufig nach draußen auf den Rasen getragenen Tisch enorme Mahlzeiten. (Damals schien es den Leuten wichtig zu sein, ihr Essen mit so vielen Insekten wie möglich zu teilen.) Onkel Dee war natürlich da, der vor sich hin rülpste, und Onkel Jack aus Wapello, der bekannt dafür war, dass er es nie schaffte, einen Satz zu beenden.

»Ich sag euch, was sie machen sollten«, sagte er mitten in einer angeregten Diskussion, und dann warf jemand Durchsetzungsfähigeres einen Kommentar dazwischen, und nie bekam man zu hören, was Jack meinte. »Also, wenn ihr mich fragt«, sagte er, aber niemand fragte ihn. Meist saßen sie herum und redeten über chirurgische Eingriffe und alle möglichen Gebrechen – Kröpfe, Gallensteine, Hexenschüsse, Ischias, Wasser im Knie –, die es heute offenbar nicht mehr gibt. Die Leute kamen mir immer sehr alt und langsam vor und so froh, wenn sie sich hinsetzen konnten.

Aber was waren sie gutmütig. Wenn jemand von außerhalb des üblichen Familienkreises zu Besuch war, brachte immer

232

einer das Tröpfelglas und bot ihm etwas zu trinken an. Das Tröpfelglas war das Witzigste, das ich je gesehen hatte. Es war ein schickes, geschliffenes Trinkglas mit vielen Facetten – eben ein Glas, wie man es einem Ehrengast geben würde – und wirkte völlig normal. Es war auch völlig normal, solange man es nicht schräg hielt. Denn in die Facetten waren in einem so genialen Winkel winzige, unsichtbare Spalten geschnitten, dass jedes Mal, wenn das Opfer das Glas zum Mund führte, ein Gutteil des Inhalts in stetem Fluss auf seine Brust tröpfelte.

Aus irgendeinem Grunde war es immer wieder unbeschreiblich lustig zu beobachten, wie sich ein unschuldiger, nichts ahnender Mensch wiederholt mit Cranberrysaft oder Kirsch-Kool-Aid begoss (es war stets etwas Knallbuntes) und zwölf Leute mit vollkommen nüchternen, gefassten Mienen zuschauten. Wenn der Genasführte endlich die versickernde Flüssigkeit spürte, schaute er nach unten und rief: »Ach, herrjemine!«, und alle brachen lauthals in Lachen aus.

Ich habe nie erlebt, dass jemand wütend wurde oder sich entsetzte, wenn er merkte, was ihm da für ein Streich gespielt worden war. Das beste weiße Hemd war ruiniert, man sah aus, als sei einem ein Messer in die Brust gestoßen worden, und die Zuschauer lachten, bis ihnen die Tränen kamen. Herrje, was waren die Leute in Iowa glückliche Menschen.

In Winfield war auch das Wetter immer interessanter als sonstwo. Es war stets heißer, kälter, windiger, lauter, schwüler, ärger und entschiedener. Selbst wenn es eigentlich gar nichts tat, wenn es an einem Augustnachmittag nur schwül, schlaff und still war, war es schwüler und schlaffer als irgendwo sonst, wo man je gewesen war, und so still, dass man aus einem Haus auf der anderen Straßenseite die Uhr ticken hörte.

Weil Iowa völlig platt ist und meine Großeltern ganz am Rande der Stadt wohnten, sah man meteorologische Phänomene lange, bevor sie da waren. Gewaltige majestätische Stürme erhellten den Himmel im Westen oft schon zwei oder drei Stunden, bevor die ersten Regentropfen in Winfield fielen. Man redet ja immer über hohe, weite Himmel im Westen der USA (und sie sind ja auch sicher hoch und weit), doch dann hat man noch nie solche hoch sich auftürmenden Ambosswolken wie in Iowa im Juli gesehen.

Die größte Naturgewalt in Iowa – im Mittleren Westen – sind natürlich die Tornados. Man sieht Tornados nicht oft, weil sie eher schnell vorüber und lokal begrenzt sind und oft nachts kommen, so dass man im Bett liegt, der wilden Raserei draußen lauscht und ganz genau weiß, dass der Ausläufer eines Tornados jederzeit herunterlangen und einen mitsamt der ruhigen Behaglichkeit in tausend Stücke zerschlagen könnte. Als meine Großeltern einmal im Bett lagen, hörten sie ein lautes Brummen direkt an ihrem Haus vorbeiziehen – wie von einer Milliarde Hornissen, erzählte mein Großvater. Er stand auf, lugte aus dem Schlafzimmerfenster, konnte aber nichts erkennen und legte sich wieder hin. Und das Geräusch verstummte dann auch schlagartig.

Als er morgens vors Haus trat, um die Zeitung zu holen, sah er zu seiner Überraschung, dass sein Auto im Freien stand. Dabei war er überzeugt, dass er es am Vorabend wie üblich weggestellt hatte. Dann begriff er, dass er zwar das Auto wie üblich weggestellt hatte, aber die Garage nicht mehr da war. Das Auto stand auf deren Betonboden. Ohne einen Kratzer. Von der Garage ward nichts wieder gesehen. Und als mein Großvater genauer hinschaute, entdeckte er eine Schneise der Zerstörung, die an einer Seite des Hauses entlanglief. Die Büsche aus einem Beet direkt am Haus vor dem Schlafzimmerfenster waren vollständig herausgerissen, und da wurde ihm klar, dass die Dunkelheit, in die er in der Nacht geschaut hatte, die Wand eines Tornados gewesen war, die auf der anderen Seite der Scheibe vorbeizog, nur drei, vier Zentimeter vor seiner Nase.

Ich sah in meiner Kindheit nur einmal einen Tornado. Wie ein Killerapostroph zog er von rechts nach links quer über den weit entfernten Horizont. Er war vielleicht zehn Meilen weit weg und deshalb vergleichsweise ungefährlich. Trotzdem war er unvorstellbar mächtig. Überall war der Himmel unruhig, unnatürlich dunkel, schwer und tief, und jeder Wolkenfetzen aus allen erdenklichen Himmelsrichtungen wurde in den Strudel in der Mitte gesaugt wie in ein schwarzes Loch. Es war, als sei man Zeuge beim Untergang der Welt. Der stetige, starke Wind fühlte sich komischerweise an, als schiebe er nicht von hinten, sondern ziehe von vorn, wie mit dem unwiderstehlichen Zug eines Magneten. Man musste sich dagegen wehren, vorwärtsgezogen zu werden. Und die gesamte Energie ballte sich in einer einzigen surrenden, länglichen Zunge der Vernichtung. Wir wussten es nicht, als wir damals zuschauten, aber es starben Menschen, als der Tornado vorbeizog.

Ein, zwei Minuten lang hielt er inne und schien auf der Stelle zu verharren.

»Das könnte heißen, er kommt in unsere Richtung«, sagte mein Vater zu meinem Großvater.

Ich verstand das so, dass wir uns nun alle in unsere Autos schmissen und haste, was kannste in die entgegengesetzte Richtung fahren würden. Für diese Alternative hätte ich votiert, wenn man mich gefragt hätte.

Doch mein Großvater sagte lediglich: »Ja, könnte sein«, und verzog keine Miene.

»Hast du schon einmal einen Tornado von so nahem gesehen, Billy?«, fragte mich mein Vater mit eigenartigem Lächeln.

Ich starrte ihn erstaunt an. Natürlich nicht und ich wollte es auch nicht. Dass die Erwachsenen niemals und vor nichts

Angst hatten, war bei weitem das am meisten Angst Machende an Erwachsenen in den Fünfzigern.

»Was tun wir, wenn er hierherkommt?«, fragte ich gequält und wusste, dass mir die Antwort nicht gefallen würde.

»Hm, gute Frage, Billy, denn es passiert leicht, dass man vor einem Tornado flieht und direkt in einen anderen fährt. Weißt du, dass mehr Leute auf die Art sterben als an anderen Ursachen?« Er wandte sich an meinen Großvater. »Erinnerst du dich an Bud und Mabel Weidermeyer?«

Mein Großvater nickte mit einem Anflug von Begeisterung, als wolle er sagen: Wer könnte das vergessen? »Sie hätten doch wissen müssen, dass man zu Fuß keinem Tornado entkommt«, sagte mein Großvater. »Besonders Bud mit dem Holzbein.«

»Hat man das Bein je gefunden?«

»Nein. Mabel auch nicht. Ach, übrigens, ich glaube, er bewegt sich wieder.«

Er zeigte auf den Tornado, und wir alle sahen gespannt hin. Nach einigen Augenblicken war klar, dass er tatsächlich seinen imposanten Marsch nach Osten wiederaufgenommen hatte. Er kam also doch nicht in unsere Richtung. Sehr bald darauf hob er sich vom Boden und kehrte in die schwarzen Wolken über sich zurück, als werde er zurückgezogen. Sekunden danach hörte der Wind auf. Mein Vater und Großvater gingen ins Haus und sahen ein wenig enttäuscht aus.

Am nächsten Tag fuhren wir dorthin, wo er hergezogen war, und schauten uns um. Überall herrschte Zerstörung – Bäume und elektrische Leitungen waren heruntergerissen, Scheunen zu Splittern zerfetzt, Häuser halb verschwunden. Sechs Menschen waren im Nachbarkreis umgekommen. Wahrscheinlich hatten die sich auch nicht wegen des Tornados gesorgt.

Ganz besonders erinnere ich mich an die kalten Winter in Winfield. Meine Großeltern sparten an der Heizung und drehten sie nachts fast aus, so dass das Haus sich nie aufwärmte, nur die Küche war manchmal, wenn zum Beispiel zu Thanksgiving oder Weihnachten ein großes Essen gekocht wurde, von einer wunderbar dunstigen Wärme erfüllt. Sonst lebte man in dem Haus wie in einer Hütte in der Arktis. Der erste Stock war ein einziger, langer Raum, der durch einen Vorhang geteilt werden konnte und in dem es überhaupt keine Heizung, aber den kältesten Lineoleumboden der Welt gab.

Doch an einer Stelle war es sogar noch kälter: auf der Schlafveranda. Die Schlafveranda war eine ein wenig wackelige, locker mit Wänden versehene Veranda auf der Rückseite des Hauses, die nur dem Namen nach von der Außenwelt getrennt war. Dort stand ein uraltes, durchhängendes Bett, in dem mein Großvater schlief, wenn es im Sommer unerträglich heiß war. Doch wenn im Winter manchmal das Haus voller Gäste war, wurde es auch in Dienst gestellt.

Die einzige Wärme in der Schlafveranda kam von dem menschlichen Wesen, das sich dort aufhielt. Es konnte kaum mehr als ein, zwei Grad wärmer sein als in der Welt draußen – und draußen war es extrem kalt. Auf der Schlafveranda zu schlafen bedurfte also einiger Vorbereitung. Zuerst zog man lange Unterwäsche an, Schlafanzug, Jeans, ein Sweatshirt, Großvaters alte Strickjacke und Bademantel, zwei Paar Wollsocken an die Füße und ein Paar an die Hände und eine Mütze mit Ohrenklappen, die man unter dem Kinn zusammenband. Dann stieg man ins Bett und wurde sofort mit einem Dutzend Bettdecken zugedeckt, drei Pferdedecken, allen Mänteln im Haus, einer Plane und einem Stück altem Teppich. Ich bin nicht einmal sicher, ob sie einem nicht noch einen alten Schrank obendrauf legten, um das Ganze niederzuhalten. Es war, als schlafe man unter einem toten Pferd. Etwa eine Minute lang war es unvorstellbar kalt, schockierend kalt, doch dann sickerte allmählich die eigene Körperhitze ein, und man wurde warm und auf eine Art glücklich, die man noch wenige Minuten zuvor nicht für möglich gehalten hätte. Es war die reine Glückseligkeit.

Jedenfalls so lange, bis man einen Muskel bewegte. Die Wärme, entdeckte man nämlich dann, breitete sich nur bis zum Rand der Haut und kein Mikron weiter aus. Die Lage zu verändern stand völlig außer Frage. Wenn man auch nur den Finger krümmte oder ein Knie beugte, war das, als tauche man sie in flüssigen Stickstoff. Man hatte keine Wahl, als vollkommen unbeweglich zu verharren. Es war eine seltsame und merkwürdig wunderbare Erfahrung – so prekär zwischen Entzücken und Folter zu schweben.

Die Schlafveranda war der ruhigste, friedvollste Ort auf Erden. Der Blick durch das große breite Fenster am Fuß des Bettes ging über leere, dunkle Felder bis zu einer Stadt namens Swedesburg, nach der Nationalität ihrer Gründer benannt, wegen der Tabakprisen, die sich die Einheimischen in die Münder stopften, wenn sie ihren Geschäften nachgingen, aber als Snooseville bekannt. Snoose war eine zwischen Wange und Zahnfleisch festverankerte Hausmachermischung aus Tabak und Salz, aus der man das Nikotin langsam und stetig heraussaugen konnte. Sie wurde stündlich aufgestockt und dauerhaft im Mund behalten. Manche Leute, erzählte mir mein Vater, steckten sich sogar vor dem Schlafengehen noch einen neuen Priem in den Mund.

Ich war nie in Swedesburg gewesen. Es gab keinen Grund, dorthin zu fahren – es war bloß ein Häuflein Häuser –, doch nachts im Winter war es mit seinen entfernten Lichtern wie ein Schiff weit draußen auf dem Meer. Ich fand es beruhigend und irgendwie auch tröstlich, die Lichter zu sehen und mir vorzustellen, dass alle Bürger von Snooseville kuschelig in ihren Häusern saßen und vielleicht zu uns hinüber nach Winfield schauten und das ihrerseits tröstlich fanden. Mein Vater erzählte mir, dass in seiner Kindheit die Leute in Snooseville zu Hause immer noch Schwedisch gesprochen hätten. Auch die Vorstellung gefiel mir sehr – dass dort drüben ein kleiner Außenposten Schwedens lag und die Leute zusammensaßen, Hering und Schwarzbrot futterten, »Heja! Heja!« riefen und mitten auf dem amerikanischen Kontinent fröhlich und zufrieden schwedisch waren. Wenn man in der Jugend meines Vaters durch Iowa fuhr, kam man regelmäßig in Städte oder Dörfer, in denen alle Bewohner Deutsch oder Niederländisch oder Tschechisch oder Dänisch oder sonst eine Sprache Nord- oder Mitteleuropas sprachen.

Doch die Zeiten waren längst passé. Als im Gefolge des Ersten Weltkrieges 1916 der Englisch sprechende Teil der Bevölkerung misstrauisch hinsichtlich der Loyalität der nicht Englisch sprechenden wurde, verfügte ein Gouverneur von Iowa, William L. Harding, dass es hinfort ein Verbrechen sei, in Schulen, Kirchen, ja sogar am Telefon in dem großen Staat Iowa eine fremde Sprache zu sprechen. Es gab Proteste, weil die Leute ihre Gottesdienste in ihrer eigenen Sprache aufgeben mussten, doch Harding ließ sich nicht erweichen. »Es ist ohnehin zwecklos, wenn jemand seine Zeit mit Beten in einer anderen Sprache als Englisch vergeudet«, erwiderte er. »Gott hört nur zu, wenn Englisch gesprochen wird.«

Die kleinen Sprachinseln verschwanden eine nach der anderen. In den 1950er Jahren gab es kaum noch welche. Damals hätte es keiner geahnt – doch die kleinen Städte und Familienfarmen sollten schon bald gleichermaßen gefährdet sein.

1950 hatten die Vereinigten Staaten fast sechs Millionen Farmen. In einem halben Jahrhundert verschwanden fast zwei Drittel davon. Mehr als die Hälfte des US-amerikanischen Landes wurde landwirtschaftlich genutzt, als ich ein Junge war; dank der Verbreitung von Beton sind es heute nur noch 40 Prozent – ein beträchtlicher Rückgang in einer einzigen Lebenszeit.

Ich wurde in einem Staat geboren, in dem es 200 000 Farmen gab. Heute sind es nicht einmal mehr halb so viel, und die Tendenz ist weiter fallend. Von den 750 000 Menschen, die in meiner Jugend in Iowa auf Farmen lebten, sind eine halbe Million – zwei von dreien – verschwunden, und der Prozess geht gnadenlos weiter. In den 1970er Jahren ist die Bevölkerungszahl auf dem Lande um 25 Prozent gefallen und in den 1980er Jahren noch einmal um 35 Prozent. Und in den 1990ern sind noch einmal 100 000 Leute abgewandert. Und die Menschen, die übrig bleiben, sind alt. 1988 hatte Iowa mehr Einwohner von 75 und älter als von fünf und jünger. In 37 (und die Zahl geht auf die Hälfte zu) von 99 Bezirken verzeichnete man mehr Todesfälle als Geburten.

Es liegt an den Folgen des Zwangs zu größerer Effizienz und fortwährenden Fusionen. Alte Farmen tun sich zunehmend zusammen zu Superfarmen von 3000 Morgen und mehr. Bis zur Mitte dieses Jahrhunderts, meint man, könnte die Anzahl der Farmen in Iowa auf 10 000 zurückgehen. Da bleibt nicht viel Landbevölkerung auf einer Fläche von der Größe Englands.

Und weil es nur noch so wenig Farmer im Umland gibt, sind die meisten Kleinstädte in Iowa schon ausgestorben. Einerlei, wo man heutzutage hinfährt, überall im Staat sieht man leere Städte, leere Straßen, zusammenfallende Scheunen, mit Brettern vernagelte Farmhäuser. Und überall hat man den Eindruck, man käme kurz nach einer schrecklichen ansteckenden Seuche, was in gewissem Sinn ja auch stimmt. In Illinois, Kansas und Missouri ist es nicht anders und noch schlimmer in Nebraska und Nord- und Süddakota. Wo früher kleine Städte waren, sind heute leere Hauptstraßen.

Winfield hält sich so eben noch am Leben. Die Geschäfte auf der Main Street – der Dime-Store, der Billardsalon, die kleine Zeitungsredaktion, die Banken, die Lebensmittelläden –

sind alle längst nicht mehr da. Selbst wenn es noch NeHi-Sprudel gäbe, könnte man ihn nirgendwo kaufen. In der Stadt kann man überhaupt nichts mehr zum Essen kaufen. Das Haus meiner Großeltern steht noch – zumindest war es beim letzten Mal, als ich vorbeigefahren bin, noch da –, doch die Scheune, die Verandaschaukel, der Schatten spendende Baum hinter dem Haus und die Obstbäume – ja, alles, was es zu dem machte, was es war, ist verschwunden.

Da bleibt mir nur noch zu sagen, dass ich etwas wirklich Besonderes gesehen habe, kurz bevor es verschwand. Und das scheine ich heutzutage ziemlich oft zu sagen.

XI
Bange machen gilt nicht

17 Stunden in der Leichenhalle gelegen – lebendig

Atlanta, Ga. (UP) – Eine alte Dame, die in ein Bestattungsinstitut gebracht worden war, um dort einbalsamiert zu werden, schlug 17 Stunden nach ihrer Einlieferung die Augen auf und verkündete: »Ich bin nicht tot.«

W.L. Murdaugh vom Bestattungsinstitut Murdaugh Brothers in Atlanta sagte, dass es zweien seiner Angestellten beinahe die Sprache verschlagen hätte.

Die Frau, eine gewisse Julia Stallings, 70, wirkte am Ende ihres langen Komas am Sonntagabend benommen, doch ansonsten in gutem Zustand, sagte Murdaugh.

Des Moines Tribune, 11. Mai 1953

Collier's

15c

August 5, 1950

HIROSHIMA, U.S.A.

Can Anything Be Done About It?

Als ich mir zum ersten und einzigen Mal einen Knochen brach, merkte ich auch zum ersten Mal, dass man sich auf Erwachsene nicht hundertprozentig verlassen kann. Ich war vier Jahre alt, turnte auf Arthur Bergens Klettergerüst, fiel herunter und brach mir das Bein.

Arthur Bergen wohnte weiter oben in unserer Straße, war aber beim Zahnarzt oder sonstwo, als ich ihn besuchen wollte, und ich beschloss, mich ein wenig auf seinem neuen Klettergerüst zu tummeln, bevor ich wieder nach Hause ging.

An den Sturz erinnere ich mich überhaupt nicht, weiß aber noch sehr deutlich, wie ich auf der feuchten Erde lag, das urplötzlich riesengroße Klettergerüst bedrohlich über mir und um mich herum, und dass ich mein rechtes Bein nicht mehr bewegen konnte. Ich weiß auch noch, dass ich den Kopf hob, an meinem Körper hinunter bis zu meinem Bein schaute und sah, dass es in einem ungewöhnlichen Winkel abgeknickt war – ja, einem gänzlich neuartigen Winkel. Unverzagt begann ich in den unterschiedlichsten Tonlagen um Hilfe zu rufen, doch niemand hörte mich. Schließlich gab ich es auf und döste ein bisschen.

Irgendwann öffnete ich die Augen, und ein Mann in Uniform und spitzer Mütze schaute auf mich herunter. Die Sonne war direkt hinter ihm, so dass ich sein Gesicht nicht sehen konnte; es war nur etwas Dunkles mit Mütze und darum herum grell leuchtendes Licht.

»Hast du dir wehgetan, Junge?«, sagte er.

»Ja, am Bein.«

Das bedachte er eine Minute lang. »Da muss dir deine Mama

Eis drauf legen. Kennst du Leute, die …«, er zog ein Klemmbrett zu Rate, »Maholovich heißen?«

»Nein.«

Er warf noch einmal einen Blick auf das Klemmbrett. »A.J. Maholovich. 3725 Elmwood Drive.«

»Nein.«

»Kommt dir gar nicht bekannt vor?«

»Nein.«

»Das hier ist aber der Elmwood Drive?«

»Ja.«

»Okay, Junge, danke.«

»Es tut wirklich weh«, sagte ich. Doch weg war er.

Ich schlief noch eine Runde. Nach einer Weile kam Mrs. Bergen die Einfahrt hochgefahren und lief mit vollen Lebensmitteltüten die Hintertreppe hinauf.

»Du holst dir da eine Erkältung«, sagte sie fröhlich im Vorbeieilen.

»Ich habe mir am Bein wehgetan.«

Sie blieb stehen und dachte einen Moment lang nach. »Dann steh besser auf und lauf ein bisschen herum. Das ist am besten. Oh, das Telefon.« Sie eilte ins Haus.

Ich wartete, dass sie zurückkam, aber sie kam nicht. »Hallo«, krächzte ich, mittlerweile eher schwächlich. »Hilfe.«

Bergens Schwesterchen, klein und deshalb dumm und unzuverlässig, kam herbei und nahm mich kritisch in Augenschein.

»Geh und hol deine Mama«, sagte ich. »Ich habe mir weh getan.«

Sie schaute mein Bein wenn schon nicht mitleidig, so doch wenigstens verständnisvoll an. »Auie«, sagte sie.

»Ja, auie. Es tut sehr weh.«

Sie wanderte davon und sagte noch einmal »Auie, auie«, verfolgte meinen Fall aber nicht weiter.

Nach einer Weile kam Mrs. Bergen mit einem Haufen Wäsche zum Aufhängen heraus.

»Na, dir gefällt es ja offenbar da unten«, kicherte sie.

»Mrs. Bergen, ich glaube, ich habe mir wirklich das Bein verletzt.«

»Auf dem kleinen Klettergerüst?«, sagte sie, gutmütig skeptisch, kam aber näher, um mich anzusehen. »Das glaube ich nicht, Herzchen.« Und dann plötzlich: »Ach, du lieber Gott! Dein Bein! Es ist verkehrt herum!«

»Es tut weh.«

»Das glaube ich. Da geh ich jede Wette ein. Warte da.«
Sie verschwand.

Nach geraumer Zeit kamen schließlich Mr. Bergen und meine Eltern in ihren jeweiligen Autos mehr oder weniger gleichzeitig angefahren. Mr. Bergen war Rechtsanwalt. Ich hörte, wie er mit meinen Eltern über Haftung sprach, als sie die Treppe heraufkamen. Er war als Erster bei mir.

»Dir ist ja wohl klar, Billy, dass du, streng genommen, unbefugt hier eingedrungen bist …«

Meine Eltern brachten mich zu einem jungen kubanischen Arzt in der Woodland Avenue, und der geriet in Panik. Er fing an, genau die gleichen Laute von sich zu geben wie Desi Arnaz in *Typisch Lucy*, als Lucy was furchtbar Dummes gemacht hatte – nur gab der kubanische Arzt sie über meinem Bein von sich. »Ich glaube nicht, dass ich da was machen kann«, sagte er und schaute meine Eltern flehentlich an. »Das ist ein wirklich schlimmer Bruch. Ich meine, schauen Sie sich das an. Meine Güte!«

Ich glaube, er hatte Angst, man würde ihn zurück nach Kuba schicken. Schließlich brachten sie ihn dazu, den Bruch zu richten. Die nächsten sechs Wochen blieb mein Bein mehr oder weniger verkehrt herum. Doch in dem Moment, in dem sie den Gips abmachten, sprang es zurück in die richtige Lage, und alle waren freudig überrascht. Der Arzt strahlte. »Das nenn ich Glück!«, sagte er fröhlich.

Dann stand ich auf und fiel um.

»Oh«, sagte der Arzt und sah nun wieder besorgt drein. »Das nenne ich nicht so gut.«

Er dachte eine Minute lang nach und sagte dann zu meinen Eltern, sie sollten mich nach Hause bringen, dafür sorgen, dass ich den Rest des Tages und die Nacht das Bein nicht gebrauchte, und sehen, wie es am nächsten Morgen sei.

»Glauben Sie, dann ist es wieder in Ordnung?«, fragte mein Vater.

»Keine Ahnung«, sagte der Arzt.

Am nächsten Morgen stand ich auf und trat vorsichtig auf mein verletztes Bein. Es fühlte sich an, als sei es in Ordnung. Es fühlte sich gut an. Ich ging herum. Alles klar. Ich lief noch ein Stückchen. Ja, es war definitiv wieder heil.

Als ich mich nach unten begab, um die gute Neuigkeit mitzuteilen, war meine Mutter in der Waschküche über die Schmutzwäsche gebeugt und sortierte sie.

»Hey, Mom, mein Bein ist wieder heil«, verkündete ich. »Ich kann laufen.«

»Ach, schön, Liebling«, sagte sie, den Kopf im Trockner. »Wo ist bloß der andere Socken?«

Es war keineswegs so, dass meine Mutter und mein Vater dem körperlichen Wohlbefinden ihrer Kinder gegenüber gleichgültig waren. Sie glaubten nur, dass am Ende schon alles gut werden würde, und sie hatten immer Recht. In unserer Familie verletzte sich nie jemand schwer. Niemand starb. Niemals ging irgendetwas wirklich ernsthaft schief – und wenn man es recht bedenkt, ging auch in unserer Stadt und in unserem Staat kaum was ernsthaft schief. Gefährliche Dinge passierten weit, weit weg, auf den Inseln Matsu und Quemoy oder in Belgisch-

Kongo, Orten, von denen man nicht einmal wusste, wo genau sie überhaupt waren.

Heute haben die Menschen gar keine Vorstellung mehr davon, wie enorm groß die Welt damals für alle war, und in welch weiter Ferne selbst relativ nahe Orte lagen. Wenn wir mit meinen Großeltern in Winfield ein Ferngespräch führten – was wir fast nie taten –, klang es, als sprächen sie zu uns von einem anderen Stern. Wir mussten schreien, damit sie uns verstanden, und einen Finger ins Ohr stecken, um ihre leisen, dünnen Stimmchen zu verstehen. Sie waren nur etwa 150 Kilometer entfernt, doch das war sogar noch bis weit in die 1950er Jahre hinein keine unbeträchtliche Strecke. Alles, was noch weiter war, meinetwegen hinter Chicago oder Kansas City lag, wurde schon fast zum Ausland. Und nicht nur Iowa war weit weg von allem. Alles war weit weg von allem.

Die Vereinigten Staaten waren in dieser Beziehung besonders gut dran. Wir hatten links und rechts große schützende Ozeane und keine Nachbarn über oder unter uns, die uns ärgerten, also bestand auch keinerlei Anlass, jemals vor irgendetwas Angst zu haben. Selbst Weltkriege beeinträchtigten das Leben in unserem Land kaum. Als der Filmmogul Jack Warner im Zweiten Weltkrieg merkte, dass sein Hollywoodstudio aus der Luft nicht von einer nahe gelegenen Flugzeugfabrik zu unterscheiden war, ließ er einen Pfeil und die Worte »Dahin geht's zu Lockheed!« auf sein Dach malen, um japanische Bomber zu ihrem korrekten Ziel und bloß weg von den wertvollen Stars zu dirigieren, die nicht in den Krieg zogen (unter anderem Gary Cooper, Bob Hope, Fred MacMurray, Frank Sinatra, John Garfield, Gene Kelly, Alan Ladd, Danny Kaye, Cary Grant, Bing Crosby, Van Johnson, Dana Andrews, Ronald Reagan, John Wayne und viele kühne Helden, die den Vereinigten Staaten halfen, sich den Weg zum Sieg zu mimen).

Keiner wusste, ob Warner es mit dem Hinweis ernst meinte

oder nicht, aber es war auch einerlei, weil keiner wirklich damit rechnete (zumindest nicht nach den ersten bangen Tagen des Krieges), dass die Japaner das US-amerikanische Festland angreifen würden. Als sich zur gleichen Zeit ein Kongressabgeordneter in Washington auf der anderen Seite des Landes um das Befinden von Wachsoldaten auf dem Capitol sorgte, die sich nie von ihren Posten wegzubewegen oder einen Augenblick Pause zu machen schienen, wies man ihn dezent darauf hin, dass es Schaufensterpuppen und ihre Flugabwehrgeschütze Holzmodelle seien. Männer und Kriegsgerät bei einem Ziel zu verschwenden, das doch nie getroffen werden würde, lohnte sich nicht, selbst wenn es um den Sitz der US-amerikanischen Regierung ging.

Der guten Ordnung halber: Es *gab* einen bemannten Angriff auf das US-amerikanische Festland. 1942 schwang sich ein Pilot namens Nobuo Fujita von den Küstengewässern vor Oregon in einem speziell umgebauten, mit einem U-Boot dorthin expedierten Wasserflugzeug in die Luft. Hinterhältig, wie er war, wollte Fujita Brandbomben in die Wälder Oregons werfen, die Flächenbrände entzünden sollten, die, wenn alles nach Plan lief, außer Kontrolle geraten, einen Großteil der Westküste in Flammen setzen und Hunderte Menschen umbringen würden. Angesichts des riesigen Schadens, den ein kleiner schlitzäugiger Mann in einem Flugzeug angerichtet hätte, würden die Amerikaner dann völlig demoralisiert Rotz und Wasser heulen. Doch die Bomben verpufften oder entzündeten nur örtlich sehr begrenzte, folgenlose Brände.

Über einen Zeitraum von mehreren Monaten ließen die Japaner auch etwa 9000 große Papierballons mit den vorherrschenden Winden über dem Pazifik aufsteigen, von denen jeder eine Dreißig-Pfund-Bombe trug, die 40 Stunden nach dem Start explodieren sollte – etwa der Zeit, die es nach Berechnungen der Japaner dauern würde, über den Pazifik bis zu den Vereinigten Staaten zu schweben. Die Bomben jagten aber nur eine kleine Zahl neugieriger Leutchen in die Luft, deren letzter Satz auf Erden wohl in etwa lautete: »Was zum Teufel soll denn das sein?« Ansonsten richteten sie so gut wie keinen Schaden an. Ein Ballon schaffte es sogar bis Maryland.

Als die Sowjetunion in der Zeit des Kalten Krieges Langstreckenraketen entwickelte, die unseren in nichts nachstanden, löste sich all diese behagliche Sicherheit plötzlich in Wohlgefallen auf. Auf einmal lebten wir in einer Welt, in der, egal, wo wir waren, jeden Moment ohne jede Vorwarnung etwas grauslich Destruktives auf uns fallen konnte. Das war ein beunruhigender, ja bestürzender Gedanke, und wir reagierten darauf in einer für die fünfziger Jahre absolut typischen Art und Weise. Wir fanden es aufregend.

Eine Reihe von Jahren konnte man kaum eine Illustrierte aufschlagen, ohne dass man von einem neuen Wunder an Zerstörungskraft erfuhr, das uns alle im Handumdrehen den Garaus machen konnte. Ein Maler namens Chesley Bonestell spezialisierte sich auf die Produktion lebensechter, opulenter Bilder von menschengemachten Blutbädern, auf denen mit Sprengköpfen beladene Raketen zu sehen waren, die herrlich (aufregend!) über den US-amerikanischen Himmel flitzten oder von gigantischen Raumstationen auf einem wunderschön leuchtenden, fabelhaft gemalten Mond gestartet wurden beziehungsweise unterwegs zu einer Sprengstoffattacke auf den Planeten Erde waren.

Das Besondere an Bonestells Bildwerken war, dass alles wahnsinnig echt, plausibel und fotografisch exakt aussah. Es war, als schaue man etwas an, während es passierte, statt dass man sich vorstellte, wie es eines Tages sein konnte. Ich erinnere mich, wie ich mit grenzenloser Faszination und mehr als einem Hauch irregeleiteter Sehnsucht ein Bild von Bonestell in der

Life betrachtete, das New York im Augenblick einer Atombombenexplosion zeigte: Eine riesige Pilzwolke erhob sich aus der vertrauten Stadtlandschaft von Manhattan, und eine zweite breitete sich über den weiter draußen liegenden Gebäuden von Queens aus. Diese Bilder sollten Angst machen, in Wirklichkeit aber waren sie aufregend.*

Ich meine nicht, dass wir uns tatsächlich wünschten, dass New York in die Luft flog – nein, das eigentlich nicht. Ich sage nur, dass wir auch etwas Positives daran sahen. Sicher, wir würden alle sterben, doch unser letztes Wort würde ein aufrichtig bewunderndes »Aaah!« sein.

Dann übernahmen die Sowjets gegen Ende der fünfziger Jahre eindeutig die Führung im Wettlauf im All und die Aufregung galt nun etwas sehr Realem. Wir befürchteten, dass sie gigantische Raumstationen auf einer geostationären Umlaufbahn direkt über uns errichten würden, weit jenseits der Reichweite unserer mückengroßen Flugzeuge und kläglich puffenden Abwehrgeschütze, und dass sie von diesen bequemen Aussichtsplattformen sofort Bomben auf uns werfen würden, wenn wir sie ärgerten.

Das ging aber gar nicht. Weil sich die Erde dreht, kann man aus dem Weltraum nicht einfach Bomben fallen lassen wie

---

* Bonestell war ein interessanter Mann. Die meiste Zeit seines Berufslebens war er Architekt und leitete ein landesweit berühmtes Büro in Kalifornien. 1938 jedoch gab er mit 50 Jahren seinen Job auf und fing in Hollywood als Filmkulissenmaler an. Er schuf Matte-Paintings für viele populäre Filme. Nebenbei illustrierte er dann noch Zeitschriftenartikel über Raumfahrt; er erschuf fantasievolle Ansichten von Monden und Planeten, wie sie sich wohl einem Besucher von der Erde boten. Wenn die Zeitschriften in den Fünfzigern lebensechte Bilder von Raumstationen und Startrampen auf dem Mond brauchten, fiel ihre Wahl logischerweise auf ihn, und da waren sie gut beraten. Er starb 1986 mit 98 Jahren.

Wasserballons. Zum einen würden sie nicht fallen, sondern auf die Erdumlaufbahn geraten. Man müsste sie also zumindest *abschießen*, was ein Ausmaß an Abschussgenauigkeit erfordert hätte, über das man in den Fünfzigern schlicht noch nicht verfügte. Und sowieso: Bei einer Erdumdrehung von (mehr oder weniger) 1000 Stundenkilometern müsste man extrem präzise Flugbahnen beschreiben können, um ein bestimmtes Ziel zu treffen. Eine aus dem Weltall abgeschossene Bombe würde in Wirklichkeit viel eher auf einem Weizenfeld in Kansas landen oder einem anderen beliebigen Punkt auf der Erde, als das Dach des Weißen Hauses durchschlagen. Wenn es je eine realistische Alternative gewesen wäre, sich gegenseitig aus dem All zu bombardieren, dann, glauben Sie mir, hätten wir da oben Hunderte von Raumstationen.

Das aber wussten in den 1950ern nur die Weltraumwissenschaftler, und sie sagten es uns nicht, weil wir ihnen sonst kein Geld mehr gegeben hätten, ihre ehrgeizigen Programme zu entwickeln. Illustrierte und Sonntagsbeilagen brachten atemberaubende Berichte über die Gefahr von oben, weil ihre Reporter es entweder nicht besser wussten oder es nicht besser wissen wollten und weil sie diese fantastischen Bilder von Chesley Bonestell hatten, die man einfach zeigen musste, weil die zu betrachten eine wahre Lust war.

Die Zerstörung der Erde wurde also in diesem kurios gespaltenen Jahrzehnt sowohl eine permanente Bedrohung als auch Anlass zu fröhlicher Beschäftigung. Amtliche Filme zeigten uns, dass Privatatombunker einen nicht nur schützten, sondern auch Spaß machten, wenn Mom und Dad und Chip und Skip dort im Untergrund möglicherweise auf Jahre hinaus zusammen in einer Bude hausten. Warum auch nicht? Sie hatten jede Menge Trockennahrung und einen Stapel Brettspiele dabei. »Und Mom und Dad brauchen sich nie Sorgen zu machen, dass die Lichter ausgehen, denn sie haben einen praktischen Pedalgenerator und zwei kräftige junge Freiwillige mit reichlich Muskelkraft!« Außerdem war keine Schule! Ein Lebensstil, über den man doch einmal nachdenken sollte.

Denen, die keine Lust hatten, sich in den Untergrund zu verziehen, bot die Portland Cement Association eine Auswahl robuster »Häuser für das Atomzeitalter« an – spezielle »sprengresistente Ganzbetonhäuser«, die so gebaut waren, dass ihre Besitzer »die Detonationswelle einer Bombe mit einer Sprengkraft, die bis zu 20 000 Tonnen TNT entspricht, ab einer Entfernung von über einem Kilometer zum Bodennullpunkt« überleben würden. Die Russen mochten also gleich in der Nachbarschaft eine Bombe fallen lassen – man selbst konnte gemütlich zu Hause sitzen, die Abendzeitung lesen und kriegte kaum mit, dass ein Krieg im Gange war. Können Sie sich vorstellen, dass man ein solches Haus baut und *nicht* erleben möchte, wie gut es einem Atombombenangriff standhält? Natürlich nicht. Sollen die Widerlinge sie doch werfen! Wir sind bereit!

Und nicht nur die nukleare Zerstörung faszinierte und erregte uns. Auch die Filmwelt erinnerte uns daran, dass wir ebenso gut von fliegenden Untertassen oder steifbeinigen Aliens mit metallischen Stimmen und tödlichen Strahlengewehren angegriffen werden konnten, und machte uns mit hinreißenden Möglichkeiten der Verstümmelung bekannt, die mutierte Rieseninsekten, herumtappende Megakrabben, wiederbelebte Dinosaurier, Ungeheuer aus der Tiefe und eine wirklich stinksaure Fünfzehnmeterfrau, die 50-Foot-Woman, anrichten konnten. Ich kann mir nicht vorstellen, dass viele Leute glaubten, dass irgendetwas von alldem wirklich passieren würde – auch nicht die, die heute getreu republikanisch wählen –, doch Einzelnes, die Ufos und fliegenden Untertassen zum Beispiel, war damals weit glaubwürdiger als heute. Vergessen Sie nicht, es war die Epoche, in der man immer noch weithin glaubte, der Mars oder die Venus könnten bewohnt sein. Fast alles war möglich.

Selbst die seriöseren Zeitschriften wie *Life* und *Look*, die *Saturday Evening Post*, *Time* und *Newsweek* räumten Artikeln über interessante Arten des Weltuntergangs reichlich Platz ein. Was konnte nicht alles schiefgehen! Die Sonne mochte explodieren oder abrupt aufhören zu scheinen. Wenn die Erde durch das Gefunkel und Geglitzer eines Kometenschweifs glitt, wurden wir vielleicht in eine mörderische Strahlung getaucht. Vielleicht bekamen wir eine neue Eiszeit. Oder die Erde löste sich aus irgendeinem Grunde aus ihrer ursprünglichen Umlaufbahn, trieb wie ein Ballon, der sich losgerissen hat, aus dem Sonnensystem und bewegte sich immer tiefer in eine kalte, lichtlose Ecke des Universums. Viele Überlegungen zur Weltraumfahrerei drehten sich darum, vor diesen unvermeidbaren Risiken zu fliehen und ein neues Leben mit interessanteren Schulterpolstern unter einer weit entfernten galaktischen Kuppel zu beginnen.

Machten sich die Leute über eine dieser Gefahren ernsthaft Sorgen? Wer weiß? Wer weiß, was überhaupt jemand in den 1950ern über irgendetwas dachte, ja, ob er überhaupt dachte? Ich weiß nur, dass man beim Durchblättern von Illustrierten aus der Zeit auf eine seltsame Mischung aus ungetrübtem Optimismus und einer Art vorauseilender Verzweiflung stößt. Mehr als 40 Prozent der Menschen dachte 1955, es werde in den nächsten fünf Jahren eine globale Katastrophe geben, vermutlich in Gestalt eines Weltkrieges, und die Hälfte von denen war überzeugt, es werde das Ende der Menschheit sein. Doch eben die Menschen, die behaupteten, dass sie jeden Moment mit dem Tod rechneten, waren gleichzeitig eifrig dabei, neue Häuser zu kaufen, Swimmingpools auszuschachten, in Aktien, Fonds und ihre Altersversorgung zu investieren und sich ganz allgemein auf ein langes Leben einzurichten. Das Zeitalter war unmöglich zu verstehen.

Doch selbst nach den seltsamen, dehnbaren Maßstäben der Zeit waren meine Eltern einzigartig, unbegreiflich sorglos. Soweit ich es mitkriegte, fürchteten sie sich vor gar nichts, selbst nicht vor Dingen, vor denen andere Leute wirklich Angst hattten. Zum Beispiel vor Kinderlähmung. Seit Ende des 19. Jahrhunderts spielte Kinderlähmung in regelmäßigen Abständen immer wieder eine Rolle im Leben der US-Amerikaner (die Frage, warum sie plötzlich in der Zeit auftauchte, kann offenbar niemand beantworten), doch Anfang der 1940er Jahre trat sie besonders bösartig und in epidemischen Ausmaßen bis weit ins folgende Jahrzehnt auf; jedes Jahr wurden landesweit zwischen 30 000 und 40 000 Fälle registriert. In Iowa war das schlimmste Jahr 1952, was zufällig auch das erste volle Jahr meines Lebens war. Es gab über 3500 Erkrankungen – etwa zehn Prozent derjenigen im ganzen Land und fast dreimal so viel wie normalerweise im Bundesstaat –, davon 163 Todesfälle. Ein damals berühmtes Foto aus dem *Des Moines Register* zeigt vor dem Blank Children's Hospital in Des Moines versammelte Familien, einschließlich eines Mannes auf einer hohen Leiter, die ihren Kindern auf der Isolierstation durch die Fenster aufmunternde gute Wünsche zuschreien. Selbst nach einem halben Jahrhundert ist das ein gespenstisches Bild, besonders für die, die sich erinnern können, wie bedrohlich Polio war.

Und zwar aus mehreren Gründen. Erstens wusste niemand, wie sie entstand oder sich verbreitete. Epidemien kamen hauptsächlich im Sommer, also glaubten die Leute, Kinderlähmung habe etwas mit Sommeraktivitäten wie Picknicks und Schwimmen zu tun, und man durfte nicht mehr in nassen Klamotten herumsitzen oder Freibadwasser schlucken. (Kinderlähmung wurde tatsächlich durch verunreinigtes Essen und Wasser übertragen, doch Freibadwasser war gechlort und deshalb eher ungefährlich.) Zweitens steckten sich überproportional viele junge Menschen mit Kinderlähmung an, aber die Symptome waren nicht eindeutig und verschieden und die Erkrankung immer schwer zu erkennen. Im Anfangsstadium konnte der beste Arzt der Welt nicht sagen, ob ein Kind Kinderlähmung oder nur Grippe oder eine Sommererkältung hatte. Für die, die Polio hatten, waren die Auswirkungen schrecklich unvorhersehbar. Zwei Drittel der Betroffenen erholten sich nach drei, vier Tagen vollständig und ohne irgendwelche negativen Folgen. Doch andere blieben teilweise oder ganz gelähmt. Manche konnten nicht einmal mehr selbstständig atmen. In den Vereinigten Staaten starben nur etwa drei Prozent der Betroffenen; bei Ausbrüchen woanders waren es manchmal bis zu 30 Prozent. Die meisten der armen Eltern, die etwas durch die Fenster im Blank Hospital riefen, wussten nicht, in welcher Gruppe ihr Kind landen würde. Die Krankheit bot in jeder Hinsicht Grund für die schlimmsten Ängste.

Kein Wunder, dass regelrechte Panik ausbrach, wenn irgendwo Kinderlähmung gemeldet wurde. In *Growing Up with Dick and Jane* steht, dass die Kinder beim ersten Zeichen einer Epidemie »von menschenüberlaufenen Freibädern ferngehalten, aus Kinos herausgezerrt und mitten in der Nacht aus Sommerferienlagern gerissen und nach Hause gebracht wurden. Bilder von Kindern, die Tod oder Lähmung oder Jahren in einer eisernen Lunge entgegensahen, ängstigten eine bange Nation. Kinder gerieten beim Anblick von Fliegen oder Mücken, die angeblich den Virus trugen, in Angst und Schrecken. Eltern sorgten sich schon bei Fieber und Beschwerden über Halsschmerzen oder steife Nacken.«

Also, mir ist das alles vollkommen neu. Ich bekam von einer Angst vor Polio nichts mit. Ich wusste, dass es Polio gab – nach Mitte der Fünfziger mussten wir uns von Zeit zu Zeit in einer Reihe aufstellen und wurden dagegen geimpft –, doch ich wusste nicht, dass wir auch Angst davor haben mussten. Ich wusste von keinerlei Gefahren, egal, wie und wo. Eigentlich ein wunderbarer Zustand. Ich wuchs in einer Zeit auf, in der man am meisten Grund für die verschiedensten Ängste haben musste, und hatte keinen blassen Schimmer.

Als ich sieben und meine Schwester zwölf war, kaufte mein Vater einen blauen Ford-Rambler-Kombi (ein so schrottiges, stilloses Auto, dass sogar Besitzer von Ford Edsels langsamer fuhren und einen auslachten) und beschloss, ihn mit einer Reise nach New York einzufahren. Das Auto hatte keine Klimaanlage, doch meine Schwester und ich fanden heraus, dass wir aus dem Wageninneren entkommen und uns von einer hübschen, kühlen Brise umwehen lassen konnten, wenn wir die Heckklappe herunterklappten, uns daraufstellten und oben am Dachgepäckträger festhielten. Es war natürlich eher wie durch einen Taifun zu fahren und brandgefährlich. Wenn wir auch nur einen Moment losgelassen hätten – um zu niesen oder uns zu kratzen, wenn es juckte –, wären wir glatt von unserer kleinen Plattform weggerissen und auf den Kühler eines riesigen Mack-Lastwagens geschleudert worden.

Oder wenn umgekehrt mein Vater aus irgendeinem Grunde gebremst hätte, standen die Chancen gut, dass wir zur Seite in ein Feld geworfen oder nach vorn einem anderen mächtigen Mack in den Weg geschleudert, nein, geschossen worden wären. (Und mein Vater bot uns nach dem Motto »Und nun festhalten, bitte!« mindestens drei-, viermal am Tag jähe Schwenks und Sprünge wie von einem bockenden Wildpferd, wenn er auf die Bremse trat, weil er eine angezündete Zigarette auf den Sitz zwischen seine Beine hatte fallen lassen und er und meine Mutter sich gemeinsam auf eine hektische, doch stets unterhaltsame Suche danach begaben.)

Kurzum, was meine Schwester und ich taten, war geradezu hirnrissig riskant. Auf den Gedanken kam offenbar auch ein Autobahnpolizist bei Ashtabula, Ohio, der sein rotes Licht anwarf, meinen Vater herauswinkte und ihn 20 Minuten lang mächtig zusammenstauchte, weil er in Fragen der Sicherheit seiner Kinder offenbar so kolossal bekloppt war. Mein Vater nahm alles demütig zur Kenntnis. Doch als der Polizist wegfuhr, sagte er uns ganz gelassen, wir dürften erst wieder so fahren, wenn wir in ein, zwei Stunden die Staatsgrenze nach Pennsylvania überquert hätten.

Es war kein guter Trip für meinen Vater. Er hatte mittels einer Kleinanzeige in der *Saturday Review* ein wunderbar preiswertes Hotel in New York gebucht und entdeckte nun, dass es in Harlem lag. Während meine Eltern am ersten Abend dort auf dem Bett lagen, erschöpft von der Zerreißprobe, den Weg von Iowa zur 1252th Street in Upper Manhattan zu finden – keine Route, die im Führer der amerikanischen Automobilclubs ausgezeichnet war –, beschlossen meine Schwester und ich, was essen zu gehen. Wir schlenderten eine Weile lang durch das Viertel und fanden einen Diner an einer Ecke zwei Straßen entfernt. Während wir dasaßen, unsere Hamburger und Milchshakes genossen und friedlich schiedlich mit mehreren Schwarzen plauderten, glitt ein Polizeiwagen vorbei, hielt an, fuhr zurück, parkte. Zwei Beamte kamen herein, schauten sich argwöhnisch um, traten zu uns. Einer fragte, von wo wir kämen.

»Aus Des Moines, Iowa«, erwiderte meine Schwester.

»*Des Moines, Iowa*«, sagte der Polizist erstaunt. »Wie seid ihr denn von Des Moines, Iowa, hierhergekommen?«

»Mit unseren Eltern im Auto.«

»Eure Eltern haben euch von Des Moines bis hierhergefahren?«

Meine Schwester nickte.

»Warum?«

»Mein Dad meint, es wäre lehrreich.«

»Nach Harlem zu kommen?« Die Polizisten schauten einander an. »Wo sind eure Eltern jetzt, Mädchen?«

Im Hotel W.E.B. DuBois oder Chateau Cotton Club oder wie immer es hieß.

»*Da* sind eure Eltern?«

Meine Schwester nickte wieder.

»Ihr seid also wirklich aus Iowa, Mädchen?«

Die Polizisten brachten uns zurück ins Hotel und geleiteten uns zu unserem Zimmer. Sie klopften vernehmlich an die Tür, und mein Vater sagte herein. Die Polizisten wussten nicht, ob sie streng mit meinem Vater sein sollten oder sanft, ob sie ihn verhaften oder ihm ein bisschen Geld geben sollten oder was sonst. Schlussendlich legten sie ihm nahe, früh am nächsten Morgen das Hotel zu verlassen und ein geeigneteres in einer ungefährlicheren Gegend viel weiter unten in Manhattan zu suchen.

Mein Vater war nicht in der Position, was dagegen zu sagen. Schon weil er von der Taille abwärts nackt war. Er stand halb hinter der Tür, damit die Polizisten seine peinliche Lage nicht bemerkten, doch für uns, die wir auf dem Bett saßen, war der Anblick, wie unser nacktarschiger Vater respektvoll und mit todernster Stimme mit zwei riesigen New Yorker Cops redete, absolut surreal. Und wir sollten ihn so schnell nicht vergessen.

Mein Vater war allerdings ziemlich blass, als die Herren gegangen waren, und redete ausführlich mit meiner Mutter darüber, was wir jetzt tun sollten. Sie beschlossen, es eine Nacht zu überschlafen. Am Ende sind wir geblieben. Der Preis war einfach zu gut.

Als ich zum zweiten Mal bemerkte, dass man sich nicht hundertprozentig auf Erwachsene verlassen kann, bekam ich auch das erste Mal richtige Angst vor dem, was in der großen, weiten Welt alles passieren konnte. Es war im Herbst 1962, kurz vor meinem elften Geburtstag, und ich war allein zu Haus und schaute fern. Da wurde die Sendung wegen einer Sondermeldung aus dem Weißen Haus unterbrochen. Präsident Kennedy erschien mit ernster, müder Miene und deutete an, dass die Dinge hinsichtlich der Kubakrise nicht sonderlich gut liefen – von der wusste ich zu dem Zeitpunkt natürlich nichts.

Die Krise war entstanden (falls Sie es nicht wissen), als die Vereinigten Staaten entdeckt hatten, dass die Russen Vorbereitungen trafen (dachten wir jedenfalls), Atomwaffen auf Kuba zu stationieren, nur 120 Kilometer von US-amerikanischem Boden entfernt. Dass wir jede Menge auf Russland gerichtete Raketen in ähnlicher Entfernung hatten, spielte keine Rolle. Wir waren es nicht gewöhnt, in unserer eigenen Hemisphäre bedroht zu werden, und ließen es uns auch jetzt nicht gefallen. Kennedy befahl Chruschtschow, mit dem Bau von Raketenabschussrampen aufzuhören, sonst könnte er aber was erleben.

Der Präsident erzählte uns in der Rede, die ich sah, dass wir jetzt bei dem »Sonst könnte er aber was erleben«-Teil des Dramas waren. Daran erinnere ich mich so deutlich wie nur irgendwas, vor allem, weil Kennedy so sorgenvoll und grau aussah und man eine solche Miene ja nicht bei einem Präsidenten sehen will, wenn man zehn Jahre alt ist. Um unser Missfallen zu bekunden, hatten wir eine Seeblockade um Kuba errichtet, und Kennedy teilte uns nun mit, dass ein sowjetisches Schiff auf dem Weg war, sie zu durchbrechen. Er sagte, er habe Befehl gegeben, dass US-amerikanische Zerstörer dem sowjetischen Schiff einen warnenden Schuss vor den Bug geben sollten, falls es wirklich die Blockade zu durchbrechen versuche. Wenn es weiterfahre, sollten sie es versenken. Was natürlich den Beginn des Dritten Weltkriegs bedeutet hätte. Das begriff selbst ich. Es war das erste Mal, dass mir das Blut in den Adern gefror.

Da Kennedys Tonfall verriet, dass das alles kurz bevorstand, verspeiste ich das letzte Stück eines Toddle-House-Schokoladenkuchens, das für meine Schwester bestimmt war, und lungerte dann ein wenig auf der hinteren Veranda herum, weil ich als Erster meinen Eltern die Neuigkeit erzählen wollte, dass wir alle sterben würden. Als sie nach Hause kamen, sagten sie mir, ich solle keine Angst haben, alles werde gut, und sie hatten natürlich wie immer Recht. Wir starben nicht – wenn ich auch in tödliche Gefahr geriet, als meine Schwester entdeckte, dass ich ihr Stück Kuchen aufgefuttert hatte.

Aber wir waren dem Tod alle näher, als wir ahnten. Robert McNamara, der damalige Verteidigungsminister, erzählt in seinen Memoiren, dass die Joint Chiefs of Staff, die Vereinigten Oberbefehlshaber, vorschlugen – ja, eifrig darauf drängten –, Kuba mit ein paar Atombomben einzudecken, nur um zu zeigen, dass wir es ernst meinten, und damit die Sowjets kapierten, dass sie nicht einmal im Traum daran denken sollten, Atomwaffen in unserem Hinterhof zu stationieren. Und laut McNamara war Kennedy sehr kurz davor, einen solchen Schlag anzuordnen.

Nach dem Zusammenbruch der Sowjetunion 29 Jahre später erfuhren wir, dass die Beweise der CIA, was Kuba betraf, hinten und vorne unzureichend waren (na, was für eine Überraschung) und dass die Sowjets in Wirklichkeit schon ungefähr 170 Atomraketen auf kubanischem Boden stationiert hatten, die natürlich alle auf uns gerichtet waren und alle zur sofortigen Vergeltung für einen US-amerikanischen Angriff hätten abgeschossen werden können. Stellen Sie sich die Vereinigten Staaten vor, wenn 170 seiner größten Städte ausgelöscht worden wären – wozu, das soll nicht verschwiegen werden, auch Des Moines gehört hätte. Und natürlich hätte es damit nicht sein Bewenden gehabt. Wir waren dem Tod alle sehr, sehr nah.

Seitdem habe ich Erwachsenen keine Sekunde mehr über den Weg getraut.

XII
Unterwegs

Jackson, Mich. (AP) – Ein halbwüchsiges Mädchen und sein zwölfjähriger Bruder wurden am Samstag von der Polizei wegen Mordversuchs an den Eltern festgenommen. Sie sollen, als diese schliefen, Benzin auf deren Bett geschüttet und es angezündet haben. Ihre Eltern, erzählten die Kinder der Polizei, seien »zu streng und meckerten immer«. Mr. und Mrs. Sterling Baker erlitten Verbrennungen, die über 50 Prozent ihrer Körperoberfläche betrafen, wurden aber in einigermaßen stabilem Zustand in ein Krankenhaus eingeliefert.

Des Moines Tribune, 13. Juni 1959

Jeden Sommer, wenn die Schulferien schon eine Weile lang währten und die Eltern einen keinen Tag länger ertragen konnten, kam der allseits gefürchtete Moment, in dem sie einen nach Riverview schickten, einem kleinen, verrotteten Rummelplatz in einem öden Einkaufsviertel am nördlichen Ende der Stadt. Man bekam zwei Dollar in die Tasche und die Anweisung, sich mindestens acht Stunden lang zu amüsieren, wenn möglich, länger.

Auf dem Riverview-Rummelplatz war alles ganz furchtbar. Die Achterbahn, ein Massiv von Himalajaausmaßen aus alterndem Holz war die baufälligste, vertrauenzerstörendste Anlage der Welt. Die Wagen waren innen und außen mit 35 Jahre altem verschüttetem Popcorn und hysterisch Erbrochenem verschmutzt. Das Ganze war 1920 erbaut worden, und man spürte sein Alter in jedem ächzenden Gelenk und jeder abgesplitterten Querverstrebung. Es war enorm groß – ungefähr sechs Kilometer lang, glaube ich, und 3600 Kilometer hoch. Es war das bei weitem furchteinflößendste Karusell, das je gebaut wurde. Die Leute schrien nicht mal, wenn sie darin saßen; sie waren zu versteinert, um überhaupt einen Laut von sich zu geben. Wenn die Achterbahn fuhr, bebte der Boden immer heftiger, und ein Schauer – eigentlich eine Lawine – Staub und uralter Vogeldreck ergoss sich aus ihrem versifften Gestänge. Einen Moment später kam die erste Ladung Erbrochenes.

Die Burschen, die an den Karusells arbeiteten, waren alle ein getreuer Abklatsch von Richard Speck, dem Chicagoer Massenmörder. Ihr Arbeitsleben verbrachten sie damit, an Pickeln herumzudrücken und mit Gruppen aufgekratzter junger Frauen mit weißen Socken zu plaudern, die sich aus unerfindlichen Gründen um sie scharten. Die Karussells hatten keine Zeitschalter. Wenn sich die dort Arbeitenden also in ihre Kartenverkaufshäuschen zurückzogen, um sexuell aktiv zu werden, oder wenn sie beim Auftauchen von zwei Männern mit Haftbefehlen über den Zaun und eine weite offene Fläche dahinter flohen, blieben die Leute auf unbegrenzte Zeit in dem fahrenden Karussell – tagelang, wenn der Angestellte mit einem entscheidenden Schlüssel oder einer wichtigen Kurbel getürmt war. Ich kannte einen Jungen, der Gus Mahoney hieß und den Beschleunigungskräften so lange ausgesetzt war, dass er noch drei Monate später sein Haar nicht nach vorn kämmen konnte und seine Ohren an seinem Hinterkopf fast zusammenstießen.

Auch bei den Autoscootern herrschte ein geradezu irrsinniges Treiben. Aus der Ferne sah der Autoscooter-Palast wie eine Schweißerwerkstatt aus, weil die Funken in Massen von der Decke regneten, stets in das Auto mit einem selbst zu fallen drohten und damit die Fahrt natürlich noch irrsinniger machten. Die Herren, die dort arbeiteten, erlaubten nicht nur Frontalzusammenstöße, sondern ermunterten regelrecht dazu. Die Autos waren derart hochgetunt, dass sie in dem Moment, in dem man – wie leicht oder behutsam auch immer – auf das Gaspedal trat, mit einem Höllentempo losschossen und der eigene Kopf nur noch eine heulende Kugel am Ende eines peitschenähnlichen Stängels war. Und waren sie erst einmal in Bewegung, verlor man jegliche Kontrolle über sie. Sie berührten den Boden kaum noch, sondern flogen wie wild durch die Gegend, bis sie gegen etwas Solides krachten und man jäh die Gelegenheit bekam, das Steuerrad von sehr nahem zu inspizieren.

Am schlimmsten war es, wenn man in einem Auto gefangen

saß, das launisch oder lahm war oder komplett zusammenbrach, weil vierzig andere Fahrer – viele von ihnen kleine Kinder, die noch nie zuvor die Chance gehabt hatten, ihre Aggressionen an etwas Größerem als einer nervösen Kröte auszulassen – mit ungezügelter Begeisterung aus allen nur denkbaren Winkeln auf einen zuflogen. Einmal sah ich, wie ein Junge aus dem zusammengebrochenen Auto ausstieg, während die allgemeine Hatz noch andauerte – dabei wusste man, dass man genau das nie und nimmer tun durfte. Als er die Füße auf den Metallboden setzte, sprangen ihn aus allen Richtungen mehr als 2000 knisternde bläuliche Stromfäden an, er leuchtete auf wie ein Lampion und verwandelte sich in eine Art lebendes Röntgenbild. Man sah jeden Knochen in seinem Körper und fast alle seine größeren Organe. Benommen taumelte er durch den heftigen Verkehr auf die Bande zu und schaffte es wie durch ein Wunder, jedem Auto, das auf ihn zugerast kam – und das waren natürlich alle –, auszuweichen, bevor er auf dem stoppeligen Gras draußen kollabierte, wo er, ein wenig aus dem Oberkopf qualmend, liegen blieb und jemanden bat, seiner Mom auszurichten, dass er sie liebe. Doch abgesehen von einem anhaltenden Klingeln in den Ohren erlitt er keine größeren Schäden. Nur die Zeiger auf seiner Zorro-Uhr blieben für immer auf zehn nach zwei stehen.

Es gab nichts in Riverview, das nicht schrecklich war. Selbst der Tunnel of Love war eine Tortur. Im ersten Boot war immer ein Scherzkeks, der einen Klumpen üblen Schnodders herauswürgte und mit einem mächtigen »Pffwuup!« an die niedrige Decke beförderte – eine Aktion, die als »einen Louie hängen« bekannt war. Der Schnodder-Stalaktit blieb ein Weilchen haften und glitt dann auf das Gesicht des Insassen in einem folgenden Boot herunter. Das eigentliche Kunststück beim erfolgreichen Louie-Hängen – und ich spreche hier als Experte – hatte aber nichts mit dem Auswurf zu tun, sondern damit, wie schnell man wegrennen konnte, wenn das Boot anhielt.

In Riverview lernte man auch, dass die Jugend von der anderen Seite der Stadt einen tot sehen wollte und jede Gelegenheit beim Schopfe ergriff, um einen in diesen Zustand zu versetzen. Die Kids aus dem Bezirk Riverview, die zu einer derart trostlosen, charakterlosen Highschool gingen, dass sie nicht mal einen richtigen Namen, sondern nur eine geografische Bezeichung hatte – North High –, hassten Kids von der Theodore Roosevelt Highschool, einer Hochburg der Privilegierten, des Wohlstands und des edlen Schuhwerks. Einerlei, wo man sich in Riverview herumtrieb und besonders wenn man sich von seiner Gruppe entfernte (oder Milton Milton war, der keine Gruppe hatte) – die Chancen standen immer gut, dass man ins Gebüsch gezerrt, zügig verprügelt und um sein Portemonnaie, seine Schuhe, Eintrittskarten und Hosen erleichtert wurde. Irgendein Junge (jetzt, wo ich es recht bedenke, war es stets Milton Milton) wanderte immer – unter Schock – in schlabbernden Unterhosen herum oder stand unten an der Achterbahn und heulte ohnmächtig seine Jeans an, die von einem Sparren 120 Meter über der Erde baumelten.

Ich kannte Kinder, die ihre Eltern anflehten, sie nicht im Riverview auszusetzen, deren Finger mit Gewalt von Autotürgriffen gerissen und von jedem Paar Beine vorübergehender Erwachsener weggezerrt werden mussten, die mit ihren Absätzen 15 Zentimeter tiefe Furchen im Staub hinterließen, wenn sie vom Auto zur Eingangstür gezogen und mit den Worten »Amüsier dich« durch das Drehkreuz geschubst wurden. Es war, als würde man in einen Löwenkäfig geworfen.

Das einzige Vergnügen im Jahr, auf das sich tatsächlich alle sehr freuten, war die Iowa State Fair, die Ende August auf einem enormen Messegelände weit draußen am östlichen Rand der Stadt abgehalten wurde. Es war eine der größten Messen der Nation; der Film *Jahrmarkt der Liebe* basierte auf der Iowa State Fair und wurde auch dort gedreht, was uns alle mit eigenartigem Stolz erfüllte, obwohl wir niemanden kannten, der den Film gesehen hatte oder etwas darüber wusste. Die State Fair wurde immer während der stickigsten, schwülsten Zeit des Jahres abgehalten. Stets war man in Schweiß gebadet, aß und trank ekliges Zeug – Sno Cones, Zuckerwatte, Eis am Stiel, Eissandwiches, ellenlange Hot Dogs, die in pampigem Relish schwammen, eimerweise die zuckersüßeste Limonade der Welt – und verwandelte sich zum Schluss in ein wandelndes Fliegenpapier, von Kopf bis Fuß mit farbenfrohen Flecken und festklebenden, halbtoten Insekten bedeckt.

Auf der State Fair wurde in der Hauptsache das Leben in der Landwirtschaft gefeiert. Es gab riesige Hallen voller Steppdecken, Marmelade, fransigen Maiskolben und Tischen, auf denen kuppelförmige Pasteten mit einem Durchmesser wie Autoreifen ausgebreitet waren. Alles, was man anbauen und züchten, kochen, einmachen oder nähen konnte, wurde aus allen Ecken und Enden des Bundesstaates gewissenhaft nach Des Moines verbracht, wo man hitzige Wettbewerbe darüber ausfocht. In einer Halle der Wunder, bekannt als Haus der Gewerbe, wurden glänzende neue Traktoren und andere Industrieprodukte ausgestellt, und jedes Jahr gab es eine so genannte Butterkuh, eine lebensgroße Kuh, die aus einem gigantischen (na ja, kuhgroßen) Stück Butter geschnitzt war. Sie wurde als eines der Wunder von Iowa (und weit darüber hinaus) betrachtet und zog immer eine staunende Zuschauermenge an.

Hinter den Ausstellungshallen gab es Reihen gewaltig stinkender Pavillons, alle mehrere Morgen groß und voller, meist von Mastschweinen bewohnter Tierpferche, und man genoss den unvergleichlichen Anblick Hunderter junger Männer, die in der Hoffnung, ein buntes Satinband zu gewinnen und Grundy Center oder Pisgah Ehre zu machen, ihr geliebtes Borstenvieh eifrig polierten, shampoonierten und striegelten. Eine merkwürdige Art, Ruhm zu suchen.

Für die meisten Leute war die eigentliche Attraktion der Ausstellung der Mittelweg mit seinen lauten Karrussells, den Glücksspielen und allen möglichen anderen verlockenden Darbietungen. Und der Traum aller Jungs war das Zelt der Stripperinnen.

Das Zelt der Stripperinnen hatte die hellsten Lichter und die fetzigste Musik. Von Zeit zu Zeit brachte der Anpreiser ein paar der Mädchen, keusch gewandet, heraus und ließ sie auf einer kleinen Bühne draußen paradieren, wobei er uns allen direkt in die Augen schaute und andeutete, dass diese Mädchen sich keine größere Freude im Leben vorstellen konnten, als einem Publikum aus bewundernden, heißblütigen jungen Männern einen Blick auf ihre natürlichen Reize zu gewähren. Die Mädchen sahen alle erstaunlich gut aus, doch das lag vielleicht daran, dass ich allein schon bei dem Gedanken 45 Grad Fieber bekam, mich auf demselben Planeten wie diese wunderbar entgegenkommenden jungen Frauen zu befinden. Womöglich war ich ja bereits im Delirium.

Dumm war nur, dass wir zwölf Jahre alt waren, als wir uns ernsthaft für das Stripperinnenzelt zu interessieren begannen, man aber 13 sein musste, um hineingelassen zu werden. Ein am Eintrittskartenschalter baumelndes Schild ließ daran keinen Zweifel. Doug Willoughbys älterer Bruder Joe war 13, ging hinein und kam, zehn Zentimeter über dem Boden schwebend, wieder heraus. Er sagte nicht viel mehr, als dass er für 35 Cents in seinem ganzen Leben noch nichts Besseres gekriegt hätte. Er war so hingerissen, dass er noch drei Mal hineinging und behauptete, es sei mit jedem Mal besser.

Natürlich umkreisten wir das Stripperinnenzelt wiederholt auf der Suche nach irgendeinem Riss, doch es war das Fort Knox der Messezelte. Der Stoff war am Saum Millimeter um Millimeter in den Boden gepfählt, jede Metallöse solide abgedichtet. Man hörte Musik, man hörte Stimmen, man sah sogar die dunklen Umrisse der Zuschauer, konnte aber nicht den Schatten einer weiblichen Gestalt erkennen. Selbst Doug Willoughby, der einfallsreichste Mensch, den ich kannte, war perplex. Das Wissen, dass sich zwischen uns und der lebenden, atmenden weiblichen Haut im Naturzustand nur diese wogende Zeltwand spannte, war die reinste Folter, doch wenn Willoughby keinen Weg hinein fand, dann gab es keinen. Basta.

Ein Jahr darauf trug ich jedes Stück Papier zusammen, das ich finden und mit dem ich mich ausweisen konnte – Schulzeugnisse, Geburtsurkunde, Büchereiausweis, eine ausgebleichte Mitgliedskarte des Sky-King-Fan-Clubs, alles, was auch nur vage mein Alter anzeigte –, und ging mit Buddy Doberman direkt zum Zelt. Es war im Stil von Alberto Vargas mit lebensgroßen Bildern kurviger Pin-up-Girls neu bemalt und sah sehr verheißungsvoll aus.

»Zwei Mal erste Reihe, bitte«, sagte ich.

»Zieht Leine!«, sagte der angegraute Mann, der die Eintrittskarten verkaufte. »Für Kinder Eintritt verboten.«

»Aber ich bin 13«, sagte ich und begann aus meinen Ordnern die offiziellen Bestätigungen hervorzuziehen.

»Nicht alt genug«, sagte der Mann. »Ihr müsst 14 sein.« Er schlug an das baumelnde Schild. Die ›13‹ darauf war mit einem rechteckigen Stück Pappe bedeckt, auf dem ›14‹ stand.

»Seit wann?«

»Seit diesem Jahr.«

»Aber warum?«

»Neue Regelungen.«

»Das ist ungerecht.«

»Junge, wenn du was zu meckern hast, wende dich an deinen Kongressabgeordneten. Ich kassiere hier nur.«

»Ja, aber …«

»Du hältst die hinter dir Stehenden auf.«

»Ja, aber …«

»Zieh Leine!«

Buddy Doberman und ich schlichen unter den höhnischen Blicken einer Schlange junger Männer von dannen. »Kommt wieder, wenn ihr groß seid«, witzelte einer, der bestimmt aus Idiotville kam und sich prompt unter einer vernichtenden Dosis ThunderGaze auflöste.

In das Stripperinnenzelt zu kommen sollte ab sofort die Hauptsorge meiner Pubertätsjahre werden.

Da es uns einen Großteil des Jahres an Unterhaltung mangelte, wie sie uns in Riverview oder auf der State Fair geboten wurde, gingen wir ins Stadtzentrum und vertrieben uns dort die Zeit. Uns die Zeit vertreiben konnten wir extrem gut. Die Samstagmorgen verbrachten wir in erster Linie damit, uns erhabene Positionen zu suchen – auf Dächern von Bürogebäuden, den Fenstersimsen langer Flure in den großen Hotels – und weiche oder nasse Gegenstände auf die Einkaufenden darunter zu werfen. Wir streiften auch viele glückliche Stunden lang hinter den Kulissen großer Kaufhäuser und Bürogebäude umher, schauten in Besenkammern und Büromaterialschränke, experimentierten mit dampfenden Ventilen in Heizungskellern und bohrten Kisten in Lagerräumen an.

Der Trick dabei war, sich nie heimlichtuerisch zu gebärden, sondern immer so zu tun, als begreife man gar nicht, dass man am falschen Ort sei. Begegnete man einem Erwachsenen, vermied man Festnahme oder Arrest, wenn man sofort eine dämliche Frage stellte: »Entschuldigen Sie, Mister, ist das der Weg zu Dr. Mackenzies Büro?« Oder »Können Sie mir bitte sagen, wo die Männertoilette ist?« Diese Vorgehensweise war todsicher. Frohgemut in sich hineinlachend, geleitete uns dann ein verständnisvoller Hausmeister zurück ans Tageslicht und schickte uns mit einem Klaps auf den Kopf fort, nicht ahnend, dass wir unter der Jacke 13 Rollen Isolierband, zwei kleine Feuerlöscher, eine Rechenmaschine, einen halb pornografischen Kalender von seiner Bürowand und eine wahrhaft tödliche Heftmaschine versteckt hatten.

Samstags konnte man normalerweise auch in Matineen gehen, bei denen meist zwei von den Filmen gezeigt wurden, in die mich meine Mutter nicht mitnahm – *The Man from Planet X*, *Godzilla kehrt zurück*, *Zombies from the Stratosphere*, oder Streifen, für die mit »Halb Mann, halb Tier, aber GANZ MONSTER« geworben wurde. Und als Dreingabe gab es auch noch etliche Zeichentrickfilme und ein paar Kurzfilme der Three Stooges, damit wir in Stimmung kamen. In den Hauptfilmen kamen gewöhnlich ein paar reizbare, sich ruckartig bewegende Dinosaurier vor, ein Schwarm mutierter Rieseninsekten und mehrere tausend ernsthaft verstörte Japaner, die direkt vor einer gewaltigen Flutwelle oder einem stampfenden Fuß durch die Straßen einer Großstadt rannten.

Die Filme waren fast immer billig gemacht, schlecht gespielt und weitgehend unverständlich, aber das machte gar nichts, denn bei den Samstagsmatineen ging es nicht darum, einen Film anzuschauen. Es ging darum, wie verrückt herumzupesen, Krach zu machen, sich mit Bonbonwerfen heiße Gefechte zu liefern und dafür zu sorgen, dass jede horizontale Fläche mindestens zehn Zentimeter hoch mit Popcorn und leeren Behältern bedeckt war. Im Wesentlichen waren die Matineen eine Einladung an 4000 Kinder, vier Stunden lang in einem großen verdunkelten Raum zu randalieren.

Vor der Vorstellung kam der Kinobetreiber, fast immer ein schlechtgelaunter Glatzkopf mit Fliege und sehr rotem Gesicht, auf die Bühne und verkündete drohend, dass jedes Kind – ausnahmslos jedes –, das beim Bonbonwerfen oder beim Versuch, Bonbons zu werfen, erwischt würde, am Schlafittchen gepackt und in die wartenden Arme der Polizei abgeführt würde. »Ich beobachte euch alle, und ich weiß, wo ihr wohnt«, sagte der Mann immer und richtete einen letzten bösen, drohenden Blick auf uns. Dann verloschen langsam die Lichter, und bis zu 20 000 Bonbons flogen durch die Luft und regneten auf ihn und die Bühne herab.

Manchmal war der Film so beliebt oder der Kinobetreiber so unbedarft und naiv, dass die Ränge geöffnet wurden, womit 1000 und mehr überglückliche Kids die Gelegenheit bekamen, nasse und klebrige Substanzen auf die wehrlosen Horden unter ihnen zu kippen. Einmal wurde die Leitung des Paramount Theater einem tragisch netten jungen Mann übertragen, der in seinem Berufsleben noch nie mit Kindern zu tun gehabt hatte. Er führte eine Pause ein, in der Kinder, die Geburtstag hatten, eine Karte ausfüllen konnten, und dann auf die Bühne gerufen wurden, wo sie sich aus einer großen Kiste ein Spielzeug, eine Schachtel Konfekt oder einen Geschenkgutschein angeln durften. In der zweiten Woche hatten 11 000 Kinder Geburtstagskarten ausgefüllt. Viele machten unter jeweils leicht modifizierten Identitäten sieben oder acht Trips zur Bühne. Sowohl der junge Mann als auch die Gratisgeschenke waren nach drei Wochen verschwunden.

Doch selbst, wenn die Matineen normal durchgeführt wurden, waren sie ökonomisch unsinnig. Jedes Kind gab 35 Cents für den Eintritt und dann noch einmal 35 für ein Getränk und Süßigkeiten aus, verursachte aber 4,25 Dollar an Kosten für Reparaturen, Reinigung und Kaumgummientfernen. Die Matineen fanden dann auch in immer wieder anderen Kinos statt – im Varsity, Orpheum, Holiday oder Hiland –, weil die Betreiber irgendwann entnervt aufgaben oder die Stadt verließen.

Hin und wieder verteilten die Filmstudios oder ein Sponsor an der Eingangstür Geschenke. Da waren sie fast immer schlecht beraten. Bei der Premiere von *Die Vögel* gab das Orpheum an die ersten 500 Kinobesucher Einpfundtüten mit Vogelfutter. Können Sie sich vorstellen, Vogelfutter an 500 Kinder zu verschenken, die gleich ohne Aufsicht in einem dunklen Saal sind? Eine wenig bekannte Tatsache über Vogelfutter ist nämlich, dass die Körner, in Coca-Cola eingeweicht und durch einen Strohhalm ausgespien, mit Geschwindigkeiten bis zu 1 Mach 60 Meter weit fliegen können und wie Leim an allem festkleben – Wänden, Decken, Kinoleinwänden, weichem Stoff, kreischenden Platzanweiserinnen, Rücken und Hinterkopf des Kinobetreibers, an allem.

Wenn die Filme schlecht waren, ging die echte Action draußen im Foyer ab, und niemand saß dann lange still. Ungefähr alle halbe Stunde oder öfter (wenn auf der Leinwand keiner mit einem Pfahl im Auge oder einem Beil im Schädel herumtaumelte), stand man auf und schaute nach, ob in den öffentlichen Bereichen des Kinos etwas war, das zu erkunden sich lohnte. Zusätzlich zu den Verkaufsständen im Foyer gab es zum Beispiel häufig noch Verkaufsautomaten in dunklen unbewachten Ecken, und die waren immer genaueres Hinsehen wert. Allgemein war man der Überzeugung, dass sich direkt über der Stelle, wo die Becher herausplumpsten oder die Schokoriegel herausglitten – gerade außer Reichweite, doch verführerisch nahe –, mehrere kleine Hebel und Schalter befanden, die man nur in Bewegung zu setzen brauchte, und schon würden alle Süßigkeiten auf einmal herauspoltern. Womöglich wurde auch noch der Wechselgeldmechanismus aktiviert und dann eine Kaskade silberner Münzen ausgespuckt.

Doug Willoughby brachte einmal eine kleine Taschenlampe und einen Spiegel mit gebogenem Stiel, wie ihn Zahnärzte benutzen, mit, schaute sich in den Innereien eines Verkaufsautomaten im Orpheum gründlich um und war forthin sicher, wenn er jemanden mit ausreichend langen Armen fände, könnte er sich den Automaten zu Diensten machen.

Stellen Sie sich seine entzückte Miene vor, als ihm eines Tages jemand einen Jungen anschleppte, der zwei Meter zehn groß war, 40 Pfund wog und Arme wie Gartenschläuche hatte. Am allerbesten: Er war doof und brav. Angespornt von einer Zuschauerschar, die rasch zu einer zweihundertköpfigen Menge anwuchs, kniete sich der Junge gehorsam hin, steckte seinen Arm in den Automaten und stocherte nach Willoughbys Anweisungen darin herum. »Jetzt ein bisschen nach links«, sagte Willoughby, »an dem Kondensator vorbei unter die Magnetspule und schau, ob du nicht einen Klappdeckel findest. Das müsste dann die Box mit dem Wechselgeld sein. Fühlst du sie?«

»Nein«, erwiderte der Junge und Willoughby fädelte noch ein Stück Arm ein.

»Kannst du sie jetzt fühlen?«, fragte Willoughby.

»Nein, aber – Autsch!«, sagte der Junge plötzlich. »Ich habe gerade einen schweren Schlag abgekriegt.«

»Das ist bestimmt die Erdungsschelle«, sagte Willoughby. »Berühr die nicht noch mal. Ich meine, berühr die wirklich nicht noch mal. Versuch drum herum zu gehen.« Er schob noch ein Stück Arm ein. »Fühlst du die Box jetzt?«

»Ich fühle überhaupt nichts mehr, mein Arm ist eingeschlafen«, sagte der Junge nach einer Weile und fügte dann hinzu: »Außerdem hänge ich fest. Ich glaube, mein Ärmel hat sich in irgendwas verfangen.« Er verzog das Gesicht und manövrierte seinen Arm hin und her, bekam ihn aber nicht frei. »Jetzt hänge ich wirklich fest«, sagte er schließlich.

Jemand holte den Kinobetreiber. Ein, zwei Minuten später eilte der in Begleitung eines seiner rüpeligen Helfer herbei. »Was zum Teufel!«, knurrte er und zwängte sich durch die Kindermassen. »Platz da, Platz da. Verdammt und zugenäht. Was zum Teufel. Was zum Teufel ist hier los? Verdammte Bande. Platz da, Junge! Verdammt und zugenäht zum Teufel. Verdammich. Verdammich. Was zum Teufel.« Als er sich einen Weg durch die Zuschauer gebahnt hatte, sah er voller Erstaunen und Empörung, wie ein Junge obszönerweise die Innereien eines seiner Verkaufsautomaten schändete. »Teufel, was machst du da, Freundchen? Komm mit deinem Arm da raus!«

»Kann ich nicht. Ich hänge fest.«

Der Besitzer riss an dem Arm des Jungen. Der jaulte vor Schmerz auf.

»Wer hat dich dazu angestiftet?«

»Die alle.«

»Ist dir klar, dass es strafbar ist, innen in einem Food-O-Mat-Automaten herumzufummeln?«, sagte der Kinomensch, während er noch mehr an dem Arm zerrte und der Junge noch mehr jaulte. »Das gibt Ärger, junger Mann. Ich werde dich höchstpersönlich zur Polizeiwache eskortieren. Ich will gar nicht daran denken, wie lange du in der Besserungsanstalt schmoren wirst, aber bei deiner nächsten Matinee, da rasierst du dich schon, Freundchen.«

Der Arm des Jungen kam nicht frei, war dafür aber jetzt mehrere Zentimeter länger als vorher. Klirrend zückte sein Ankläger einen riesigen Schlüsselring – bei dessen Anblick ein Mann wie er bestimmt sofort alle anderen Pläne hatte fallen lassen und ins Kinogeschäft eingestiegen war –, schloss den Automaten auf und riss die Tür auf, wobei er den protestierenden Jungen mitzerrte. Zum ersten Mal in der Geschichte der Menschheit wurde das Innenleben eines Verkaufsautomaten dem Blick von Kindern preisgegeben. Willoughby zückte Bleistift und Notizbuch und begann mit der Rohzeichnung. Der Anblick von 200 übereinandergestapelten Schokoriegeln, jeder in seinem kleinen schrägen Steckloch, war überwältigend.

Während der Besitzer sich vorbeugte und versuchte, Arm und Hemd des Jungen von der Tür zu befreien, langten 200 Hände an ihm vorbei und befreiten den Automaten geschickt von seiner Ladung.

»He da!«, sagte der Besitzer, als er begriff, was passierte, und entriss wutschäumend einem vorbeigehenden kleinen Jungen eine große Schachtel Milk Duds.

»Hey, die gehört mir!«, protestierte der Junge, holte sich die Schachtel zurück und hielt sie mit beiden Händen fest. »Die gehört mir! Die habe ich bezahlt!«, schrie er, während seine Füße 20 Zentimeter über dem Boden ruderten. Als die beiden weiter um die Schachtel rangen, riss sie, und der Inhalt flog heraus. Da schlug der Junge die Hände vors Gesicht und begann zu weinen. 200 gellende Stimmen beschimpften den Besitzer und wiesen ihn darauf hin, dass in dem Food-O-Mat-Automaten gar keine Milk Duds waren. Während dieser momentanen Verwirrung schlüpfte der Junge mit den langen Armen aus seinem Hemd und floh oben ohne zurück in den Kinosaal – ein Akt erstaunlicher Eigeninitiative, bei dem alle anderen den Mund vor Bewunderung aufsperrten.

Der Besitzer wandte sich an seinen rüpeligen Helfer. »Hol den Jungen, und bring ihn in mein Büro.«

Der Helfer zögerte. »Ich weiß doch gar nicht, wie er aussieht«, sagte er.

»Wie bitte?«

»Ich habe sein Gesicht nicht gesehen.«

»Er hat kein Hemd an, du Depp! Er läuft mit nackter Brust rum.«

»Yeah, aber davon weiß ich immer noch nicht, wie er aussieht«, murmelte der Mann und marschierte mit zuckender Taschenlampe in den Zuschauerraum. Der Junge mit den langen Armen ward nie wieder gesehen. 200 Kinder bekamen Gratissüßigkeiten. Willoughby konnte das Innere eines Verkaufsautomaten studieren und fand heraus, wie er funktionierte. Es war ein seltener Sieg für die Bewohner der Kinderwelt über die dunklen, repressiven Mächte der Erwachsenenwelt. Es war auch das letzte Mal, dass es im Orpheum eine Matinee gab.

Willoughby war der schlaueste Mensch, den ich je kennen gelernt habe, beschlagen insbesondere auf technischem und naturwissenschaftlichem Gebiet. Als er mir die Skizze zeigte, die er gemacht hatte, als die Automatentür auf war, sagte er:»Es ist erstaunlich simpel. Ich konnte kaum glauben, wie wenig kompliziert es ist. Das Ding hat nicht mal eine interne Trennwand oder ein Rückflussgatter oder so was. Ist denn das zu fassen?«

Ich deutete an, dass auch meine Verblüffung keine Grenzen kannte.

»Es gibt nichts, das gegenläufiges Eindringen verhindert – nichts«, sagte er, verwundert den Kopf schüttelnd, und verstaute die Pläne in seiner Gesäßtasche.

In der Woche darauf gab es keine Matinee, sondern wir schauten uns *Das war der Wilde Westen* an. Nachdem der Film eine halbe Stunde gelaufen war, nahm Willoughby mich mit zum Food-O-Mat-Automaten, langte in seine Jacke und holte zwei ausziehbare Autoantennen heraus. Er zog sie heraus, schob sie in den Automaten, fuchtelte kurz damit herum und herunter kam eine Schachtel Dots.

»Was willst du?«, fragte er mich.

»Könnte ich ein paar Red Hots haben?«, erwiderte ich. Ich liebte Red Hots.

Er wackelte noch einmal, und eine Schachtel Red Hots glitt heraus. Und so kam es, dass Willoughby mein bester Freund wurde.

Er war unglaublich gescheit. Er war der erste Mensch, der mit mir einer Meinung über die Bizarro World war, die Welt, in der alles rückwärts vonstatten ging, doch er nannte weit raffiniertere Gründe als ich.

»Es ist absurd«, stimmte er mir zu. »Und denk mal, was es in der Mathematik anrichten würde. Es gäbe keine Primzahlen mehr.«

Ich nickte zaghaft. »Und wenn ihnen schlecht ist, müssten sie die Kotze wieder in den Mund saugen«, fuhr ich fort, um das Gespräch auf sichereres Terrain zu lenken.

»Die Geometrie würde vollkommen den Bach runtergehen«, sagte Willoughby dann und zählte alle Lehrsätze auf, die in einer rückwärtslaufenden Welt keinen Bestand mehr hätten.

Gespräche, in denen wir über das Gleiche, doch aus meilenweit voneinander entfernten Perspektiven redeten, führten wir oft. Es war aber immer noch besser, als mit Buddy Doberman über die Bizarro World zu sprechen; der war nämlich überrascht, dass sie gar nicht existierte.

Willoughby war genial darin, selbst wenig vielversprechenden Situationen Spaß abzugewinnen. Einmal holte uns sein Vater vom Kino ab, musste aber, bevor wir nach Hause fuhren, erst noch bei der Stadtverwaltung vorbei, um seine Grundsteuern oder sonst was zu bezahlen. Wir saßen also 20 Minuten lang im Auto an einer Parkuhr vor einem Bürogebäude in der Cherry Street. Eine weniger vielversprechende Situation kann man sich ja nun eigentlich nicht vorstellen, doch kaum war Willoughbys Vater um die Ecke gebogen, sprang Willoughby aus dem Auto und verdrehte den Scheibenwischer – ich wusste nicht einmal, dass man das konnte –, so dass er auf den Bürgersteig gerichtet war, setzte sich dann auf den Fahrersitz und sagte mir, ich dürfe unter keinen Umständen mit einem der Vorübergehendem Blickkontak aufnehmen oder mir anmerken lassen, dass ich ihn sähe. Jedes Mal, wenn dann jemand vorbeilief, bespritzte er ihn mit Wasser – und glauben Sie mir, Autoscheibenwischer stoßen eine Menge Wasser aus, erstaunlich viel.

Die Opfer blieben sprachlos und verblüfft an der Stelle stehen, an der sie durchnässt worden waren, und schauten argwöhnisch in unsere Richtung – doch wir hatten die Fenster geschlossen und schienen sie absolut nicht zu bemerken. Wenn sie sich dann umdrehten und das Gebäude hinter sich beäugten, verpasste ihnen Willoughby einen weiteren Wasserschwall in den Nacken. Es war herrlich, so viel Spaß hatte ich noch nie gehabt. Wenn es nach mir gegangen wäre, wäre ich immer noch dort. Wer kam schon auf die Idee, Autoscheibenwischer zu Vergnügungszwecken zu benutzen?

Auch Willoughby liebte Bishop's über die Maßen, doch er war als Gast viel kühner und fantasievoller, als ich es je hätte werden können. Gern schaltete er die Tischlampe ein und schickte die Kellnerinnen mit seltsamen Bitten los.

»Kann ich bitte einen Angosturabitter haben?«, sagte er zum Beispiel mit der Unschuldsmiene eines Chorknaben. Oder: »Bitte, kann ich ein paar neue Eiswürfel haben, diese sind doch sehr missraten.« Oder: »Haben Sie ganz eventuell eine Schöpfkelle und eine Zange übrig?« Und dann stapfte die Kellnerin von dannen und sah nach, was sie für ihn tun konnte. Irgendetwas in seinem fröhlichen Gesicht brachte andere dazu, ihm immer gern einen Gefallen zu tun.

Ein anderes Mal zog er mit einem gewissen theatralischen Schwung ein adrett gefaltetes weißes Taschentuch aus der Tasche, dem er einen perfekt konservierten, großen, schwarzen, flachen, potthässlichen Hirschkäfer mit Zangen entnahm – in

Iowa hießen diese Viecher Junikäfer. Er ließ ihn in seiner Tomatensuppe zu Wasser. Der Käfer trieb wunderschön auf der Suppe. Man konnte fast auf den Gedanken kommen, er sei zu diesem Zwecke geschaffen worden.

Dann schaltete Willoughby die Tischlampe ein. Eine Kellnerin kam, erspähte den Käfer, ließ kreischend ein leeres Tablett fallen und holte den Restaurantleiter, der herbeihastete. Er gehörte zu den Leuten, die ständig so gestresst sind, dass selbst ihre Haare und ihre Kleidung unter Hochspannung stehen. Er sah aus, als sei er gerade einem Windkanal entstiegen. Als er das schwimmende Insekt erblickte, stürzte er sich sofort in einen Nervenzusammenbruch.

»Ach, du meine Güte«, sagte er. »Ach, du meine Güte, meine Güte. Ich weiß nicht, wie das passieren kann. Es ist noch nie passiert. Ach, du meine Güte. Es tut mir schrecklich leid.« Schwungvoll entfernte er den Stein des Anstoßes, den Suppenteller, vom Tisch und hielt ihn auf Armeslänge von sich, als sei er hochgradig ansteckend. Zu der Kellnerin sagte er: »Mildred, servieren Sie diesen jungen Männern, was sie wollen – wirklich, was sie wollen« und zu uns: »Wie wär's mit ein paar Schokokaramellbechern? Wäre die Angelegenheit damit für euch aus der Welt geschafft?«

»O ja!«, antworteten wir.

Er schnipste mit den Fingern und schickte Mildred fort, damit sie uns die Schokokaramellbecher holte. »Mit ganz viel Nüssen und Extrakirschen«, rief er. »Und vergessen Sie die Schlagsahne nicht.« Dann wandte er sich, wieder selbstsicherer, an uns. »Also, Jungs, ihr werdet das ja wohl niemandem weitererzählen, was?«

Wir versprachen es.

»Was machen eure Eltern?«

»Mein Vater ist beim Gesundheitsamt«, sagte Willoughby frohgemut.

»Ach, du lieber Gott«, sagte der Mann, und diesmal wich alles Blut aus seinem Gesicht. Dann enteilte er, um sicherzustellen, dass unsere Schokokaramellbecher auch wirklich die größten und üppigsten waren, die man je bei Bishop's serviert hatte.

Am nächsten Samstag ging Willoughby wieder mit mir zu Bishop's. Diesmal trank er die Hälfte seines Wassers, zog dann ein Glas mit Wasser aus einem Teich aus der Jacke und füllte damit sein Glas auf. Als er das Glas ans Licht hielt, schwammen ungefähr 16 Kaulquappen darin herum.

»Entschuldigung, war das mit meinem Wasser so gemeint?«, rief er einer vorbeieilenden Kellnerin zu, die wie gebannt sein Glas anstarrte und dann ging, um sich Verstärkung zu holen. Binnen einer Minute untersuchte ein halbes Dutzend bestürzter Kellnerinnen das Wasser, kreischte aber nicht. Einen Moment später tauchte unser Freund, der Restaurantchef, auf.

Er hielt das Glas in die Höhe. »Ach, du meine Güte«, sagte er und wurde blass. »Es tut mir schrecklich leid. Ich weiß nicht, wie das passieren konnte. So etwas ist noch nie passiert.« Dann schaute er Willoughby genauer an. »Sag mal, warst du nicht letzte Woche hier?«

Willoughby nickte, als wolle er sich entschuldigen.

Ich dachte, der Restaurantleiter würde uns nun an den Ohren hinauszerren, doch der gute Mann sagte: »Also, ich kann nur noch einmal sagen, wie leid es mir tut, mein Sohn. Ich kann mich gar nicht genug entschuldigen.« Dann wandte er sich an die Kellnerinnen. »Auf diesem jungen Mann liegt offenbar ein Fluch.« Zu uns sagte er: »Na, dann hole ich euch mal eure Schokokaramellbecher.« Und ging in die Küche, nicht ohne sich unterwegs hier und dort zu verneigen und dabei diskret das Wasser der anderen Gäste zu betrachten.

An einem mangelte es Willoughby freilich immer: dem Sinn für das rechte Maß. Ich bat ihn inständig, den Bogen nicht zu überspannen, doch eine Woche später wollte er unbedingt wieder zu Bishop's. Ich weigerte mich, bei ihm zu sitzen, und setzte mich an einen Tisch auf der anderen Seite des Gangs. Dann sah ich, wie er summend eine braune Papiertüte aus der Tasche holte und in seine Suppe sorgsam zwei Pfund tote Fliegen und Falter kippte, die er von der Deckenbeleuchtung in seinem Zimmer geschabt hatte. Sie bildeten einen etwa zwölf Zentimeter hohen Hügel. Es war ein erhabener Anblick, dem es jedoch vielleicht eine Spur an Glaubwürdigkeit gebrach. Zufällig kam der Restaurantleiter vorbei, als Willoughby seine Lampe anschaltete. Entsetzt und vollkommen bestürzt sah der leidgeprüfte Mann den widerlichen Teller und dann Willoughby an. Einen Moment lang dachte ich, er werde ohnmächtig oder sogar tot umsinken. »Das ist doch nicht mög –«, sagte er, und dann leuchtete eine riesige Glühbirne über seinem Kopf auf, denn er begriff, dass es wirklich nicht möglich war, dass man jemandem einen Teller Suppe mit zwei Pfund toter Insekten serviert.

Mit löblicher Dezenz geleitete er Willoughby zum Ausgang und bat ihn – verlangte es nicht, sondern bat ihn ruhig, höflich, eindringlich – nie mehr wiederzukommen. Es war ein schrecklicher Verweis.

Alle Willoughbys – Mutter, Vater, vier Jungs – waren die reinsten Intelligenzbolzen. Ich dachte immer, wir hätten viele Bücher zu Hause, weil wir zwei große Bücherschränke im Wohnzimmer hatten. Dann besuchte ich Willoughby. Sie hatten *überall* Bücher und Bücherschränke – in den Etagenfluren, in den Treppenfluren, im Badezimmer, der Küche, an allen vier Wänden des Wohnzimmers. Obendrein besaßen sie wirklich gewichtige Werke – russische Romane, historische und philosophische Bücher, Bücher auf Französisch. Da begriff ich, dass wir hoffnungslos hinterherhinkten.

Und sie *lasen* ihre Bücher. Ich erinnere mich, dass Willoughby mir einmal einen Absatz über die Verrohtheit von Landarbeitern zeigte, auf die er in einem langen Artikel über etwas vollkommen anderes in der *Encyclopaedia Britannica* gestoßen war. Ich kann mich an die Einzelheiten nicht mehr erinnern – solche Sachen behält man nicht vierzig Jahre lang –, doch im Wesentlichen besagte der Absatz, dass 32 Prozent aller Landarbeiter in Indiana oder ähnlichen Bundesstaaten (aber ich bin ziemlich sicher, es war Indiana; es war auf jeden Fall ein hoher Prozentsatz) zum einen oder anderen Zeitpunkt Geschlechtsverkehr mit Vieh hatten.

Ich war in jeder Hinsicht erstaunt. Zum einen wäre ich nie auf den Gedanken gekommen, dass Landarbeiter oder überhaupt ein menschliches Wesen in Indiana oder sonstwo jemals freiwillig Sex mit einem Tier haben wollte. Doch hier stand schwarz auf weiß in einer angesehenen Publikation, dass ein signifikanter Teil von ihnen zumindest mal einen Versuch gewagt hatte. (Der Artikel hielt sich ein wenig bedeckt hinsichtlich der Dauerhaftigkeit der Beziehungen.) Noch erstaunlicher aber als die Tatsache selbst war, dass Willoughby die Stelle gefunden hatte. Die *Encyclopaedia Britannica* umfasste 23 Bände mit 18 000 Seiten – ungefähr 50 Millionen Worte, schätze ich –, und er war auf den einzigen spannenden Absatz in der ganzen Schwarte gestoßen. Wie machte er das? Wer *liest* die *Encyclopaedia Britannica*?

Willoughby und seine Brüder eröffneten mir neue Welten mit den unterschiedlichsten, unvermutetsten Möglichkeiten. Mir war, als hätte ich bis dahin jeden Augenblick meiner Existenz vergeudet. In ihrem Haus war potentiell alles faszinierend und unterhaltsam. Willoughby hatte zusammen ein Zimmer mit seinem Bruder Joe, der ein Jahr älter und kein bisschen weniger brillant in den Naturwissenschaften war. Ihr Zimmer war eher ein Labor als ein Schlafzimmer. Überall waren Gerätschaften – Becher, Phiolen, Retorten, Bunsenbrenner, Gefäße mit Chemikalien aller Art – und Bücher über jedes nur denkbare Thema und alle offenbar häufig benutzt: über angewandte Mechanik, Wellenlehre, Elektrotechnik, Mathematik, Pathologie, Militärgeschichte. Die Willoughby-Jungs hatten stets ehrgeizige, großangelegte Pläne. Sie fabrizierten Heliumballons. Raketen. Schießpulver. Eines Tages kam ich zu ihnen, und da hatten sie Schießpulver, Polstermaterial und eine silberne Kugellagerkugel, ungefähr so groß wie eine Murmel, in ein Stück Metallrohr gestopft und eine primitive Kanone gebaut – ein Testmodell. Das legten sie auf einen alten Baumstumpf im Garten hinter ihrem Haus und richteten es auf eine etwa 4,50 Meter entfernte Sperrholzplatte. Dann hielten sie ein brennendes Streichholz an die Zündschnur, und wir zogen uns alle auf eine sichere Position hinter einem Picknicktisch zurück (immerhin konnte das ganze Ding ja auch explodieren). Während wir zuschauten, brachte die brennende Lunte irgendwie das Rohr aus dem Gleichgewicht, es rollte langsam über den Baumstumpf und war nun nicht mehr auf das Sperrholz gerichtet. Doch bevor wir reagieren konnten, ging die Kanone mit einem mächtigen Krachen los und sprengte die Scheiben aus einem Badezimmerfenster im ersten Stock drei Häuser weiter. Niemand wurde verletzt, doch Willoughby bekam einen Monat Hausarrest – er hatte meist Hausarrest – und musste 65 Dollar Schadenersatz zahlen.

Die Willoughby-Jungs konnten wirklich aus nichts etwas Unterhaltsames schaffen. Bei meinem ersten Besuch machten sie mich mit der aufregenden Sportart »Streichholzkampf« bekannt. Bei diesem Spiel bewaffneten sich die Kontrahenten mit vielen Schachteln Haushaltszündhölzern, gingen in den Keller, schalteten alle Lampen aus und verbrachten den Rest des Abends damit, sich im Dunkeln gegenseitig mit angezündeten Streichhölzern zu bewerfen.

Damals waren Haushaltzündhölzer robuste Dinger – eher wie Leuchtraketen und nicht so wie die schmächtigen Hölzlein, die man heute bekommt. Man konnte sie an jeder harten Fläche reiben und mindestens fünf Meter weit schleudern, ohne dass sie ausgingen. Ja, selbst wenn sie sich vorn auf dem Pullover festgesetzt hatten und man energisch mit beiden Händen darauf einschlug, schienen sie wild entschlossen, nicht auszugehen. Unser Ziel war ohnehin, die Streichhölzer auf den Gegnern landen zu lassen und auf Teilen ihres Körpers kleine, alarmierende Buschfeuer zu entfachen. Haare waren ein besonders beliebtes Ziel. Nachteilig war, dass man jedes Mal, wenn man ein angezündetes Streichholz abwarf, seine eigene Position allen denen verriet, die neben einem in der Dunkelheit lauerten. Nach einer ausgeführten Attacke musste man eigentlich immer damit rechnen, dass die eigene Schulter lichterloh brannte oder mitten auf dem Kopf ein Leuchtfeuer loderte, dessen Flammen sich von einem rasch abnehmenden Bestand an Haaren ernährten.

Nachdem wir an einem Abend drei Stunden lang gespielt hatten und dann das Licht anmachten, entdeckten wir, dass wir uns alle mehrere lustige, kahle Stellen eingefangen hatten. Allerbester Laune gingen wir zur Dairy Queen auf der Ingersoll Avenue, um frische Luft zu schnappen und eine Erfrischung zu uns zu nehmen. Als wir zurückkamen, standen zwei Feuerwehrwagen vor dem Haus und Mr. Willoughby hüpfte extrem aufgekratzt einher. Offenbar hatten wir ein Streichholz in einem Schmutzwäschekorb brennen lassen, und es hatte sich ein Feuer entwickelt, das an der hinteren Wand hochgekrochen, ein paar Balken angekokelt und einen Großteil des Hauses darüber mit Rauch erfüllt hatte. Ein Trupp begeisterter Feuerwehrleute hatte dem Ganzen dann reichlich Wasser zugesetzt, von dem nun viel zur Hintertür hinausfloss.

»Was habt ihr da unten gemacht?«, fragte Mr. Willoughby

voller Staunen und Verzweiflung. »Auf dem Boden haben bestimmt 800 abgebrannte Streichhölzer gelegen. Der Branddirektor will mich wegen Brandstiftung festnehmen. In meinem eigenen Haus! Was habt ihr gemacht?«

Willoughby kriegte diesmal sechs Wochen Hausarrest, und wir mussten unsere Freundschaft zeitweilig auf Eis legen. Aber das war nicht so schlimm, weil ich mich zufällig zu der Zeit mit einem anderen Schulkameraden namens Jed Mattes angefreundet hatte, der einen krassen Gegensatz zu Willoughby bildete: Jed war schwul oder würde es zumindest bald sein.

Er hatte Charme und Geschmack und untadelige Manieren und durch ihn lernte ich eine kultivierte Seite des Lebens kennen – Reisen, gutes Essen, schöne Literatur, Inneneinrichtungen, für mich etwas angenehm und vollkommen Neues. Jeds Großmutter wohnte im Commodore Hotel auf der Grand Avenue, was sehr exotisch war. Sie war über 1000 Jahre alt und wog 37 Pfund, einschließlich der 16 Pfund Make-up. Sie gab uns immer Geld fürs Kino, manchmal riesige Summen wie 40 oder 50 Dollar, womit man sich Anfang der sechziger Jahre einen sehr schönen Tag machen konnte. Jed wollte nie in Filme wie *Attack of the 50-Foot Woman* gehen. Er ging lieber in Musicalfilme wie *Goldgräber-Molly* oder *My Fair Lady*. Ich kann nicht sagen, dass das meine allererste Wahl war, doch als guter Freund begleitete ich ihn und bekam dadurch einen gewissen kosmopolitischen Schliff. Nach dem Kino spendierte er uns ein Taxi – für mich ein Beförderungsmittel von unglaublicher Pracht und Eleganz – zu Noah's Ark, einem allseits geschätzten italienischen Speiselokal auf der Ingersoll Avenue. Dort machte er mich mit Spaghetti bolognese, Knoblauchbrot und anderen gängigen Gerichten der feineren Küche bekannt. Zum ersten Mal benutzte ich Leinenservietten und saß vor einer Speisekarte, die weder laminiert noch klebrig war und auch keine Fotos der Speisen darauf hatte.

Jed konnte durch Reden alles erreichen. Oft gingen wir los und schauten in die Fenster von Häusern reicher Leute. Manchmal klingelte er an der Haustür.

»Entschuldigen Sie bitte die Störung«, sagte er, wenn die Dame des Hauses erschien, »aber ich habe gerade Ihre Wohnzimmergardinen bewundert, und ich muss Sie einfach fragen, wo Sie den Velourssamt herhaben. Er ist *wunder*schön.«

Und ehe wir uns versahen, waren wir im Haus und wurden auf eine Besichtigungstour mitgenommen. Jed bewunderte gurrend die genialen Verschönerungen, die die Besitzerin bereits vorgenommen hatte, und schlug seinerseits bescheiden zusätzliche Feinheiten vor, die alles noch schöner machen würden. Auf diese Weise wurden wir in den besten Häusern willkommen geheißen. Besonders freundschaftliche Bande knüpfte Jed mit einem schon betagteren Philanthropen namens A. H. Blank, dem Stifter des Blank Children's Hospital, der mit seiner tattrigen, blauhaarigen Gattin in einer Dachterrassenwohnung in der nobelsten, angesagtesten Gegend Iowas wohnte, einem Gebäude namens The Towers auf der Grand Avenue. Mr. und Mrs. Blank gehörte der gesamte zehnte Stock. Es sei die höchstgelegene Wohnung zwischen Chicago und Denver oder zumindest zwischen Grinnell und Council Bluffs, erzählten sie uns. Freitagabends gingen wir oft auf einen Kakao und ein Stück Mokkatorte bei ihnen vorbei und genossen von den weiträumigen Balkonen den Blick auf die Stadt – ja, eigentlich auf den ganzen Mittleren Westen. Es war in jeder Hinsicht der Höhepunkt so mancher Woche. Ich wartete jahrelang, dass Mr. Blank das Zeitliche segnete und mir etwas hinterließ, doch es ging alles an wohltätige Einrichtungen.

Als wir eines Samstags nach dem Kino (*Mitternachtsspitzen* mit Doris Day, den wir umgehend als passabel, aber keineswegs als ihren besten Film beurteilten) über die High Street nach Hause gingen – ein ungewöhnlicher Weg, ein Weg für

Leute, die auf Abenteuer aus sind –, kamen wir an einem kleinen Backsteinhaus mit einem Schild vorbei, auf dem stand »Mid-America Film Distribution« oder etwas Ähnliches, und Jed schlug vor, wir sollten mal hineingehen.

Drinnen saß ein kleiner, älterer Mann in einem lebhaft gemusterten Anzug an einem Tisch und tat nichts.

»Hallo«, sagte Jed, »ich hoffe, ich störe nicht, aber haben Sie alte Filmplakate, die Sie nicht mehr brauchen?«

»Ihr geht gern ins Kino?«, sagte der Mann.

»Gern ins Kino, Sir? Ich *liebe* es!«

»Im Ernst?«, sagte der Mann und freute sich wie ein Honigkuchenpferd. »Toll, wirklich toll. Sag mir, mein Sohn, was ist dein Lieblingsfilm?«

»Ich glaube, *Alles über Eva.*«

»Wenn du den magst…«, sagte der Mann. »Dann habe ich das Plakat hier irgendwo. Einen Moment, bitte.« Er nahm uns mit in einen Lagerraum, der vom Boden bis zur Decke mit zusammengerollten Filmplakaten vollgestapelt war, und fing an, darin herumzusuchen. »Hier irgendwo ist es. Welche Filme magst du sonst?«

»Herrjechen«, sagte Jed. »*Boulevard der Dämmerung, Rebecca, Die große Liebe meines Lebens, In den Fesseln von Shangri-La, Geisterkomödie, Ehekrieg, Mrs. Miniver, Solange ein Herz schlägt, Die Nacht vor der Hochzeit, Der Mann, der zum Essen kam, Reise aus der Vergangenheit, Ein Baum wächst in Brooklyn, Der Gefangene des Ku-Klux-Klan, Picknick im Pyjama, Dieses Mädchen ist für alle, Asphaltdschungel, Das verflixte 7. Jahr, From This Day Forward* und *Schlagende Wetter,* wenn auch nicht unbedingt in der Reihenfolge.«

»Die habe ich!«, sagte der Mann aufgeregt. »Die habe ich alle.« Hektisch begann er, Jed Plakate auszuhändigen. Dann wandte er sich an mich. »Was ist mit dir?«, fragte er höflich.

»*The Brain That Wouldn't Die*«, erwiderte ich hoffnungsfroh.

Er verzog das Gesicht und schüttelte den Kopf. »Mit B-Filmen befasse ich mich nicht«, sagte er.

»*Zombies on Broadway?*«

Er schüttelte wieder den Kopf.

»*Island of the Undead?*«

Er gab mich auf und wandte sich wieder an Jed. »Magst du Lana-Turner-Filme?«

»Aber ja doch. Wer nicht?«

»Ich habe sie alle – alle seit *Nicht schwindeln, Liebling*. Hier, die möchte ich dir alle schenken.« Und er begann Jed die Arme vollzupacken.

Letztendlich gab er uns mehr oder weniger alles, was er hatte – Plakate, die bis zum Ende der dreißiger Jahre zurückreichten, alle in erstklassigem Zustand. Weiß der Himmel, was sie heute wert wären. Wir fuhren mit dem Taxi zu Jed nach Hause und teilten sie auf seinem Schlafzimmerboden auf. Jed nahm alle für Filme mit Doris Day und Debbie Reynolds. Ich bekam die, auf denen Männer mit rauchenden Knarren gebückt daherliefen. Wir waren beide überglücklich.

Ein paar Jahre später flog ich für einen Sommer nach Europa und blieb zwei Jahre. Als ich weg war, räumten meine Eltern mein Zimmer aus. Die Plakate flogen in ein Gartenfeuer.

Manche Wünsche hatte ich mit Jed eher nicht gemeinsam, und der offensichtlichste war mein lüsternes Begehr, eine nackte Frau zu sehen. Ich glaube, in dem Jahr nach dem Reinfall bei der State Fair verging kein Tag, an dem ich nicht mindestens zweimal an das Stripperinnenzelt dachte. Es war der einzige Ort, an dem man nacktes Fleisch live sehen konnte, und mein Bedürfnis wurde immer drängender.

Ab dem März, der auf meinen 14. Geburtstag folgte, strich ich auf einem Kalender die Tage bis zur State Fair durch. Ab

Ende Juni geriet ich häufiger außer Atem. Am 20. Juli legte ich die Klamotten heraus, die ich im nächsten Monat tragen wollte. Ich brauchte drei Stunden, um sie auszuwählen. Ich überlegte, ob ich ein Opernglas mitnehmen sollte, entschied mich aber dagegen, weil es sicher angelaufen wäre.

Die offizielle Eröffnung der State Fair war am 20. August. Normalerweise ging niemand, der noch recht bei Sinnen war, am Eröffnungstag dort hin, denn von der ungeheuren Menschenmenge wurde man schier erdrückt. Doug Willoughby und ich allerdings gingen. Wir mussten. Es half nichts, wir mussten. Wir trafen uns kurz nach Morgengrauen und nahmen einen Bus hinaus zur Ostseite der Stadt. Dort gesellten wir uns zu den fröhlichen Massen und warteten drei Stunden in der Schlange, um unter den Ersten zu sein, die reinkamen.

Um zehn Uhr öffneten sich die Tore und 20 000 Menschen stürmten wie die angreifenden Heerscharen in *Braveheart* jubelnd über das Gelände. Es überrascht Sie vielleicht zu erfahren, dass Willoughby und ich nicht direkt zum Stripperinnenzelt gingen, sondern uns Zeit nahmen. Doch wir hatten nach reiflicher Überlegung beschlossen, die Situation auszukosten, und schauten uns deshalb zuerst ausgiebig in den Ausstellungshallen um. Womöglich war es das erste Mal in der Geschichte der Menschheit, dass jemand Steppdecken und eine Butterkuh als Variante des Vorspiels betrachtete, doch wir wussten, was wir taten. Wir wollten, dass die Mädels sich warm machten und in Schwung kamen. Bei unserem ersten Besuch wollten wir keine Darbietung von minderer Qualität sehen.

Um elf Uhr stärkten wir uns mit einem beliebten Eiskonfekt namens Wonder Bar, schlenderten dann zum Stripperinnenzelt, stellten uns in die Schlange und freuten uns, dass wir endlich von einem der Privilegien unseres Alters Gebrauch machen konnten. Doch kurz bevor wir am Eintrittskartenhäuschen ankamen, stieß Willoughby mich in die Rippen und zeigte auf das baumelnde Schild. Es war neu und darauf stand:»Kein Einlass für Minderjährige. Sie müssen 16 sein und sich entsprechend ausweisen können.«

Ich war sprachlos. Wenn es mit der Geschwindigkeit weiterging, würde ich Rentnerermäßigung bekommen, bis ich meine erste nackte Frau sah.

Am Schalter fragte der Mann, wie alt wir seien.

»16«, sagte Willoughby energisch. Was sonst?

»Du siehst mir aber nicht wie 16 aus, Junge«, sagte der Mann.

»Ja, ich habe einen leichten Hormonmangel.«

»Kannst du dich ausweisen?«

»Nein, aber mein Freund hier kann sich für mich verbürgen.«

»Verpisst cuch!«

»Wir hatten aber fest damit gerechnet, dass wir eine Ihrer Vorstellungen besuchen könnten.«

»Verpisst euch!«

»Wir warten seit einem Jahr darauf. Wir sind seit sechs Uhr heute Morgen hier.«

»Verpisst euch!«

Und so schlichen wir von dannen. Es war der grausamste Schlag, den ich bis dato in meinem Leben erlitten hatte.

In der nächsten Woche ging ich mit Jed zur State Fair. Es war ein interessanter Kontrast, denn er plauderte stundenlang mit Damen in Rüschenschürzen über ihre Marmeladen und Steppdecken. Es gab nichts in der Welt des Haushalts, das ihn nicht faszinierte, und kein einziges Problem oder potentielles Missgeschick, das nicht sofort sein Mitgefühl weckte. Einmal hatte er ein Dutzend Frauen um sich versammelt, die alle wie Tante Bea aus der *Andy Griffith Show* aussahen und sich königlich amüsierten.

»Also war das nicht einfach *wunder*bar?«, sagte er hinterher zu mir und stieß einen glücklichen Riesenseufzer aus. »Danke, dass du mich überallhin begleitest. Jetzt bringen wir dich aber zum Stripperinnenzelt.«

Ich hatte ihm von meiner Enttäuschung aus der Vorwoche erzählt und erinnerte ihn jetzt daran, dass wir zu jung waren, um eingelassen zu werden.

»Das Alter ist nur ein unnötiges Detail«, sagte er aufgeräumt.

Am Zelt blieb ich im Hintergrund, während er zum Kartenschalter ging. Er redete eine Weile mit dem Mann. Ab und zu schauten beide zu mir herüber, nickten ernst, als fänden sie wirklich, dass ich an einem auffälligen Gebrechen litt. Endlich kam Jed lächelnd zurück und gab mir eine Eintrittskarte.

»Na, los dann«, sagte er fröhlich. »Es macht dir ja hoffentlich nichts aus, wenn ich nicht mitkomme.«

Es verschlug mir die Sprache. Voller Erstaunen schaute ich ihn an und stotterte dann mit Mühe: »Aber wie …?«

»Ich habe ihm gesagt, du hättest einen inoperablen Hirntumor, was er mir aber nicht abgenommen hat, und dann habe ich ihm zehn Dollar gegeben«, erklärte Jed. »Viel Spaß.«

Na, was kann ich anderes sagen, als dass es das schönste Erlebnis meines Lebens war? Die Stripperin – pro Vorstellung gab es immer nur eine, stellte sich heraus, was Willoughbys Bruder versäumt hatte uns mitzuteilen – war grenzenlos gelangweilt, sensationell gelangweilt, doch ihre schmollende Gleichgültigkeit und ihr glasiger Blick hatten etwas unerwartet Erotisches und sie sah wirklich nicht schlecht aus. Sie zog sich auch nicht ganz aus. Sie behielt einen paillettenbesetzten blauen G-String an und hatte auf den Brustwarzen Käppchen mit Fransen, doch es war eine himmlische Erfahrung, und als sie sich als eine Art Höhepunkt – und den Begriff verwende ich sehr bewusst – keine zwei Meter vor meinen bewundernden Blicken zum Publikum hinunterbeugte und zehn Sekunden die Fransen wirbeln und kurz, doch geschickt sogar in entgegengesetzte Richtungen kreisen ließ – was für ein Talent! –, dachte ich, ich sei gestorben und nun im Himmel.

Ich bin immer noch fest davon überzeugt, dass es so oder sehr ähnlich sein wird, wenn ich dort einmal hinkomme. Und im Bewusstsein dessen ist in all den Jahren seitdem kaum ein Moment vergangen, in dem ich nicht ein extrem guter Mensch war.

XIII
Die Schamjahre

In Coeur D'Alene, Idaho, meldeten Anwohner, dass
ein Auto im Rückwärtsgang durch das Viertel rase. Der
Stellvertretende Polizeichef Robert Schmidt ging der
Sache nach und fand hinter dem Steuer eine Halbwüchsige, die erklärte:»Ich durfte das Auto benutzen
und bin zu viele Kilometer gefahren und wollte jetzt
ein paar davon rückgängig machen.«

Time, 9. Juli 1956

Laut einer Gallup-Umfrage war 1957 das glücklichste Jahr, das man je in den Vereinigten Staaten von Amerika erlebt hatte. Ich weiß nicht, ob mal jemand herauszufinden versucht hat, warum in diesem weitgehend ereignislosen Jahr das Glück der Amerikaner seinen schwindelnden Höhepunkt erreichte, doch ich habe den Verdacht, dass es kein Zufall ist, dass gleich im nächsten Jahr die New York Giants und die Brooklyn Dodgers die Fans in ihrer Heimatstadt schmählich verließen und sich nach Kalifornien absetzten.

Weiß der Himmel, es war gewiss Zeit, dass der Baseball nach Westen expandierte. Denn dass sich die Mannschaften in den alten Städten des Ostens und Mittleren Westens stauten, es aber so gut wie keine in den jüngeren Riesenstädten der Staaten im Westen gab, war lächerlich. Aber den Eigentümern der Dodgers und der Giants ging es nicht um den Dienst am Baseball. Sie handelten aus Habgier. Eine Welt tat sich auf, in der Dinge getan wurden, weil sie größeren Gewinn, nicht weil sie eine bessere Welt versprachen.

Die Menschen waren wohlhabender denn je zuvor, doch aus irgendeinem Grunde machte das Leben nicht mehr so viel Spaß. Die Wirtschaft war eine nicht mehr aufzuhaltende Maschinerie geworden. Das Bruttosozialprodukt stieg in dem Jahrzehnt um 40 Prozent, von etwa 350 Milliarden 1950 auf fast 500 Milliarden 1960 und in den nächsten sechs Jahren dann noch einmal um ein Drittel auf 658 Milliarden. Doch was bislang absolut wunderbar gewesen war, wurde nun eigenartig unbefriedigend. Die Menschen entdeckten, dass man in der Welt fröhlichen Konsums immer weniger zurückbekam.

Als die 1950er Jahre zu Ende gingen, hatten die meisten Menschen – jedenfalls die meisten Menschen der Mittelklasse – so gut wie alles, was sie sich je erträumt hatten; sie konnten also in wachsendem Maße mit ihrem Geld kaum noch etwas anderes tun, als mehr und größere Versionen der Dinge zu kaufen, die sie eigentlich nicht brauchten: Zweitwagen, Rasentraktoren, überdimensionale Kühlschränke, Stereoanlagen mit größeren Lautsprechern und noch mehr Knöpfen zum dran Herumdrehen, zusätzliche Telefone und Fernseher, Hausanschlüsse, Gasgrills, Küchengeräte, Schneefräsen, was das Herz begehrt. Mehr Dinge zu besitzen bedeutete auch, dass das Leben komplizierter und die laufenden Kosten höher wurden, man sich um mehr Dinge kümmern und mehr Dinge sauber machen musste und mehr Dinge kaputtgingen. Zunehmend wurden die Frauen berufstätig, um das ganze Unternehmen am Laufen zu halten und Millionen Menschen waren bald in einer Spirale gefangen, in der sie immer mehr arbeiteten, um arbeitssparende Dinge zu kaufen, die sie nicht gebraucht hätten, wenn sie nicht so viel gearbeitet hätten.

Zu Beginn der 1960er Jahre produzierte der Durchschnittsamerikaner doppelt so viel wie 15 Jahre zuvor. Zumindest theoretisch hätten es sich die Menschen jetzt leisten können, nur vier Stunden am Tag oder zweieinhalb Tage die Woche oder sechs Monate im Jahr zu arbeiten und dabei den Lebensstandard zu halten, der dem von 1950 entsprochen hätte, als das Leben schon ganz schön schön war – und in puncto Stress und Hektik und allem möglichen Druck unbestreitbar und in vieler Hinsicht viel schöner. Aber – und das war in den Industrieländern fast einmalig – die US-Amerikaner nutzten die Produktivitätszuwächse nicht als Möglichkeit zu zusätzlicher Freizeit, sondern beschlossen, zu arbeiten und zu kaufen und immer mehr zu besitzen.

Natürlich hatten nicht alle den gleichen Anteil an den guten

Zeiten. Schwarze Menschen, die ihr Los zu verbessern trachteten, waren besonders im tiefen Süden und ganz besonders im Bundesstaat Mississippi oft den empörendsten, entsetzlichsten Diskriminierungen ausgesetzt. (Noch schlimmer deshalb, weil die meisten Menschen damals nicht im Mindesten darüber entsetzt oder empört waren.) Clyde Kennard, Exunteroffizier der US-Armee, Fallschirmjäger und ein Mensch mit rundum untadeligem Charakter, versuchte 1955, sich am Mississippi Southern College in Hattiesburg einzuschreiben. Er wurde abgewiesen, besann sich aber, kam zurück und bat noch einmal um Zulassung. Wegen dieses wiederholten, vorsätzlich anmaßenden Benehmens legten ihm Universitätsangestellte – und das möchte ich ganz klar sagen: keine Studenten, keine ungebildeten Ku-Klux-Klan-Leute in weißen Betttüchern, sondern Universitätsangestellte! – verbotenen Alkohol und eine Tüte gestohlenes Hühnerfutter ins Auto und sorgten dafür, dass er wegen schweren Diebstahls angeklagt wurde. Kennard kam vor Gericht und wurde für Verbrechen, die er nicht begangen hatte, für sieben Jahre ins Gefängnis gesperrt. Dort starb er, bevor er seine Strafe abgesessen hatte.

Ebenfalls in Mississippi versuchten Reverend George Lee und ein Mann mit Namen Lamar Smith unabhängig voneinander ihr Wahlrecht auszuüben. Smith gelang es sogar, seinen Wahlzettel einzuwerfen – das schon ein kleines Wunder –, doch als er fünf Minuten später mit einem gefährlich triumphierenden Lächeln aus dem Wahllokal trat, wurde er noch auf der Treppe erschossen. Obwohl der Mord am helllichten Tag in aller Öffentlichkeit verübt wurde, fand sich kein Zeuge, und es wurde nie ein Täter vor Gericht gestellt. Im Gegensatz zu Lamar Smith wurde Reverend Lee gar nicht in sein Wahllokal gelassen, jedoch mit einem Gewehr aus einem fahrenden Auto erschossen, als er abends nach Hause fuhr. Der Sheriff in Humphreys County erklärte den Todesfall zum Verkehrsunfall, der staatliche Untersuchungsbeamte verzeichnete die Ursache als unbekannt. Auch in dem Fall wurde niemand zur Rechenschaft gezogen.

Aber das Allerentsetzlichste passierte in Money, Mississippi, wo ein junger unbesonnener Besucher aus Chicago namens Emmett Till vor einem Dorfladen einer weißen Frau hinterherpfiff. Abends wurde Till von weißen Männern aus dem Haus seiner Verwandten verschleppt, zu einer einsamen Stelle gefahren, zu Brei geschlagen, erschossen und in den Tallahatchie River geworfen. Er war 14 Jahre alt.

Weil er so jung war und seine Mutter in Chicago darauf bestand, dass der Sarg offen blieb, damit die Welt sehen konnte, was ihr Sohn erlitten hatte, gab es endlich einen landesweiten Aufschrei. Zwei Männer – der Mann der Frau, hinter der Till hergepfiffen hatte, und sein Halbbruder – wurden festgenommen und sogar vor Gericht gestellt. Die Beweise gegen die beiden waren vollkommen hieb- und stichfest. Sie hatten nicht viel getan, um ihre Spuren zu verwischen. Denn das brauchten sie gar nicht. Nach weniger als einer Stunde Beratung erklärten die Geschworenen – alle aus dem Ort, alle weiß – sie für nicht schuldig. Das Urteil wäre schneller ergangen, wenn die Geschworenen nicht eine Pause gemacht und eine Flasche Limonade getrunken hätten, bemerkte deren Sprecher grinsend. Im nächsten Jahr gaben die beiden Männer, wohl wissend, dass sie nicht noch einmal wegen desselben Delikts angeklagt werden konnten, in einem Interview in der *Look* launig zu, dass sie natürlich den Jungen verprügelt und ermordet hatten.

In der großen Welt draußen lief nicht alles so hervorragend für die Vereinigten Staaten. Im Herbst 1957 testeten die Sowjets erfolgreich ihre erste Interkontinentalrakete, was hieß, dass sie uns nun umbringen konnten, ohne aus dem Haus gehen zu müssen, und wenige Wochen später schossen sie den ersten Satelliten der Welt ins All. Er hieß Sputnik, war eine kleine Metallkugel, etwa so groß wie ein Beachball, und tat kaum was anderes, als die Erde zu umkreisen und von Zeit zu Zeit »Ping« zu machen. Doch es war um ein Erkleckliches mehr, als wir hinkriegten. Einen Monat später schickten die Sowjets Sputnik II los, der mit 1000 Kilo viel größer war und eine kleine Hündin drinhatte (eine *kommunistische* kleine Hündin), die Laika hieß. In unserer Eitelkeit gekränkt, reagierten wir prompt und kündigten nun auch einen Satellitenabschuss an. Am 6. Dezember 1957 wurden auf Cape Canaveral in Florida die Triebwerke einer gigantischen Viking-Rakete entzündet, in der sich ein schicker neuer Vanguard-Satellit befand. Vor den Augen der Welt erhob sich die Rakete gemächlich einen halben Meter, kippte um und explodierte. Es war ein demütigender Rückschlag. Die Presse bezeichnete den Vorfall je nachdem, wie angebracht man eine Witzelei fand, mal als »Kaputnik«, mal »Spottnik«, »Sprotznik« oder »Flopnik«. Präsident Eisenhowers normalerweise stabile Popularitätswerte fielen in einer Woche um 22 Punkte.

Ihren ersten Satelliten kriegten die Vereinigten Staaten erst 1958 ins All, und sonderlich beeindruckend war der nicht. Er wog knapp 15 Kilo und war nicht viel größer als eine Apfelsine. Alle vier weiteren größeren Abschüsse der USA in dem Jahr explodierten spektakulär oder schafften es sonstwie nicht in die Luft. Noch 1961 scheiterte mehr als ein Drittel der Starts in den Vereinigten Staaten.

In der Zwischenzeit schritt die Entwicklung in der Sowjetunion immer rasanter voran. 1959 schoss man eine Rakete auf den Mond, nahm die ersten Fotos von dessen Rückseite auf, beförderte 1961 erfolgreich den ersten Astronauten, Juri Gagarin, ins All und brachte ihn auch wieder heil nach Hause. Eine Woche nach dem Weltraumflug Gagarins kam der katastrophal fehlschlagende US-amerikanische Versuch einer Invasion in der Schweinebucht auf Kuba und bereicherte das

Leben der Nation um noch einen Batzen Scham und Sorgen. Allmählich sahen wir bei all unserem Tun hoffnungslos unterlegen aus.

Auch die Neuigkeiten aus der Welt der Alltagskultur waren deprimierend. Forschungen zeigten, was viele Leute schon lange vermutet hatten, dass man nämlich vom Zigarettenrauchen wirklich Krebs kriegen konnte. Tareyton, die Marke, die mein Vater rauchte, veröffentlichte eilig eine Reihe Anzeigen, in denen den Rauchern cool versichert wurde, dass »aller Teer und alles Nikotin, die im Filter hängen bleiben, garantiert nicht in Ihren Hals kommen«, verschwieg aber, dass man allen tödlichen Schmier, der nicht im Filter hängen blieb, sehr wohl in den Hals bekam. Doch die Verbraucher ließen sich nicht mehr so leicht von dümmlichen, irreführenden Behauptungen täuschen, besonders nachdem ruchbar wurde, dass die Werbewirtschaft geheime Versuche mit hinterhältiger, das Unterbewusste manipulierender Werbung veranstaltete. Bei einem Test in einem Kino in Fort Lee, New Jersey, wurde den Anwesenden ein Film gezeigt, in dem alle fünf Sekunden eine Dreitausendstelsekunde lang zwei knappe Sätze – »Trinkt Coca-Cola« und »Hungrig? Esst Popcorn!« – auf der Leinwand erschienen, viel zu schnell, als dass man sie bewusst hätte wahrnehmen können. Doch unterbewusst übten sie offenbar Einfluss aus, denn laut *Life* stieg der Verkauf von Cola während des Experiments um 57,7 und der von Popcorn um 20 Prozent. Bald, warnte uns *Life*, würden uns alle Filme und Fernsehsendungen pro Stunde Hunderte von Malen befehlen, was wir essen, trinken, rauchen, anziehen und denken sollten und aus uns allen Konsumzombies machen. (In Wirklichkeit funktionierte diese unterschwellige Beeinflussung nicht, und man ließ auch bald davon ab.)

Ansonsten stieg die Jugendkriminalität immer weiter, und das Schulsystem schien zusammenzubrechen. Das populärste

Sachbuch im Jahre 1957 war ein Angriff auf die Qualität der US-amerikanischen Schulbildung, hieß *Why Johnny Can't Read*, warnte uns, dass wir gefährlich hinter den Rest der Welt zurückfielen, und sah einen Zusammenhang zwischen dem Erfolg des Kommunismus und der Tatsache, dass in den USA immer weniger gelesen wurde. Und dann manövrierte sich das Fernsehen auch noch in einen schrecklichen Skandal hinein, als enthüllt wurde, dass viele der Quizshows manipuliert waren. Charles Van Doren, jungenhaft, bescheiden, gut aussehender Spross einer Familie namhafter Akademiker und Intellektueller (Vater und ein Onkel hatten einen Pulitzer-Preis bekommen), wurde zum Nationalhelden, jungen Leuten wegen seiner guten Manieren und seines bescheidenen Auftretens als Vorbild hingestellt, als er in der Sendung *Twenty-One* fast 130 000 Dollar gewann, doch dann musste er zugeben, dass er die Antworten vorher erhalten hatte. Wie im Übrigen viele Teilnehmer anderer Quizshows auch, einschließlich eines protestantischen Pfarrers namens Charles Jackson. Wo man hinschaute, eine schlimme Nachricht jagte die andere. Und all das, was uns aus unserer Ruhe aufscheuchte, geschah binnen weniger als einem Jahr. Schneller sind die Leute noch nie erst glücklich, dann unglücklich gewesen.

In Des Moines machte sich der Wechsel gegen Ende des Jahrzehnts konkret bemerkbar. Allmählich kamen Kettenläden und –restaurants auf und sorgten, wo immer sie eröffnet wurden, für ungeheure Aufregung. Jetzt konnten wir in den gleichen Restaurants speisen, das gleiche Fastfood futtern, die gleiche Kleidung tragen und Besuchern die gleichen Motelbetten bieten wie die Leute in Kalifornien, New York oder Florida. Des Moines würde genau wie alle anderen Städte werden, eine Aussicht, die die meisten Menschen ausgesprochen prickelnd fanden.

Die Stadt verlor ihre Ulmen durch ein Ulmensterben, und die Hauptstraßen sahen splitternackt aus; in Straßen wie der Grand oder der University Avenue wurden viele alte Häuser komplett abgerissen. An ihrer statt entstanden in null Komma nichts eine helle neue Tankstelle, ein glasverkleidetes Restaurant, eine Wohnanlage in uniform modernem Stil oder nur ein geräumiger, neuer Parkplatz für ein daneben liegendes Geschäft. Ich weiß noch, dass ich einmal in Ferien war (auf einem Trip entlang der Pony-Express-Route in den Great-Plains-Staaten) und bei meiner Rückkehr feststellte, dass zwei stattliche viktorianische Häuser gegenüber der Tech High School an der Grand Avenue plötzlich schwache Erinnerungen geworden waren. An ihrer Stelle, einer scheinbar nun riesigen Schneise, stand ein sonnendurchflutetes, betonweißes, vielstöckiges Travelodge-Motel. Mein Vater schäumte vor Wut, doch die meisten Leute freuten sich und waren stolz – das Travelodge war nämlich mehr als ein Motel. Es war eine *motor lodge* und damit viel feiner. Des Moines mauserte sich – und ich war sowohl erstaunt als auch beeindruckt, wie schnell sich diese dramatische Veränderung vollzog.

Ungefähr zur gleichen Zeit eröffnete ein Holiday Inn am Fleur Drive, einem baumbestandenen, grünen Boulevard, an dem zumeist Wohnhäuser standen und der aus der Stadt zum Flughafen führte. Es war ein verhältnismäßig dezentes Gebäude, hatte aber ein enormes, überaus grelles Schild an der Straße – einen kantigen Turm mit schnurrenden, sich unermüdlich im Kreise jagenden Sternenregen, knallbunten Kaskaden und wilden Mustern aus Glühbirnen –, was meinen Vater sehr beschäftigte. »Wie konnten sie es ihnen erlauben, so ein Schild anzubringen?«, sagte er verzweifelt jedes Mal, wenn wir von 1959 bis zu seinem Tod 25 Jahre später daran vorbeifuhren. »Hast du jemals was Hässlicheres in deinem Leben gesehen?«, fragte er, ohne eine Antwort zu erwarten.

Ich fand es wunderschön. Ich konnte es gar nicht abwarten, dass es überall noch mehr solcher Schilder gab, und mein Wunsch wurde mir sehr schnell erfüllt, als überall neuere, klotzigere, autofreundlichere Geschäfte wie Pilze aus dem Boden schossen. 1959 bekam Des Moines sein erstes Einkaufszentrum weit draußen an der Merle Hay Road, und der Teil der Stadt war so abgelegen, so weit draußen auf dem Land, dass viele Leute fragen mussten, wo es war. Das neue Einkaufszentrum hatte einen Parkplatz, der so groß wie einer der Neuenglandstaaten war. So viel Asphalt an einem Stück hatte man noch nie gesehen. Selbst mein Vater fand es aufregend.

»Donnerwetter, schau mal, die vielen Parkplätze«, sagte er, als sei er all die Jahre endlos herumgefahren und habe nirgendwo einen gefunden. Ungefähr ein Jahr lang war der Parkplatz des Merle-Hay-Einkaufszentrums der gefährlichste Ort in Des Moines, weil alle Autos freudig in willkürlichen Richtungen über seine grenzenlose schwarze Fläche fuhren, ohne daran zu denken, dass alle anderen glücklichen Menschenkinder es ihnen vielleicht gleichtaten.

Von nun an kaufte mein Vater niemals mehr woanders ein. Die meisten Leute auch nicht. Anfang der sechziger Jahre brüstete man sich damit, wie lange man schon nicht mehr in der Innenstadt gewesen war. In den Einkaufszentren fand man ein neues Glück. Zu dem Zeitpunkt, als ich endlich erwachsen wurde, hörte Des Moines auf, sich wie die Stadt anzufühlen, in der ich groß geworden war.

Nach der Greenwood wechselte ich zur Callanan Junior High School, um dort die Klassen sieben bis neun zu absolvieren – meine ersten Teenagerjahre. In der Callanan wehte ein rauerer Wind. Ihr Einzugsgebiet umfasste ein breiteres Spektrum der Stadtbevölkerung, die Schülerschaft war halb schwarz, halb weiß. Viele von uns kamen zum ersten Mal in näheren Kontakt mit schwarzen Kids. Plötzlich gab es 600 Schulkameraden, die stärker, flinker, zäher, mutiger, hipper und gewitzter als wir waren. Und wir begriffen ein für alle Mal, was wir schon immer heimlich vermutet hatten – dass wir niemals Bob Cousys Platz bei den Boston Celtics einnehmen, niemals Lou Brocks Rekorde im Base-Stehlen für die St. Louis Cardinals brechen, niemals überhaupt in einer Sportart zur Qualifikation für die Olympischen Spiele antreten würden. Ja, wir würden es nicht mal mehr ins Junior-Varsity-Softballteam schaffen.

All das zeigte sich nämlich schlagartig, als uns Mr. Schlubb, der birnenförmige Sportlehrer, am allerersten Tag hinausschickte, damit wir ein halbes Dutzend Runden auf einer grotesk langen Aschenbahn rannten. Für uns Schüler von der Greenwood – alle weiß, marshmallowig, von Natur aus unsportlich, in dem ungewohnten hellen Sonnenlicht blinzelnd – war es ein körperlicher Schock, wie wir ihn noch nie erlebt hatten. Wir rannten fast alle, als kämpften wir uns durch Treibsand, und rangen schon an der ersten Kurve nach Luft. In der zweiten Runde brach ein Junge namens Willis Pomerantz in Tränen aus, weil er noch nie geschwitzt hatte und dachte, er verliere lebenswichtige Flüssigkeiten, und drei andere ersuchten darum, zur Schulkrankenschwester geschickt zu werden. Die schwarzen Jungs, einschließlich eines Dreihundertpfund-Sphäroids namens Tubby Brown, dagegen segelten alle ohne Ausnahme in leichtem Trab an uns vorbei. Diese Jungs waren nicht nur ein wenig besser als wir, sie waren in ganz anderen Größenordnungen besser, und zwar in allen Sportarten, wie wir bald herausfanden.

Den Winter verbrachte man an der Callanan mit Basketballspielen in einer trüb beleuchteten Halle – jeden Tag stundenlang, so kam es einem jedenfalls vor –, und kein weißer Junge, den ich kannte, sah jemals einen Ball. Ehrlich. Man sah nur eine Folge müheloser blitzschneller Bewegungen zwischen zwei oder drei schlaksigen schwarzen Jungs, und dann machte es Swisch im Netz und man wusste, man musste sich umdrehen und zum anderen Ende des Spielfelds hoppeln. Eigentlich versuchte man die ganze Zeit nur, sich aus dem Weg zu halten, und hob die Hand auch nie über Taillenhöhe, denn sonst sah es noch so aus, als wolle man den Ball gepasst haben, obwohl man nichts weniger wollte. Ein Junge mit Namen Walter Haskins kratzte sich in der Nähe des Korbes einmal unbedacht an der Wange und wurde im nächsten Moment frontal vom Ball im Gesicht getroffen. Die Vorderseite seines Kopfes wurde vollkommen eingedellt. Man musste eine Saugpumpe benutzen, um ihn wieder herzurichten. Jedenfalls wurde mir das berichtet.

Die schwarzen Jungs waren hart im Nehmen und Geben. Einmal sah ich, wie ein überfütterter, weißer Tolpatsch namens Dwayne Durdle so dumm war, einen kleinen schwarzen Jungen mit Namen Tyrone Morris in der Schlange in der Cafeteria zu hänseln. Ja, er hörte gar nicht damit auf. Als Tyrone irgendwann dann doch die Nase voll hatte, drehte er sich mit einer Miene der Verdrossenheit und traurigen Ärgers um und verpasste Durdle eine derart schnelle Serie Schläge in sein schwammiges Gesicht, dass man Tyrones Hände gar nicht sehen konnte. Man hörte nur ein flatschiges »Flabba-da-dabba« und das »Pling« von Zähnen, die von Wänden und Heizkörpern abprallten. Als Durdle mit glasigen Augen glucksend in die Knie sackte, schob Tyrone seinen Arm in dessen Schlund, packte etwas ganz tief drinnen und stülpte ihn von innen nach außen um.

»Verdammter Idiot, *Mutha-fuckah*«, sagte Tyrone immer noch erstaunt und bestürzt, als er wieder nach seinem Tablett griff und zu den Desserts weiterging.

Offene Aggressionen zwischen Schwarzen und Weißen gab es aber an der Callanan so gut wie keine. Die schwarzen Schüler waren fast ausnahmslos ärmer als wir, doch ansonsten waren wir in fast allen Belangen gleich. Sie kamen aus anständigen, hart arbeitenden Familien. Ihre Stimmen klangen genauso wie unsere, sie kauften in denselben Läden ein, trugen die gleichen Klamotten, gingen in die gleichen Filme. Wir waren Jugendliche, und damit hatte es sich. Ich kann mich auch nicht erinnern, dass ich außer der Bitte meiner Großmutter um Niggerbabys bei Bishop's in meiner gesamten Jugend eine einzige rassistische Bemerkung gehört habe.

Ich will nicht so tun, als merkten wir nicht, dass schwarze Jungs schwarz waren, aber es kam einem Nicht-Bemerken so nahe, wie es nur geht. Mit anderen ethnischen Gruppen verhielt es sich im Grunde genauso. Als ich einem meiner Freunde aus Kindertagen vor einigen Jahren ein Pseudonym geben musste, nahm ich Stephen Katz, zum Teil zu Ehren eines Drugstores in Des Moines, der Katz's hieß und in meiner Kindheit so etwas wie eine lokale Institution gewesen war, und zum Teil, weil ich einen kurzen, schnell zu tippenden Namen wollte. Mir wäre niemals aufgefallen, dass der Name jüdisch ist. Ich dachte an niemanden in Des Moines als »jüdisch« (und meines Wissens sonst auch keiner). Selbst wenn die Leute Wasserstein und Liebowitz hießen, war es immer eine Überraschung, wenn man erfuhr, sie seien jüdisch. Des Moines war keine sonderlich »ethnische« Stadt.

Und Katz war kein Jude. Er war katholisch. Ich habe ihn an der Callanan kennen gelernt, als Doug Willoughby ihn für die gezielte Übernahme des Audio-Visual-Clubs der Schule rekrutierte – ein raffinierter, ungewöhnlicher Schachzug und wieder mal ein schlagender Beweis für Willoughbys Genialität. Die Clubmitglieder verwalteten das riesige Lager an Unterrichtsfilmen und führten sie auch vor. Immer wenn ein Lehrer einen Film zeigen wollte – und manche Lehrer machten kaum was anderes, weil sie dann nicht unterrichten, ja, nicht einmal viel

Zeit im Klassenzimmer verbringen mussten –, rollte ein Mitglied des AV-Eliteteams ein Vorführgerät in den betreffenden Klassenraum, fädelte und schlang den Film fachmännisch durch ein halbes Dutzend Spulen und zeigte das erwünschte Bildungsangebot.

Traditionell war der AV-Club, wie nicht anders zu erwarten, die Domäne der schrägsten Schüler der Schule, doch Willoughby sah sofort, welche Vorteile der Club auch normalen Leuten bot. Zum einen kam man in den Besitz eines Schlüssels zu dem einzigen abschließbaren Raum im Schulgebäude, zu dem Schüler Zugang hatten und in dem wir rauchen konnten, wenn Willoughby erst mal das Lüftungsproblem gelöst hatte (was ihm prompt gelang). Des Weiteren hatte man Zugriff auf einen enormen Filmbestand, einschließlich sämtlicher Sexualerziehungsfilme, die, grob geschätzt, zwischen 1938 und 1958 gedreht worden waren. Schließlich und hauptsächlich hatte man stets eine gute Ausrede, um sich während des Unterrichts frei in den leeren Fluren der Callanan zu bewegen. Stellte uns ein Lehrer, wenn wir durch die glänzenden Flure wanderten (und was sind Schulflure für eine herrliche, entspannende, privilegierte Örtlichkeit, wenn sie leer sind), konnten wir einfach sagen: »Ich gehe in den AV-Raum, um eine wichtige Instandsetzungsarbeit an einer Bell and Howell 1040-Z vorzunehmen.« Was sogar mehr oder weniger zutraf. Man sagte natürlich nicht, dass man, wenn man schon mal da war, auch eine halbe Schachtel Chesterfield rauchen wollte.

Auf Weisung Willoughbys traten wir also zu fünfzehnt in den Club ein, und unsere erste Amtshandlung war, die bisherigen Mitglieder rauszuwählen. Als Alibi-Freak durfte Milton Milton bleiben – er hatte uns eine halbe Flasche Crème de Menthe geschenkt, die er aus der Hausbar seines Vaters gestohlen hatte, und gedroht, er werde uns bei seinen Eltern, dem Direktor, der Schulaufsicht und dem Bezirkssheriff, einem angeblich engen

Freund seiner Familie, verpetzen, wenn er nicht im Club bleiben durfte.

Der AV-Raum war in einer abgelegenen Ecke versteckt, ganz hinten im obersten Stock. Er war wie der Schuldachboden. Dort befanden sich eine große Anzahl alter Theaterkulissen, Kostüme, Theatertexte, Jahrbücher aus den 1920er und 1930er Jahren und verstaubte Regale mit Filmen – Gesundheitserziehungsfilmen, Aufklärungsfilmen, Filmen à la »Von Marihuana kriegt man Gehirnerweichung« und vielen anderen. Manch glückliche Stunde lang ließen wir dort die Aufklärungsfilme über die Wände flimmern.

Als Willoughby dann ein Gerät zum Filmekleben entdeckte, verbrachte er Stunden damit, die Streifen nach seinem Gusto umzuschneiden. Zum Beispiel schnitt er im Stechschritt marschierende Nazis in Filme über den Oregon Trail und dergleichen. Zu Höchstform lief er bei einem Aufklärungsfilm auf: Da folgten einer Erzählpassage »Johnny hat soeben seinen ersten nächtlichen Samenerguss gehabt« Aufnahmen von Marineakademiekadetten, die ihre Mützen in die Luft warfen.

Im AV-Club lernte ich also, wie gesagt, einen Schüler kennen, der katholische Schulen durchlaufen hatte und Stephen Katz hieß. Diesem Stephen Katz habe ich allerdings bei keiner der Gelegenheiten, bei denen ich ihn in meinen Büchern habe auftreten lassen, auch nur annähernd Gerechtigkeit widerfahren lassen – das könnte kein normaler Autor –, und es wird mir, fürchte ich, auch jetzt nicht gelingen. Ich will also nur sagen, dass er der außergewöhnlichste Mensch ist, den ich je kennen gelernt habe, und in vieler Hinsicht auch der beste. Damals war er der munterste, freundlichste, am meisten jederzeit partybereite Mensch auf Gottes weitem Erdboden, wenn er nüchtern war, und das alles umso mehr in betrunkenem Zustand, was er selbst im Alter von 14 die meiste Zeit war. Ich habe nie jemanden erlebt, der von Rauschmitteln so angezogen und auf so liebenswürdige Weise vertraut mit ihnen war. Er war vom ersten Augenblick an verlockend gefährlich.

Katz, Willoughby und ich schwänzten oft die Schule und verbrachten ganze Tage mit Versuchen, die Kommode von Willoughbys älterem Bruder Ronald aufzubrechen. Ronald besaß eine enorme Kollektion Männermagazine, die er einbruchsicher in einer großen Kommode in seinem Zimmer weggesperrt hatte. Er war der älteste und klügste der Willoughby-Jungs und hatte bei weitem die besten Manieren – war Ministrant, Pfadfinder, Mitglied der Schülermitverwaltung, Aufsichtsschüler im Eingangsbereich, also ein ausgemachtes Arschloch –, und er war gewiefter als seine drei Brüder zusammen. Nicht nur war jede Schublade seiner Kommode raffiniert verschlossen, sondern sie hatte auch, wenn man sie denn aufbekam, einen undurchdringlichen Deckel, der offenbar keinerlei Zugang bot. Obendrein war in seinem Zimmer vieles, vom Türknauf bis zu bestimmten Bodendielen, mit einem tödlichen Sprengsatz versehen. Der Eindringling erhielt, je nachdem, was er berührte oder woran er herumfummelte, einen kräftigenden elektrischen Schlag, geriet in Simultanattacken von Flugkörpern, fallenden Gewichten, schwingenden Hämmern sowie in Mausefallen, die über ihm zuschlugen, oder er wurde großzügig mit selbst gemachtem Pfefferspray eingenebelt.

Ich erinnere mich besonders an einen Moment kurzlebigen Entzückens, als Willoughby nach Stunden kriminalistischer Kleinarbeit endlich herausfand, wie man die zweite Schublade in der Kommode öffnete – ein Stück geschnitzten Ornaments an der Zierleiste der Kommode war zu drehen. Doch im selben Moment ertönte ein Pfeifton, und ein etwa 20 Zentimeter langer wunderschöner, schlanker, selbst gebastelter Pfeil senkte sich mit einem sonoren »Twoing« keine fünf Zentimeter links von Willoughbys zufällig geneigtem Kopf in die Kommode. Am Pfeilschaft hing ein Papierstreifen mit der

315

adretten Formulierung:»WARNUNG! ICH SCHIESSE, UM ZU TÖTEN.«

»Total plemplem«, entfuhr es uns unisono.

Doch von da an hüllte sich Willoughby in jedes nur denkbare schützende Kleidungsstück – Hockeyhandschuhe, schwerer langer Mantel, Brustschutz eines Catchers, Motorradhelm, Schweißerbrille, und was ihm sonst noch alles in die Hände fiel –, während Katz und ich im Flur Schmiere standen, ihn antrieben und immer wieder fragten, wie weit er denn nun sei.

Es bestand insofern eine besondere Dringlichkeit in der Angelegenheit, als der *Playboy* seit einiger Zeit begonnen hatte, Schamhaar zu zeigen. Schwer zu glauben, dass bis in die 1960er Jahre hinein eine so wichtige erogene Zone noch nicht entdeckt war. Doch so war es. Bisher hatten Frauen in Männermagazinen überhaupt keine Fortpflanzungsorgane – jedenfalls keine, die sie Fremden gezeigt hätten. Sie schienen an einem komischen krankhaften Reflex zu leiden, den Willoughby als *vaginis timiditus* bezeichnete und der sie aus unerfindlichen Gründen zwang, wann immer eine Kamera gezückt wurde, sich in den Hüften zu drehen und ein Bein über das andere zu schlagen, als versuchten sie, ihre untere Hälfte wegzudrehen. Jahrelang dachte ich, das sei die Position, die Frauen von Natur aus einnähmen, wenn sie nackt waren und sich wohl fühlten. Als der *Playboy* zum ersten Mal Schamhaar zeigte, bestimmte das mindestens 72 Stunden lang alle Gespräche US-amerikanischer Männer. (»Einmal Öl nachgucken, Mister? Schon den neuen *Playboy* gesehen?«) Woolworth verkaufte binnen 24 Stunden seinen gesamten Bestand an Vergrößerungsgläsern.

Wir wünschten uns nichts sehnlicher, als in den Kreis der Eingeweihten einzutreten. Doch obwohl Willoughby schon seit zwei Jahren alle möglichen Anstrengungen unternahm, kam er nie an das Privatlager seines Bruders, bis er total frustriert eines Tages die unterste Schublade mit einer Feuerwehraxt einschlug. Eine Fülle von Männermagazinen glitt heraus – sein Bruder war wirklich ein Sammler vor dem Herrn. Ich habe selten einen angenehmeren oder lehrreicheren Nachmittag verbracht. Willoughby kriegte zwei Monate Hausarrest, doch wir waren einhellig der Meinung, dass es das Opfer wert war, und er hatte wenigstens die Genugtuung, dass auch sein Bruder Ärger bekam, denn, ehrlich gesagt, waren ein paar der Magazine wirklich sehr anstößig.

Was lebendiges weibliches Fleisches betraf, war ich weiterhin ein absoluter Pechvogel, was das Erwischen des richtigen Zeitpunkts betraf. Im Sommer zwischen der achten und neunten Klasse besuchte ich meine Großeltern, wo ich die üblichen vergnüglichen Intermezzi mit meinem Onkel Dee, der menschlichen Wollflockenmaschine, erlebte. Bei meiner Rückkehr erfuhr ich, dass während meiner Abwesenheit ein strahlend hübsches, patentes Mädchen namens Kathy Wilcox zu Willoughby nach Hause gekommen war, um Pauspapier zu borgen, und zum Schluss ihm und Katz ein neues Spiel beigebracht hatte, das sie im Bibel-Zeltlager – im Bibel-Zeltlager!!! – gelernt hatte. Man verband einem Freiwilligen die Augen, drehte ihn ein paar Minuten lang im Kreis und drückte ihm oder ihr ungefähr dreißigmal auf die Brust, woraufhin er oder sie in Ohnmacht fiel. Ein Riesenspaß.

»Passiert jedes Mal«, sagten sie.

»Entschuldigung, habt ihr gerade ›Brust‹ gesagt? – ›drückt *ihr* auf die Brust‹?«, sagte ich.

Kathy Wilcox war eine junge Frau mit einer Brust, die zu drücken sich lohnte. Die bloße Erwähnung ihres Namens reichte aus, jedes Blutkörperchen in meinem Körper in die Beckengegend zu schicken und in sinnloser Bereitschaft riesig anzuschwellen. Willoughby und Katz nickten fröhlich. Ich fasste es nicht, dass mir das schon wieder passierte.

317

»Kathy Wilcox' Brust? Ihr habt Kathy Wilcox auf die Brust gedrückt? Mit den Händen?«

»Mehrmals«, sagte Willoughby und strahlte.

Katz bestätigte es mit erneutem fröhlichem Nicken.

Meine Verzweiflung ist mit Worten gar nicht zu beschreiben. Ich hatte die einzige echte, handfeste erotische Erfahrung verpasst, die es für Jungs von 14 je gab, und stattdessen 24 Stunden lang beobachtet, wie ein Mann die unterschiedlichsten Nahrungsmittel in fliegende Molke verwandelt.

Rauchen war die große Entdeckung der Zeit. Und Manno, ich entdeckte es auch! Was hab ich geraucht! Ein Dutzend Jahre oder so tat ich wenig mehr in meinem Leben als an Schreibtischen über Büchern zu sitzen und französisch zu inhalieren (was hieß: Rauchfäden vom Mund in die Nasenlöcher zu ziehen, was einem nicht nur mit jedem zu Kopfe steigenden Zug eine doppelte Dosis Nikotin, sondern, selbst um den Preis einer nikotinbefleckten Oberlippe und dauerhafter gelb-brauner Kreise um die Nasenlöcher eine Aura von lebenserfahrener Intellektualität bescherte). Oder ich lehnte mich, Hände hinter dem Kopf, zurück und blies träge Rauchkringel in die Luft, was ich bald so gut konnte, dass ich sie gegen Bilder an entfernten Wänden prallen lassen oder einen Kringel durch einen anderen schießen konnte – Talente, die mich als Großmeister des Rauchens auswiesen, noch bevor ich 15 war.

Wir rauchten immer in Willoughbys Zimmer, wo wir neben einem Ventilator im Fenster saßen, der so eingestellt war, dass der gesamte Rauch in die schwirrenden Ventilatorblätter gesogen und von dort nach draußen geblasen wurde. Damals herrschte eine Theorie (die mein Vater engagiert und zuletzt als Einziger vertrat), dass der Ventilator alle heiße Luft aus dem Zimmer sog und kalte Luft durch jedes andere offene Fenster einsaugte. Aus irgendeinem Grunde nahm man an, dass das besonders sparsam sei, worin für meinen Vater der Reiz lag. Aber so funktonierte es überhaupt nicht – es sorgte nur dafür, dass es draußen ein wenig kühler wurde –, und schon bald gaben es alle auf, außer meinem Vater, der bis an sein Lebensende die Luft vor seinem Fenster kühlte.

Aber wie dem auch sei, vorteilhaft an einem nach draußen blasenden Ventilator war immerhin, dass man das Rauchen jeder Zigarette mit einer schwungvollen Geste beenden konnte: Man schnipste die Kippe in die surrenden Blätter, die sie in einen herrlich anzusehenden Schauer nach draußen fliegender Funken verwandelte und das kompakte Ding adrett in seine Einzelteile zerlegte, und hinterließ keine sichtbare Spur. Das alles klappte auch immer gut, bis Willoughby und ich an einem Augustabend eine rauchten und dann ein wenig nach draußen an die frische Luft gingen. Wir ahnten nicht, dass ein einsames, eigenwilliges Glutstückchen zurück ins Zimmer geschleudert worden war und sich im Vorhangstoff festgesetzt hatte, wo es ungefähr eine Stunde lang schwelte und dann in ein kleines, aber munteres Feuerchen ausbrach. Als wir zu Willoughbys Haus zurückkamen, standen drei Löschfahrzeuge davor und Wasserschläuche schlängelten sich durch den Rasen zur Haustür und die Treppe hinauf: Willoughbys Zimmergardinen und mehrere Möbelstücke befanden sich klatschnass, noch leicht qualmend, auf dem Rasen vor dem Haus und Mr. Willoughby wartete in einem Zustand hochgradiger Erregung unter dem überdachten Hauseingang, um ein Wort mit seinem Sohn zu wechseln.

Mr. Willoughbys Probleme hörten mit dieser Episode aber beileibe noch nicht auf. Im nächsten Frühjahr beschlossen Willoughby und sein Bruder Joseph zur Feier des letzten Schultages vor den großen Ferien eine Bombe zu basteln, die sie mit Konfetti vollstopfen und in der Nacht zuvor im Rasen der Callanan vergraben wollten, einer hübschen Grünfläche, die von einer im Halbkreis verlaufenden, formalen Auffahrt umgeben war und nie betreten wurde. Wenn pünktlich um 15.01 Uhr tausend schnatternde Schüler aus den vier Ausgängen der Schule strömten, sollte die Bombe, durch einen Zeitzünder von einem Wecker gezündet, mit einem Riesenknall losgehen und eine Menge Schmutz, Rauchschwaden und einen hübschen Schauer wirbelnden Buntpapiers in die Luft jagen.

Die Brüder Willoughby mixten wochenlang gefährliche Mengen Schießpulvers in ihrem Zimmer und testeten diverse, immer kräftigere Mixturen im Wald unten an der Eisenbahnstrecke in der Nähe des Waterworks Parks. Nach dem letzten Test blieb ein Krater mit einem 1,20 Meter großen Durchmesser zurück, wurden Konfettistreifen 7,50 Meter in die Luft geschleudert, und es knallte so laut und hallend bis in die Innenstadt, dass aus acht verschiedenen Richtungen Streifenwagen zum Schauplatz rasten und fast 40 Minuten lang mit argwöhnischen Blicken das Gelände umfuhren. (Was, soweit bekannt, der längste Zeitraum war, den die Cops aus Des Moines je ohne Doughnuts und Kaffee verbrachten.)

Es versprach eine fantastische Schau zu werden – der denkwürdigste letzte Schultag in der Geschichte der Schulen von Des Moines. Geplant war, dass Willoughby und sein Bruder um vier Uhr aufstehen, im Schutze der Dunkelheit zur Schule gehen, die Bombe legen und dann in aller Ruhe das Ende des Schultags abwarten sollten. Zu diesem Behufe stellten sie die notwendigen Hilfsmittel zusammen – Spaten, dunkle Kleidung, Skimützen – und legten die sorgsam präparierte, fröhlich vor sich hin tickende Bombe auf den Schreibtisch in ihrem Zimmer. Warum sie den Zeitzünder einschalteten, ist eine Frage, die in den folgenden Tagen viele, viele Male gestellt wurde. Und die Brüder schoben sich gegenseitig erbittert die Schuld in die Schuhe. Sicher ist nur, dass sie sich zu Bett begaben, ohne dass einem von ihnen aufgefallen wäre, dass 3.01 Uhr vor 15.01 Uhr kommt.

Um diese dunkle Stunde dann, 59 Minuten, bevor ihr Wecker losging, wurde die friedliche Nacht durch eine enorme Explosion in Doug und Joseph Willoughbys Zimmer zerrissen. Natürlich war zu der Zeit niemand in Des Moines draußen, doch jeder, der vorbeigegangen und zufällig im Moment der Explosion zum Haus der Willoughbys hinaufgeblickt hätte, hätte zuerst ein intensives gelbes Licht im ersten Stock gesehen, eine Sekunde später zwei spektakulär nach außen zerberstende Fenster und dann eine weitere Sekunde später eine große Qualmwolke und einen fidelen Konfettiregen.

Der wahrhaft unvergessliche Teil des Ereignisses war natürlich der Knall, der unvorstellbar mächtig und erschreckend war. Bis zu 14 Straßen weiter haute er Leute aus dem Bett. In der ganzen Stadt gingen die Alarmanlagen los und in mindestens zwei Bürogebäuden auch die Sprinkleranlage. In einem Bezirk wurde kurzzeitig der Fliegeralarm aktiviert, ob durch Zufall oder als Vorsichtsmaßnahme, fand man nie heraus. Binnen weniger Momente stierten 200 000 todmüde, aus dem Bett gefallene Bürger aus ihren Schlafzimmerfenstern in Richtung eines extrem hell erleuchteten, Qualm erfüllten Hauses auf der Westseite der Stadt, durch das ein konfuser Mr. Willoughby mit zu Berge stehenden Haaren, nun aber gänzlich mit seinem Latein am Ende, stolperte und schrie: »Verdammte Scheiße! Verdammte Scheiße!«

Doug und sein Bruder boten zwar einen lustigen, rußverschmierten Anblick und konnten in den nächsten 48 Stunden auch nichts hören, wenn es ihnen nicht direkt ins Ohr geschrien wurde, waren aber wie durch ein Wunder unverletzt. Das einzige Todesopfer war eine kleine Laborratte, die in einem Käfig auf dem Schreibtisch gewohnt hatte und jetzt nur noch ein Haufen zerfetzten Fells war. Die Explosion hob das Heim der

Willoughbys drei Zentimeter aus den Fundamenten, die Rechnungen für die Reparaturen beliefen sich auf Zehntausende von Dollar. Polizei, Feuerwehr, der Sheriff und das FBI waren alle höchst interessiert, die Familie strafrechtlich zu verfolgen, aber man konnte sich nicht darauf einigen, wessen man sie anklagen sollte. Mr. Willoughby begann einen langwierigen Rechtsstreit mit seinen Versicherungen und eine lange Psychotherapie. Schlussendlich kam die gesamte Familie mit einer Verwarnung davon. Doug Willoughby und sein Bruder durften die nächsten sechs Monate das Anwesen nur zum Schulbesuch oder zur Beichte verlassen. Genau genommen haben sie immer noch Hausarrest.

Und weiter ging's zur Highschool.

Die Hauptbeschäftigung dieser pickelglänzenden Jahre, in denen wir immer größer wurden, wurde das Trinken. Stets unter Leitung von Katz, für den Alkohol weniger dem Zeitvertreib diente, als vielmehr eine Art Sauerstoff war. Es war ein goldenes Zeitalter für allerlei Unerlaubtes. Für 59 Cents (gekühlt: 69) konnte man ein Sechserpack Old-Milwaukee-Bier und für 35 Cents eine Schachtel Zigaretten kaufen (aus keinem mir bekannten logischen oder historischen Grund war Old Gold unsere Lieblingsmarke an der Roosevelt High School) und sich damit für weniger als einen Dollar, Verkaufssteuern eingerechnet, einen höchst vergnüglichen Abend machen. Die Krux bei der Sache war nur, dass man als Minderjähriger kein Bier und eigentlich auch keine Zigaretten kaufen durfte.

Katz löste das Problem, indem er der raffinierteste Bierdieb von Des Moines wurde. Seine Verbrecherkarriere begann in der siebten Klasse, als er einen durch seine Einfachheit bestechenden Plan ersann. Dahl's hatte im Zuge seiner endlosen, stets höchst innovativen Rationalisierungen Kühlschränke aufgestellt, die sowohl von hinten als auch von vorn zu öffnen waren, damit sie von hinten vom Lagerraum aus bestückt werden konnten. Im Lagerraum war außerdem ein Holzverschlag mit leeren Pappkartons, die darauf warteten, dass man sie auseinanderfaltete, flach zusammenlegte und zum Abfall brachte. Katz'Trick bestand darin, zu einem Angestellten an der Lagertür zu gehen und zu sagen: »Entschuldigen Sie, Mister. Meine Schwester zieht um. Kann ich ein paar von den leeren Kartons nehmen?«

»Klar, Junge«, sagte der Angestellte immer. »Bedien dich.«

Katz ging ins Lager, suchte sich einen großen Karton, packte rasch köstliches eiskaltes Bier aus dem benachbarten Bierkühlschrank hinein, tat ein paar andere Kartons als Tarnung oben drauf und schlenderte mit seinem Gratisbier davon. Oft hielt ihm der Angestellte, den er gefragt hatte, sogar noch die Tür auf. Am schlimmsten war es, erzählte Katz immer, so zu tun, als seien die Kartons leer und wögen nichts.

Natürlich konnte man nur so und so viel Mal um Kartons bitten, ohne Verdacht zu erregen, doch glücklicherweise gab es überall in Des Moines Dahl's-Läden mit den Selbstbedienungskühlschränken, und man musste nur von Laden zu Laden weiterziehen. Katz wurde mehr als zwei Jahre nicht erwischt und käme wohl immer noch damit durch, wenn nicht einmal, als er das Dahl's in Beaverdale verließ, der Boden eines Kartons nachgegeben hätte und sechzehn 0,95-l-Flaschen Falstaff herausgefallen wären und eine schäumende Schweinerei veranstaltet hätten. Katz war nicht so gebaut, dass er weglaufen konnte, und blieb deshalb grinsend stehen, bis ein Angestellter herbeigeschlendert kam und ihn, der keinen Widerstand leistete, zum Büro des Filialleiters brachte. Anschließend verbrachte Katz zwei Wochen in Meyer Hall, der örtlichen Jugendstrafanstalt.

Ich beteiligte mich nicht an den Ladendiebstählen. Ich war

viel zu feige und zu vorsichtig, um so offen gegen die Gesetze zu verstoßen. Mein Beitrag war Führerscheinefälschen. Es waren, auch wenn ich mich jetzt selbst lobe, kleine Meisterwerke – obgleich man nicht vergessen sollte, dass die vom Staat ausgegebenen Führerscheine damals nicht sonderlich kompliziert waren. Ein Führerschein bestand eigentlich nur aus einem Stück dickem blauem Papier, das so groß wie eine Kreditkarte und mit einem welligen Wasserzeichen versehen war. Als ich sah, dass die Rückseite der Schecks meines Vaters fast genau das gleiche wellige Muster hatten, traf mich ein Geistesblitz: Wenn man nämlich einen der Schecks auf das richtige Format zuschnitt, ihn umdrehte und mit Hilfe einer Reißschiene Kästchen in der richtigen Größe für Namen, Adresse des Inhabers und so weiter auf der leeren Seite anbrachte, dann mit Tinte, einem feinen Stift und eine gerade Linie einhaltend, die Worte »Kraftfahrzeugzulassungsstelle des Staates Iowa« samt ein paar weiteren kleinen Schnörkeln sorgfältig darüberschrieb, hatte man einen gefälschten Führerschein, der seine Dienste voll erfüllte.

Man musste das Ding nur noch durch eine Schreibmaschine wie die meines Vaters drehen, falsche Angaben in die Kästchen setzen (vor allem dem Inhaber ein passend frühes Geburtsdatum verpassen), und schon hatte man ein Dokument, das man in jedem kleinen Laden der Stadt vorzeigen und zum Erwerb unbegrenzter Mengen Bier benutzen konnte.

Bis es zu spät war, dachte ich allerdings nicht daran, dass auf der Kehrseite dieser hausgemachten Führerscheine, je nachdem, welchen Teil des Schecks ich mit der Schere auf das rechte Maß zurechtgeschnitten hatte, ausgewählte Details des Kontos meines Vaters standen – Name der Bank, Kontonummer, verräterische Kodierung und so weiter.

Es fiel mir erst auf, als ich an einem Wochentag gegen 9.30 Uhr ins Büro des Direktors an der Roosevelt beordert wurde.

Im Amtszimmer des Direktors war ich noch nie gewesen. Katz saß schon im Wartezimmer davor. Nicht zum ersten Mal. »Was'n los?«, fragte ich.

Doch bevor er etwas sagen konnte, wurde ich ins Allerheiligste gebeten. Der Direktor saß mit einem Kommissar in Zivil da, der sich als Sergeant Rotisserie oder so ähnlich vorstellte und den letzten Flat-top in den Vereinigten Staaten von Amerika trug.

»Wir haben einen Fälscherring entdeckt, der Führerscheine fälscht«, erzählte mir der Sergeant ernst und hielt eine meiner eigenen Kreationen hoch.

»Einen *Ring*?«, sagte ich und versuchte nicht zu strahlen. Mein erster Ausflug ins Verbrechen und ich war schon im Alleingang ein »Ring«. Ich war stolz wie Oskar. Andererseits wollte ich eher nicht ins Jugendgefängnis in Clarinda und die nächsten drei Jahre in den Duschen seifigem Sex mit Jungs namens Billy Bob und Cletus Leroy frönen.

Der Sergeant gab mir den Führerschein, damit ich ihn mir anschaute. Es war einer, den ich für Katz gemacht hatte – oder »Mr. B. Bopp«, wie er sich keck nannte. Man hatte Mr. B. Bopp in der Nacht zuvor aufgegriffen, als er auf dem rasenbedeckten Mittelstreifen des Polk Boulevard bierselig ein Nickerchen hielt, und bei einer Durchsuchung seiner persönlichen Gegenstände auf dem Polizeirevier den gefälschten Führerschein zutage gefördert, den ich nun mit höflichem Interesse betrachtete. Auf der Rückseite stand »Banker's Trust« und darunter Name und Adresse meines Vaters – na, wenn das nicht verräterisch war.

»Das ist dein Vater, stimmt's?«, sagte der Kripomann.

»Nanu, ja, stimmt«, antwortete ich und brachte – hoffte ich – ein sehr hübsches verwundertes Stirnrunzeln zustande.

»Willst du mir erzählen, wie das passiert ist?«

»Ich wüsste nicht, wie«, sagte ich mit ernstem Blick und

fügte hinzu: »Nein, warten Sie, ich wette, ich weiß es. Letzte Woche hatte ich ein paar Freunde eingeladen, und wir haben Platten gehört und da sind ein paar Jungs, die wir noch nie gesehen hatten, einfach reingekommen, obwohl es gar keine Party war.« Ich senkte ein wenig die Stimme. »Sie hatten getrunken.«

Der Beamte nickte grimmig. Das kam ihm bekannt vor. Solche Geschichten hatte er schon oft gehört.

»Wir haben sie natürlich gebeten zu gehen, und als sie gesehen haben, dass wir kein Bier oder andere Rauschmittel hatten, sind sie auch gegangen, doch ich gehe jede Wette mit Ihnen ein, dass einer von ihnen am Schreibtisch meines Vaters war und ein paar Schecks gestohlen hat, als wir nicht hingeguckt haben.«

»Irgendeine Ahnung, wer sie waren?«

»Ich bin mir ziemlich sicher, dass sie von der North High waren. Einer von ihnen sah aus wie Richard Speck.«

Der Beamte nickte. »Gut, allmählich kommen wir der Sache näher. Hast du Zeugen?«

»Uum«, sagte ich, einen Hauch unverbindlich, nickte aber, als seien es viele.

»War Stephen Katz dabei?«

»Ich glaube, ja. Ja, ich glaube, ja.«

»Gehst du wohl bitte raus und wartest im Vorraum und sagst Mr. Katz, er soll reinkommen?«

Ich ging hinaus, Katz saß da. Ich beugte mich zu ihm hinunter und sagte rasch: »North High. Einfach zur Party gekommen. Schecks gestohlen. Richard Speck.«

Er verstand sofort und nickte. Aus dem Grund sage ich ja auch, dass Katz einer der feinsten Menschen auf Erden ist. Zehn Minuten später wurde ich wieder hineingerufen.

»Mr. Katz hier hat deine Geschichte bestätigt. Offenbar haben die Jungs von der North High die Schecks gestohlen und sie durch eine Druckmaschine gejagt. Mr. Katz hier war einer ihrer Kunden.«

Er schaute Katz ohne große Sympathie an.

»Großartig. Fall gelöst!«, sagte ich frohgemut. »Dann können wir gehen?«

»Du ja«, sagte der Sergeant. »Mr. Katz muss leider noch mit mir in die Stadt kommen.«

Katz nahm alles auf sich, ich behielt eine weiße Weste. Gott segne ihn und behüte ihn. Er verbrachte einen Monat im Jugendknast.

Dabei verübte Katz seine Missetaten unter Alkohol nicht, weil er wollte, sondern weil er musste. Als er sich nach einer neuen Versorgungsquelle umsah, schraubte er seine Ansprüche höher. Des Moines hatte vier Biervertriebe, alle in roten Backsteinlagerhäusern in einer stillen Ecke am Rand des Zentrums, wo die Eisenbahnstrecke verlief. Katz beboachtete diese Lager ein paar Wochen genau und stellte fest, dass es dort praktisch keinerlei Sicherheitsvorkehrungen gab und an Samstagen und Sonntagen nicht gearbeitet wurde. Er bemerkte auch, dass Güterwagen oft und besonders an Wochenenden auf Abstellgleisen neben den Lagerhäusern standen.

Eines Sonntagsmorgens fuhren also er und ein Junge namens Jake Bekins dorthin, parkten neben einem Güterwagen und zerschlugen das Vorhängeschloss mit einem schweren Hammer. Dann schoben sie die Tür des Güterwagens auf und entdeckten, dass er mit Bierkästen vollgeladen war. Wortlos packten sie Bekins' Auto voll damit, schlossen die Güterwagentür und fuhren zum Haus eines dritten Beteiligten, Art Froelich, dessen Eltern nicht in der Stadt, sondern bei einer Beerdigung außerhalb waren. Mit Froelichs Hilfe trugen sie das Bier in den Keller. Dann kehrten alle drei zu dem Güterwagen zurück und wiederholten den Vorgang. Den ganzen Sonntag beförderten sie so lange Bier von dem Güterwagen in Froelichs Keller, bis sie den einen geleert und den anderen vollgemacht hatten.

Froelichs Eltern sollten am Dienstag zurückkommen, am Montag brachten Katz und Bekins fünfundzwanzig Freunde dazu, dass jeder fünf Dollar gab, und dann mieteten sie eine möblierte Wohnung in einer coolen Gegend der Stadt, die als Dogtown bekannt war und sich in der Nähe der Drake University befand. Sie brachten das ganze Bier mit dem Auto aus Froelichs Keller in die neue Wohnung. Dort tranken Katz und Bekins an sieben Abenden der Woche, und wir übrigen kamen auf ein Schlückchen nach der Schule und auf längere Sitzungen an den Wochenenden vorbei.

Drei Monate später war das Bier alle, und Katz fuhr mit einem kleinen Trupp Spießgesellen wieder in die Stadt. Wieder verbrachten sie einen Sonntag damit, den Güterwagen eines anderen Biervertriebs zu leeren. Als ihnen drei Monate später der Gerstensaft erneut ausging, wagten sie sich noch einmal dorthin, diesmal aber vorsichtiger, weil sie überzeugt waren, dass jemand nach zwei großen Raubzügen die Bierlagerhäuser genauer im Auge behalten würde.

Erstaunlicherweise war dem offenbar nicht so. Nur gab es diesmal keine Güterwagen, sondern sie mussten die Türfüllung aus einer der Türen zum Ladebereich des Lagerhauses herausschlagen und durch das Loch hineinschlüpfen. Im Inneren war mehr Bier, als sie je auf einmal gesehen hatten – auf Paletten zu riesigen Stapeln aufgeschichtet und fertig zur Auslieferung am Montag an Bars und Läden im mittleren Iowa.

Sie arbeiteten nonstop, rekrutierten viele willige Helfer und beluden an dem Wochenende ein Auto nach dem anderen mit Bier aus dem langsam sich leerenden Lagerhaus. Froelich chauffierte sachkundig einen Gabelstapler und Katz dirigierte den Verkehr. Ein ganzes wundersames Wochenende konnte man ein paar Dutzend Highschool-Schüler sehen – wenn sich jemand die Mühe gemacht hätte, hinzuschauen –, die Unmengen Bier aus dem Lagerhaus holten, es quer durch die Stadt fuhren, eine Kette bildeten und es in ein leicht windschiefes, verrottetes Mietshaus an der Ecke 23rd Street/Forest Avenue trugen. Als es sich herumsprach, tauchten auch Jungs von anderen Highschools auf und fragten, ob sie ein paar Kästen haben könnten.

»Klar«, sagte Katz großzügig. »Es ist für alle reichlich da. Stellt euer Auto dort ab und versucht, keine Fingerabdrücke zu hinterlassen.«

Es war der seit Jahren größte Raub in Des Moines, vielleicht sogar der größte überhaupt. Leider beteiligten sich dann so viele Leute daran, dass in der Stadt jeder unter zwanzig wusste, wer dabei gewesen war. Wer der Polizei einen Tipp gab, erfuhr man allerdings nie, doch bei einer Razzia im Morgengrauen drei Tage nach dem Diebstahl verhaftete sie zwölf der Haupttäter und nahm sie in Handschnellen mit zum Verhör in der Stadt. Katz war natürlich dabei.

Es waren brave Jungs aus guten Elternhäusern. Ihre Eltern waren peinlichst berührt, dass ihre Sprösslinge so vorsätzlich die Gesetze gebrochen hatten. Sie holten teure Anwälte, die im Nu mit der Staatsanwaltschaft aushandelten, dass man die Anklage fallen lassen würde, wenn Namen genannt würden. Nur Katz' Eltern verhandelten nicht. Sie konnten es sich nicht leisten und fanden es eigentlich auch nicht in Ordnung. Außerdem musste jemand den Kopf hinhalten – man kann nicht alle Schuldigen davonkommen lassen, meine Güte, was wäre denn das für ein Strafrechtssystem? –, man musste sich auf einen Sündenbock einigen, und die Wahl fiel einstimmig auf Katz. Er wurde des schweren Diebstahls angeklagt, eines Verbrechens, auf das eine Strafe von mehr als einem Jahr stand, und zwei Jahre in eine Besserungsanstalt gesteckt. Wir sahen ihn erst im College wieder.

Ich kam mit knapper Not durch die Highschool. Ich brüstete mich sogar stolz damit, dass ich in allen drei Jahren die meisten Fehlzeiten hatte und mich in der elften Klasse sogar dadurch auszeichnete, dass ich häufiger fehlte als ein Junge mit einer tödlichen Krankheit, wie mir Mrs. Smolting, meine Tutorin und Berufsberaterin, mit unermüdlich warnender Stimme versicherte. Mrs. Smolting hasste mich mit einer Inbrunst, die über »flammend« weit hinausging.

»Also, ehrlich, William«, sagte sie mit dem Ausdruck unverhohlener Verachtung eines Tages, nachdem wir uns durch eine lange Liste möglicher Berufe, unter anderem Staubsaugerreparateur und ambulanter Verkäufer, gearbeitet und zu ihrer absoluten Genugtuung festgestellt hatten, dass es mir für ausnahmslos alle an Rückgrat, den erforderlichen Schulnoten, der intellektuellen Gedankenstrenge und den elementarsten Fähigkeiten zur Körperpflege mangelte. »Augenscheinlich bist du nicht qualifiziert, überhaupt etwas zu machen.«

»Na, dann muss ich wohl Highschool-Berufsberater werden!«, witzelte ich leichthin, doch leider kam es bei Mrs. Smolting nicht so gut an. Sie führte mich ab ins Amtszimmer des Direktors – mein zweiter Besuch in einem Halbjahr! – und brachte eine offizielle Beschwerde gegen mich vor.

Ich musste einen zutiefst unterwürfigen Entschuldigungsbrief schreiben und meine überbordende Wertschätzung für Mrs. Smolting und ihren hochqualifizierten, fürsorglichen Beruf bekunden, ehe ich mit dem letzten Jahr weitermachen durfte. Und da ging es wirklich um was, denn zu der Zeit, im Jahre 1968, war das Einzige, was zwischen den eigenen Weichteilen und einer Kugel des Vietcong stand, das US-amerikanische Schulsystem, weil es einem automatisch Aufschub vor der Einberufung gewährte. 1968 war ein Viertel der jungen Männer in den Vereinigten Staaten in den Streitkräften. Fast der gesamte Rest war in der Schule, im Gefängnis oder George

W. Bush. Für die meisten Jungs war die Schule die einzige realistische Möglichkeit, dem Militärdienst zu entgehen.

Mit einer seiner letzten, aber auch gefeiertsten Amtshandlungen verwandelte Thunderbolt Kid Mrs. Smolting in einen kleinen, harten verkohlten Klumpen der Sorte, die Leuten in der Eisenverhüttungsindustrie als Schlacke bekannt ist. Dann gab er seinen sorgsam abgefassten Entschuldigungsbrief ab, setzte sich ein paar Monate immer mal wieder auf den Hosenboden und machte den Abschluss unauffällig am unteren Ende seiner Klasse.

Im folgenden Herbst immatrikulierte er sich an der Drake University in Des Moines. Doch nach ungefähr einem Jahr halbherziger Bemühungen dort ging er nach Europa, ließ sich in England nieder – und danach ward kaum wieder etwas von ihm gehört.

XIV
Abschied

Eugene Cromwell, der mit seinem Auto von einem Highway in Milwaukee abkam, aber nicht verletzt wurde, stieg aus, um den Schaden zu begutachten, und fiel in einen 15 Meter tiefen Kalksteinbruch. Dabei erlitt er einen Armbruch.

Time, 23. April 1956

Während meiner gesamten Jugend rief uns unser Vater in regelmäßigen Abständen ins Wohnzimmer und fragte uns, was wir von einem Umzug nach St. Louis oder San Francisco oder in eine andere Spitzenstadt hielten. Der *Chronicle* oder der *Examiner* oder der *Post-Dispatch*, teilte er uns feierlich mit, habe gerade seinen Baseballreporter verloren – bei ihm klang es immer so, als sei der Mann, wie ein Pilot im Zweiten Weltkrieg, nicht von einer Mission zurückgekehrt – und biete ihm den Posten an.

»Das Geld ist auch nicht übel«, sagte er immer mit einem Ausdruck ehrlicher Verblüffung, als sei er überrascht, dass man dafür bezahlt wurde, wenn man regelmäßig Major-League-Baseballspiele besuchte.

Ich war immer für einen Umzug. Als ich klein war, fand ich die Vorstellung reizvoll, dass mein Dad in einem Bereich arbeitete, wo die Leute offensichtlich von Zeit zu Zeit verloren gingen. Später war es mehr der Wunsch, den Rest meiner Jugend an einem Ort zu verbringen – egal, wo –, wo der Tagespreis für Mastschweine nicht als Top-Nachricht galt und die Erträge der letzten Maisernte nie erwähnt wurden.

Doch es kam nie dazu. Letztendlich befanden meine Eltern immer, dass sie in Des Moines zufrieden waren. Sie hatten beim *Register* gute Jobs und ein schöneres Haus, als wir es uns in einer großen Stadt wie San Francisco hätten leisten können. Unsere Freunde waren hier. Hier waren wir heimisch. Des Moines fühlte sich an wie unser Zuhause. Es *war* unser Zuhause.

Jetzt, da ich älter bin, bin ich froh, dass wir nicht weggezogen sind. Schließlich fühle ich mich selbst dem Ort schon mein ganzes Leben lang verbunden. Jedes bisschen formaler Ausbildung, das ich je bekommen habe, jede prägende Erfahrung, jeder Zentimeter meines körperlichen Höhenwachstums fand in dieser anständigen, freundlichen, wohlwollenden Umgebung statt.

Natürlich existiert von dem Des Moines, wie ich es kannte, nicht mehr viel. Es veränderte sich ja schon, als ich in die Pubertät kam. Die alten Kinopaläste im Stadtzentrum verschwanden mit als Erstes. Zum Beispiel wurde das Des Moines Theater, dieser wundervolle Prachtbau, 1966 abgerissen, um Platz für ein Bürohochhaus zu machen. Bis ich eine Geschichte Des Moines' für dieses Buch las, war mir nicht klar, dass es nicht nur das schönste Kino der Stadt war, sondern wahrscheinlich das schönste Kino überhaupt, das zwischen Chicago und der Westküste überlebt hatte. Ich war außerdem entzückt zu entdecken, dass es von niemand anderem als A. H. Blank erbaut worden war, dem Wohltäter der Menschheit mit der Dachterrassenwohnung, den Jed Mattes und ich immer besucht hatten. Blank hatte 1918 die außergewöhnlich üppige Summe von 750 000 Dollar für das Gebäude ausgegeben. Erstaunlich, dass es nicht mal ein halbes Jahrhundert überlebt hat. Die anderen großen Lichtspielhäuser aus meiner Kindheit – das Paramount, das Orpheum (später hieß es Galaxy), das Ingersoll, Hiland, Holiday und das Capri – verschwanden eines nach dem anderen. Wenn man heute einen Film sehen will, muss man zu einem Einkaufszentrum hinausfahren, wo man zwischen einem Dutzend Streifen wählen kann, sie aber nur auf einer kleinen Leinwand in einer Art kinematographischer Schuhschachtel sieht. Von Magie kann da keine Rede mehr sein.

Der Riverview Park schloss 1978. Heute ist dort nur ein großes, leeres Gelände, und man sieht nicht mehr, dass er jemals existiert hat. Bishop's, unsere geliebte Cafeteria, schloss etwa zur gleichen Zeit und damit war auch Schluss mit den Atomtoiletten, Tischlämpchen, dem herrlichen Essen und den freundlichen Kellnerinnen. Viele andere Restaurants mit ortsansässigen Besitzern – Johnny and Kay's, Country Gentleman, Babe's, Bolton and Hay's, Vic's Tally-Ho, das heißgeliebte Toddle House – verschwanden ebenfalls in diesen Jahren. Katz half beim Toddle House ein wenig nach, indem er mit einem neuen Projekt namens »Iss und zisch!« begann, bei dem er und sein jeweiliger Trinkkumpan einen veritablen Spätabendschmaus verzehrten und dann ohne zu bezahlen einen hastigen Abgang machten. Wenn man sie zurückrief, schrien sie »Grad nichts klein – muss zischen!« Ich würde nicht sagen, dass Katz das Toddle House im Alleingang in die Geschäftsaufgabe trieb, aber dagegen getan hat er auch nichts.

Die *Tribune*, die Abendzeitung, die ich so manches Jahr, ohne dass es mir einer dankte, von Haus zu Haus geschleppt hatte, machte 1982 dicht, als man bemerkte, dass sie eigentlich seit 1938 keiner mehr gelesen hatte. Der *Register*, ihr großer Bruder, wahrhaftig einst der Stolz von Iowa, wurde drei Jahre später von der Gannett Company übernommen. Heute ist er, hm, auch nicht mehr das, was er mal war. Er schickt keinen Reporter mehr zum Baseball-Frühjahrstraining, ja, nicht einmal immer einen zur World Series – da ist es vielleicht ganz gut, dass mein Vater das nicht mehr erlebt.

Greenwood, meine alte Grundschule, thront immer noch über ihrem hübschen Rasen und sieht von der Straße aus großartig aus. Doch die wunderbare alte Turnhalle und die Aula existieren nicht mehr; die beiden erhaltenswertesten Teile mussten einem neuen gläsernen Anbau nach hinten hinaus Platz machen. Auch alle anderen Besonderheiten – die Umkleideräume, die klackernden Heizkörper, die eleganten Trinkbrunnen, der Geruch nach Matrizen – sind längst verschwunden. Was heißt, auch die Greenwood ist nicht mehr so, wie ich sie kannte.

Mein einzigartiger Little-League-Park mit der Tribüne und der Pressekabine wurde abgerissen, damit jemand ein riesiges Mietshaus an gleicher Stelle bauen konnte. Ein billiger neuer Baseballplatz wurde unten am Fluss, nicht weit von dort angelegt, wo die Butters gewohnt hatten, aber als ich das letzte Mal da war, war er völlig überwachsen und schien nicht mehr benutzt zu werden. Man konnte niemanden fragen, was passiert war, weil keine Leute mehr draußen sind – keine Kinder auf Fahrrädern, keine Nachbarn, die einen Schwatz über den Zaun halten, keine alten Männer, die auf Veranden sitzen. Alle sind in ihren Häusern.

Den Supermarkt Dahl's gibt es noch, und er erfreut sich auch immer noch eines gewissen Zuspruchs, doch schon vor Jahren sind der Kiddie Corral und die Warentunnel einer der regelmäßigen und im Allgemeinen schrecklichen Renovierungen zum Opfer gefallen. Fast alle anderen Läden in dem Viertel – Grund's Groceries, Barbara's Bake Shoppe, Reed's Eisdiele, der Friseur Pope's, das Malergeschäft Sherwin-Wiliams, Mitcham's TV and Electrical, die kleine Schusterwerkstatt (von Jimmy dem Italiener, einer beliebten Lokalgröße), Henry's Hamburgers, Reppert's Drugstore – sind längst weg. Wo mehrere von ihnen standen, ist nun ein großer Walgreen's Drugstore, damit man alles unter einem Dach in einem großen, anonymen, hell ausgeleuchteten Raum bei Leuten kaufen kann, die einen noch nie gesehen haben und sich auch nicht an einen erinnern würden, wenn sie einen schon mal gesehen hätten. Walgreen's führt Männermagazine, habe ich zu meiner Freude bei meinem letzten Besuch entdeckt, aber die sind in Plastiktüten versiegelt, so dass es heute wahrhaftig noch schwieriger ist, Bilder von nackten Frauen zu sehen als damals zu meiner Zeit – was ich nie für möglich gehalten hätte, aber so ist es.

Alle Innenstadtgeschäfte sind nacheinander verschwunden. Ginsberg's und das New-Utica-Kaufhaus haben geschlossen.

Kresge's und Woolworth's ebenfalls. Frankel's auch. Und Pinkie's. J.C. Penny eröffnete mutig einen neuen Laden im Zentrum, doch der musste auch wieder zumachen. Das Shops Building hat kein Restaurant mehr. Es wurde jemand überfallen oder einer hat einen geistig verwirrten Obdachlosen oder sonst was gesehen, und schon ging niemand mehr nach Dunkelwerden in die Innenstadt, und alle noch übrigen Restaurants und Nachtclubs schlossen. Und was für eine Schande, dann zog auch noch der Busbahnhof weg!

Younkers, der große Ozeandampfer von Kaufhaus, wurde praktisch das letzte überlebende Relikt aus den herrlichen Tagen meiner Kindheit. Jahrelang hielt es heroisch an seinem alten braunen Bau im Zentrum fest, wenn es auch ganze Stockwerke schloss und sich in immer winzigere Ecken des Gebäudes zurückzog, um zu überleben. Zum Schluss hatte es nur noch 60 Angestellte, verglichen mit über 1000 in seiner Blütezeit. Und im Sommer 2005 schloss es nach 131 Jahren Geschäftstätigkeit endgültig seine Pforten.

Als ich klein war, hatten der *Register* und die *Tribune* in einem vielleicht 24 mal 18 Meter großen Raum ein enormes Bildarchiv, in dem ich oft eine angenehme halbe Stunde verbrachte, wenn ich auf meine Mutter wartete. Es müssen eine halbe Million Fotos dort gelegen haben, vielleicht mehr. Einerlei, in welche Schublade welchen Aktenschranks man schaute, man fand wirklich Interessantes und Aufregendes aus der Vergangenheit der Stadt – gigantische Brände, entgleiste Züge, eine Dame, die auf ihrem Busen Biergläser balancierte, Eltern, die auf Leitern an Krankenhausfenstern standen und mit ihren poliokranken Kindern sprachen. Das Fotoarchiv enthielt die vollständige Geschichte Des Moines' im 20. Jahrhundert in Bildern.

Als ich neulich mal wieder im *R & T* war und Illustrationen für dieses Buch suchte, entdeckte ich zu meinem Erstaunen, dass sich das Bildarchiv heute in einem kleinen Raum auf der Rückseite des Gebäudes befindet und man fast alle alten Bilder vor ein paar Jahren weggeworfen hat.

»Sie brauchten den Platz«, sagte Jo Ann Donaldson, die derzeitige Archivarin, mit leicht schuldbewusster Miene.

Das haute mich fast um. »Sie haben sie nicht der Historischen Gesellschaft von Iowa gegeben?«, fragte ich.

Sie schüttelte den Kopf.

»Oder der Stadtbücherei? Oder einer Universität?«

Sie schüttelte noch zweimal den Kopf. »Sie wurden recycelt – wegen des Silbers in dem Papier«, erzählte sie mir.

Jetzt sind also nicht nur die meisten Orte verschwunden, sondern es gibt auch kein Zeugnis mehr von ihnen.

Für die Menschen ging das Leben weiter – oder hörte wie in einigen unglücklichen Fällen auf. Mein Vater reihte sich 1986 ganz unaufwändig in letztere Kategorie ein, als er eines Abends zu Bett ging und nicht mehr aufwachte, was eine ziemlich gute Art zu gehen ist, wenn man gehen muss. Er starb kurz vor seinem 71. Geburtstag. Wenn er für eine größere Zeitung gearbeitet hätte, wäre er einer der großen Baseballjournalisten seiner Zeit geworden, da bin ich sicher. Weil wir in Des Moines blieben, bekam die Welt nie Gelegenheit zu sehen, was er konnte. Er selbst natürlich auch nicht. So oder so – da kann ich mir nicht helfen – wussten beide nicht, was sie da verpassten.

Meine Mutter blieb in unserem Haus wohnen, so lange es ging, doch schließlich verkaufte sie es und zog in ein hübsches altes Mietshaus in der Grand Avenue. Inzwischen weit über neunzig, ist sie immer noch wunderbar fröhlich, gesund und putzmunter, springt so begeistert auf wie eh und je, um mit Hilfe eines eingetupperten Andenkens hinten aus ihrem Kühlschrank ein Butterbrot zu schmieren. Sie hat immer noch einen riesigen Vorrat an Gläsern unter dem Waschbecken (wenn auch in keines mehr gepieselt worden ist, versichert sie mir) und hortet eine der außergewöhnlichsten Sammlungen an Zuckertütchen, Kräckern und Marmeladen in vielen Geschmacksrichtungen. Sie möchte übrigens zu Protokoll geben, dass sie bei weitem keine so schlechte Köchin ist, wie sie ihr nichtsnutziger Sohn in diesem Buch hartnäckig schildert, und gern stelle ich hier fest, dass sie natürlich absolut Recht hat.

Über die anderen Menschen, mit denen ich die ersten Jahre meines Lebens zu tun hatte und die auf den Seiten dieses Buchs vorkommen, kann ich schwer etwas sagen, ohne zu viel von ihnen preiszugeben.

Doug Willoughby verbrachte vier rege – könnte man sagen – Jahre am College. Es war ein Zeitalter der Exzesse – dabei will ich es bewenden lassen –, doch danach kam er zur Ruhe. Er lebt nun ruhig und angesehen in einer kleinen Stadt im Mittleren Westen, wo er ein guter, liebevoller Vater und Gatte ist, ein hilfsbereiter Nachbar und ein überaus netter Mensch. Schon seit vielen Jahren hat er nichts mehr in die Luft gesprengt.

Stephen Katz stürzte sich nach der Highschool kopfüber in eine Welt der Drogen und des Alkohols. Er war ein, zwei Jahre an der University of Iowa, kehrte dann nach Des Moines zurück, wo er neben dem Timber Tap wohnte, einer Kneipe in der Forest Avenue, die sich dadurch auszeichnete, dass sie jeden Tag um sechs Uhr früh öffnete. Katz wurde oft gesehen, wie er sie um diese Stunde in Schlappen und Bademantel betrat, um seinen »Augenöffner« zu sich zu nehmen. Ungefähr 25 Jahre stopfte er seinen Körper so gut wie mit allem voll, was an bewusstseinserweiternden Substanzen zu haben war. Eine Zeit lang war er einer der nur zwei Opiumsüchtigen in Iowa (der andere war sein Dealer) und bei seinen Freunden wegen seiner bemerkenswerten Fähigkeit bekannt, spektakulär Autos zu Bruch zu fahren und grinsend und unversehrt aus dem Wrack zu steigen. Nachdem er eine Hauptrolle in einer Abenteuerreise mit dem Titel *Frühstück mit Bären* (die er als »in der Hauptsache fiktiv« beschreibt) übernommen hatte, wurde er ein respektierliches und im Allgemeinen diszipliniertes Mitglied der Anonymen Alkoholiker, ergatterte einen Job in einer Druckerei und fand eine engelsgleiche Lebensgefährtin namens Mary. Als ich dieses Buch schrieb, feierte er gerade eine stolze Leistung: Er war seit drei Jahren trocken.

Jed Mattes, mein schwuler Freund, zog bald, nachdem er mir einen Besuch des Stripperinnenzelts auf der State Fair spendiert hatte, mit seiner Familie nach Dubuque, und ich verlor den Kontakt zu ihm. Etwa zwanzig Jahre später suchte ich einen Literaturagenten und bat einen befreundeten Verleger in New York um eine Empfehlung. Er nannte mir einen klugen jungen Mann, der gerade aus der Literaturagentur ICM ausgeschieden war und sich selbstständig machte. »Er heißt Jed Mattes«, sagte mir der Freund. »Weißt du, ich glaube sogar, er kommt aus deiner Heimatstadt.«

Also wurde Jed für die nächsten zehneinhalb Jahre mein Agent und enger neu-alter Freund. 2003 ist er nach einem langen Kampf gegen den Krebs gestorben. Ich vermisse ihn sehr. Jed Mattes ist übrigens sein richtiger Name – der einzige meiner Jugendfreunde, glaube ich, dem ich kein Pseudonym gegeben habe.

Buddy Doberman verschwand nach der Hälfte der Zeit im College spurlos. Wegen eines Mädchens ging er nach Kalifornien und ward nie wieder gesehen. Nichts ist auch über das Schicksal der Gebrüder Kowalski bekannt, Lanny und Lumpy. Arthur Bergen wurde ein steinreicher Anwalt in Washington, DC. Der Butter-Clan ging eines Frühlings weg und kehrte nie mehr zurück. Milton Milton ging zum Militär, wurde etwas ziemlich Ranghohes und starb bei einem Hubschrauberunfall während der Vorbereitungen zum ersten Golfkrieg.

Dank meiner beruflichen Tätigkeit komme ich manchmal

überraschend mit Leuten von früher wieder in Kontakt. Nach einer Lesung in Denver kam zum Beispiel eine Frau zu mir und stellte sich als die frühere Mary O'Leary vor. Sie trug eine große Brille an einer Kette um den Hals und wirkte fröhlich und glücklich und überraschend kompakt. Nach einer anderen Lesung kam dagegen einmal eine Frau, die ich als schüchtern und mäuschenhaft in Erinnerung hatte, zu mir und sah aus wie ein Filmstar. So ist das Leben eigentlich ziemlich großartig, finde ich.

Thunderbolt Kid wurde groß und ging seinen Weg. Bis vor kurzem vaporisierte er manchmal sogar noch Leute, normalerweise, wenn sie gerade durch eine Tür gegangen waren, die er ihnen aufgehalten hatte, und nicht Danke schön gesagt hatten, doch schließlich hörte er auf, Leute zu eliminieren, weil er nicht wusste, welche von ihnen Bücher kauften.

Den mottenzerfressenen, löchrigen Heiligen Pullover von Zap warfen die Eltern circa 1978 bei dem schon kurz erwähnten tragisch unangebrachten Hausputz weg, zusammen mit den Baseballkarten, Comics, *Boys' Life*-Heften, der Zorro-Peitsche und dem Zorro-Schwert, dem Sky-King-Halstuch und -Halstuchring, der Davy-Crockett-Waschbärenpelzkappe, der reich bestickten Roy-Rogers-Cowboyweste und den juwelenbesetzten Stiefeln mit klimpernden Blechsporen, dem offiziellen Pfadfinder-Essbesteck, der Sky-King-Fanclubmitgliedskarte und anderen artverwandten Ausweisen, der Batman-Taschenlampe mit Signalgeber, dem elektrischen Football-Spiel, dem von Johnny Unitas empfohlenen Helm, den Hardy-Boys-Büchern und einem einzigartigen Satz Filmplakaten, viele in tadellosem Zustand.

Das ist natürlich der Lauf der Welt. Besitztümer werden weggeworfen. Das Leben geht weiter. Aber ich denke oft, wie jammerschade es ist, dass wir die Dinge, die uns und die 1950er Jahre anders und besonders und attraktiv machten, nicht aufbewahrt haben. Stellen Sie sich doch nur vor, die palastartigen Lichtspielhäuser im Stadtzentrum mit ihren riesigen Leinwänden und dem ägyptischen Dekor wären mit Dolby Sound aufgepeppt und wir sähen dort Filme mit den irren computergenerierten Spezialeffekten – na, das wäre doch erst richtig magisch! Stellen Sie sich vor, das gesamte öffentliche Leben, die Büros, Läden, Restaurants, Vergnügungsorte, wären bequem im Herzen der Stadt konzentriert und jedes Mal, wenn man von einem zum anderen ginge, liefe man tatsächlich durch Tageslicht und frische Luft. Stellen Sie sich ein Restaurant mit Atomtoiletten vor, einen berühmten Tea Room, in dem die jungen Gäste Geschenke bekämen, ein Bekleidungsgeschäft mit hochherrschaftlichem Treppenaufgang und Zwischenstock, einen Kiddie Corral, in dem man nach Herzenslust Comics lesen könnte. Stellen Sie sich eine Stadt voll mit Dingen vor, die sonst keine Stadt hat.

Was für eine wundervolle Welt wäre das. Was für eine wundervolle Welt war es. Eine solche Welt werden wir nicht wiedersehen. Leider.

Bibliografie

Auf folgende Bücher habe ich mich im Text bezogen:

Castleman, Harry und Walter J. Podrazik, *Watching TV: Six Decades of American Television*. Syracuse, New York 2003.

De Groot, Gerard J., *The Bomb: A Life*. Cambridge, Massachusetts 2005.

Denton, Sally und Roger Morris, *Las Vegas. Geld. Macht. Politik*. Frankfurt 2005.

Diggins, John Patrick, *The Proud Decades: America in War and Peace, 1941 – 1960*. New York 1988.

Goodchild, Peter, *Edward Teller: The Real Dr. Strangelove*. London 2004.

Halberstam, David, *The Fifties*. New York 1993.

Heimann, Jim (Hg.), *The Golden Age of Advertising – the 50s*. Köln 2002.

Henriksen, Margot A., *Dr. Strangelove's America: Society and Culture in the Atomic Age*. Berkeley 1997.

Kismaric, Carole und Marvin Heiferman, *Growing Up with Dick and Jane: Learning and Living the American Dream*. San Francisco 1996.

Lewis, Peter, *The Fifties*. London 1978.

Light, Michael, *100 Sonnen*, München 2003.

Lingeman, Richard R., *Don't You Know There's a War On?: The American Home Front 1941–1945*. New York 1970.

McCurdy, Howard E., *Space and the American Imagination.* Washington 1997.

Mills, George, *Looking in Windows: Surprising Stories of Old Des Moines.* Ames, Iowa 1991.

Oakley, J. Ronald, *God's Country: America in the Fifties.* New York 1986.

O'Reilly, Kenneth, *Hoover and the Un-Americans.* Philadelphia 1983.

Patterson, James T., *Grand Expectations: The United States 1945–1974.* New York 1996.

Savage, Jr., William W., *Comic Books and America, 1945–1954.* Norman 1990.

Abbildungen

Vorsatzblätter: Eine amerikanische Durchschnittsfamilie und die Essensmenge, die sie 1951 verzehrte. Hagley Museum and Library, Wilmington, Delaware.

Die Fotos der Familie Bryson auf den Seiten 2, 6, 8, 42, 117, 220, 334, 349 entstammen der Privatsammlung des Autors.

Seite 10: Locust Street, Des Moines, 16. Februar 1953. Im Kino läuft *Dope Inferno*. State Historical Society of Iowa

Seite 66: Der Paramount Kinopalast in Des Moines in den 1950ern. Es läuft *The Florodora Girl* mit Al Morey und Marion Davies. State Historical Society of Iowa

Seite 90: Werbeanzeige für Camel-Zigaretten, ärztliche Empfehlung inbegriffen. Mit freundlicher Genehmigung der Advertising Archives in London

Seite 140: Büstenhalterwerbung der Firma Maidenform. Mit freundlicher Genehmigung der Advertising Archives in London

Seite 158: Marinebeobachter werden Zeuge einer Atomexplosion im Pazifik in den 1950er Jahren. Copyright CORBIS

Seite 178: Probealarm für einen Atomangriff – Schulkinder in vorschriftsmäßiger Deckung, Februar 1951. Copyright Bettmann/CORBIS

Seite 200: Mary McGuire als Homecoming-Queen im Jahrbuch der Drake University von 1938. Sonderkollektion der Cowles Library, Drake University, Des Moines

Seite 244: Chesley Bonestells Vision von New York nach einem Atomangriff. Im *Collier's* vom 5. August 1950. Mit freundlicher Genehmigung der Bonestell Space Art

Seite 266: Zuschauer bei der Tortenausstellung auf der Iowa State Fair, Des Moines 1955. John Dominis/Timepix

Seite 300: Charles van Doren in der Fernseh-Quizsendung *Twenty-One* am 11. März 1957. Später wurde enthüllt, dass die Show manipuliert war. Copyright Bettmann/CORBIS